In Sachen Thomas Bernhard

Herausgegeben von
Kurt Bartsch · Dietmar Goltschnigg
Gerhard Melzer

Athenäum
1983

Gedruckt mit Unterstützung des Bundesministeriums für Unterricht und Kunst (Wien) und der Landesregierungen von Oberösterreich, Salzburg und der Steiermark.

CIP-Kurztitelaufnahme der Deutschen Bibliothek

In Sachen Thomas Bernhard / hrsg. von Kurt Bartsch . . . – Königstein/Ts. : Athenäum, 1983.
  ISBN 3-7610-8252-5
NE: Bartsch, Kurt [Hrsg.]

Umschlagentwurf: Jutta Schneider, Dreieich-Sprendlingen
Umschlagphoto: Andrej Reiser
Gesamtherstellung: Buchdruckerei Wagner, Nördlingen
Printed in Germany
ISBN 3-7610-8252-5

Für Hellmuth Himmel
(1919–1983)

Inhaltsverzeichnis

Vorbemerkung

> „Die Wahrheit ist immer ein Irrtum"
> *(Die Kälte)*
>
> Unser hochgeschätzter
> ja schon weltberühmter Autor
> über welchen jetzt schon bald mehr Bücher
> erschienen sind als er selbst geschrieben hat
> *(Über allen Gipfeln ist Ruh)*
>
> Nun ist das Werk vollendet und wird seinen
> Weg gehen
> Jetzt sollen sich alle darüber die Köpfe zer-
> brechen
> möglichst viele Köpfe
> *(Über allen Gipfeln ist Ruh)*

Thomas Bernhard, selbstgewählter Außenseiter der gegenwärtigen deutschsprachigen Literaturszene, hat seit seinem ersten großen Erfolg mit dem Roman *Frost* im Jahr 1963 durch die radikale Negativität seines Welt-, Gesellschafts- und Menschenbildes und die absolute Skepsis gegenüber Wahrheitsfindung wie kaum ein anderer Schriftsteller heftige Stellungnahmen, ablehnende wie enthusiastische, hervorgerufen. Abgeklärt kann man dem Werk Bernhards nicht begegnen. Und das wollen auch die Einzelstudien dieses Bandes nicht, wenngleich sie sich durch textnahe Interpretationen einzelner der nunmehr rund vierzig in Buchform veröffentlichten Werke des Autors in die Reihe jener Diskussionsbeiträge einordnen, aus denen jenseits bloß emotionaler Reaktion eine etwas nüchternere Zwischenbilanz über Thomas Bernhard gezogen werden kann.

Die Herausgeber
Graz, im September 1982

JOSEF DONNENBERG

War Thomas Bernhards Lyrik eine Sackgasse?

I. Thomas Bernhard im Kontext der österreichischen Literatur

Österreichische Autoren von internationalem Ruf sind (meist) Autoren aus Österreich, die durch einen großen bundesdeutschen Verlag präsentiert und bekanntgemacht wurden/werden.[1] In diesem Sinn ist Thomas Bernhard ein typisch österreichischer Autor. Aber nicht nur in diesem Sinn. Er gilt als Kronzeuge einer spezifischen Tradition der österreichischen Literatur.

Der Charakter der österreichischen Literatur ist – einer inzwischen weitverbreiteten Klischeevorstellung zufolge – auch nach 1918 vom sogenannten „habsburgischen Mythos" geprägt, den der italienische Germanist Claudio Magris 1963 (dt. 1966) in seinem wichtigen und einflußreichen Buch analysierte, und zwar als eine Verklärung und Entstellung der geschichtlichen Wirklichkeit. Während Magris seine ursprüngliche Position inzwischen modifizierte, behauptete der deutsche Literaturkritiker Ulrich Greiner erst kürzlich (1979): „In der österreichischen Literatur stirbt noch immer der habsburgische Mythos." Im Werk Thomas Bernhards vollziehe sich ebenso extrem wie exemplarisch der „Tod des Nachsommers", das heißt der schönen Utopie Stifters, „ein Prozeß, der sich bis in die feinsten Verzweigungen der österreichischen Gegenwartsliteratur fortsetzt".[2] Die bekanntesten und bedeutendsten österreichischen Autoren beschäftigen sich nämlich nicht, wie ihre westdeutschen Kollegen (Alfred Andersch, Heinrich Böll, Günter Grass, Peter Weiss) kritisch mit der heutigen Wirklichkeit ihres Landes, sondern neigten alle so oder so zur Wirklichkeitsflucht, zum Eskapismus. Die österreichische Literatur sei antirealistisch, weil wirklichkeitsflüchtig, und wirklichkeitsflüchtig, weil im Banne des habsburgischen Mythos.

In einem 1970 publizierten Aufsatz über Thomas Bernhard habe ich zu zeigen versucht, daß sich aus der Betrachtung sowohl seiner Prosadichtungen wie auch der Essays, vor allem der *Politischen Morgenandacht* aus dem Jahre 1966, der Befund ergibt: „Negation einer in die Vergangenheit projizierten Utopie", und: „bei Thomas Bernhard ist die Liquidation des habsburgischen Mythos vollzogen".[3] In dieser *Politischen Morgenandacht* forderte Bernhard: „Österreich mit seiner Vorstellung, die wir davon haben, muß der Wahrheit zum Opfer fallen."[4]

Diese Liquidation des habsburgischen Mythos ist allerdings ein Akt der Befreiung, die sich keine Zuflucht zu einem Gegenmythos gestattet, zu einer Gegenwelt auf Grund der „Frohbotschaft der modernen, aktiven und wirkenden Kultur" (Magris), das heißt im Sinne einer linearen Fortschrittsidee und ihrer Ideale als Trostwelt.[5] Der De-Idealisierungsprozeß bei Thomas Bernhard wird erstens bedingungslos vollzogen, und zweitens: Was als Desillusionierungs- und Entidealisierungsprozeß sich bei Bernhard ereignet, das ist längst nicht mehr (oder zumindest nicht nur) das Begräbnis des sogenannten habsburgischen Mythos, sondern das Begräbnis europäischer Vorstellungen und Ideale. Dafür spricht schon die immer wieder beobachtete Verwandtschaft mit Samuel Beckett – die allerdings oft als epigonale Abhängigkeit mißverstanden wurde. Man kann m. E. Bernhards Negation europäischer Ideale und Utopien, seinen Kampf dagegen, nicht auf den Kampf gegen hausinterne, bloß auf Österreich bezügliche Phänomene und Probleme reduzieren.

Man kann auch den von Jean Améry so genannten „Morbus Austriacus"[6] nicht nur auf den sozial-kulturellen Kontext „Österreich" beschränken und auf diese Weise verharmlosen. Dieser „Morbus Austriacus" und sein „taedium vitae" gehören in den Zusammenhang des europäischen Nihilismus – ein Wort, das ich unpolemisch gebrauche. Es ist also durchaus angemessen, Bernhards Werk als Signatur der Zeit zu lesen. So wie Heine künstlerische und politische Ereignisse der Zeit analysiert hat. Er ,las' etwa die Bilder von Delacroix (1830) und von Horace Vernet (1843) im Pariser Salon als Signaturen der Zeit, das heißt, er erfaßte sie deskriptiv und spekulativ als Kennzeichen einer sozial-kulturellen geschichtlichen Entwicklung, während und nach der Julirevolution.[7] Oder so wie Friedensreich Hundertwasser, in seinem Manifest von 1968, *Los von Loos*, das Manifest des österreichischen Architekten Adolf Loos *Ornament und Verbrechen* (1908) als Verbrechen und Verhängnis ,gelesen', entziffert hat.[8] Oder so, wie Malewitsch suprematistische Gemälde, besonders sein Bild *Schwarzes Quadrat auf weißem Grund* (1913/15) im Zusammenhang mit Samjatins warnendem Zukunftsroman *Wir* als Zeichen eines tödlichen Vollkommenheitsideals lesbar werden: das Quadrat als Metapher für ein schließlich destruktives Ideal tyrannisch organisierter Vollkommenheit, für eine inhuman technisierte Lebensform gleichgeschalteten Glücks – errungen durch bewußten, staatlich organisierten Verzicht auf Freiheit.[9] Eine solche Metapher mit dem Charakter einer Zeitsignatur findet sich zum Beispiel in Bernhards Roman *Korrektur* (1975): das vollkommene Bauwerk des (Wohn-) Kegels im Kobernaußerwald.[10] Dieser Idealbau sollte dem Erbauer (als

Geistes-Arbeit) Befriedigung, seiner Schwester (als Wohn-Bau) höchstes Glück verschaffen und zugleich geometrischer Mittelpunkt für Alles sein.[11] Dieser Ideal-Bau ist (auch) eine Kunstwerk-Metapher.

Im Hinblick darauf läßt sich die Entwicklung von Bernhards Sprachkunst als Entwicklung von sentimental-pathetischem Ausdruck des Leidens an der ‚Realität' zur musikalisch-geometrischen Utopie der Kunst als Vollkommenheitsideal lesen: ein solches wird errichtet in ungeheurer Geistes-Anstrengung und Negation des Unvollkommenen (bzw. ‚Realen'); es erweist sich als tödlich und destruktiv. Dies führt zum Problem, wie es, dieses Vollkommenheitsideal, ‚korrigiert' werden kann. Solche unausgesetzte Anstrengung der Korrektur[12] führt schließlich an eine äußerste Grenze, die zu durchstoßen bleibt.[13] Diese Erfahrung der Grenze und ihres Überstiegs (in die ‚Lichtung' bei Bernhard)[14] findet ein Gegenstück in der „Erfahrung der Übertretung" bei Georges Bataille und deren Analyse durch Michel Foucault: „Vielleicht wird sie (die Erfahrung der Übertretung) eines Tages für unsere Kultur so entscheidend sein, so eingewurzelt in ihren Boden, wie es einst für das dialektische Denken die Erfahrung des Widerspruchs war."[15]

Die Lektüre und Entschlüsselung von Signaturen, von Zeichen (Signifikanten) der Kunst und Literatur verbindet sich (für mich) mit der Vorstellung der Kunst bzw. Literatur als einem metaphorischen (Teil-)System, von Menschen gemacht, entwickelt wie andere Teilsysteme des gesellschaftlichen Gesamtsystems, das in einem mehr oder weniger gebrochenen, einem sogenannten uneigentlichen Bezug zur Wirklichkeit steht. Nicht nur in realistischen Darstellungsweisen, auch in den hermetischen, experimentellen und romantischen Formen künstlerischer Äußerungen ist ein solcher Bezug enthalten, kann in seiner Relation zur Lebenswirklichkeit wahrgenommen werden: und zwar so oder so als Auseinandersetzung mit ihr, nicht als Eskapismus. Eskapistisch wäre nur die widerspruchsfreie bzw. unkorrigierte Perfektionierung des Ideals.

Unter solchen Voraussetzungen betrachtet, läßt sich das Bild der österreichischen Literatur differenzieren – und die Frage nach dem Ort Bernhards in diesem Kontext präzisieren. Es lassen sich in der österreichischen Literatur der Vergangenheit und Gegenwart m. E. im wesentlichen drei Modelle unterscheiden, die den Bezug zwischen Schreibart und gesellschaftlicher Wirklichkeit prägen; sie können einander überschneiden:

Ein hierarchisches Modell der Schreibart und Wirklichkeitserfassung (z. B. Stifter – Gütersloh, Doderer); Metaphysik auf der Basis der Schöpfungsordnung; Dominanz des monarchischen Prinzips gesellschaftlicher Ordnung.

Ein anarchisches[16] Modell der Schreibart und Wirklichkeitserfassung (z. B. Nestroy – Artmann, Eisendle); Positivismus bzw. Agnostizismus; Neigung zu einem plural-demokratischen Prinzip gesellschaftlicher Ordnung.

Ein dialektisches Modell der Schreibart und Wirklichkeitserfassung (z. B. Lenau – in Ansätzen, in seinen Epen – Michael Scharang, Elfriede Jelinek, Marie-Thérèse Kerschbaumer); dialektische Philosophie bzw. dialektischer Materialismus; Prävalenz eines diktatorischen Prinzips gesellschaftlicher Ordnung.

Das Korrespondenz-Verhältnis der Schreibart zu diesen philosophisch artikulierten oder artikulierbaren Wirklichkeitsmodellen, denen jeweils charakteristische Gesellschaftsmodelle entsprechen, ließe sich als Isomorphie bezeichnen.

Im Hinblick auf Thomas Bernhard ist zunächst zu sagen: Gerade auch in der künstlichen bzw. kunstvollen Distanz zur scheinbar unmittelbaren Lebenswirklichkeit kann Literatur eine Praxis des Widerstandes gegen erstarrte Ideal- und Normvorstellungen (besonders aus dem 19. und 20. Jahrhundert) werden, die Destruktivität provozieren. Die radikale Aufarbeitung von Destruktivität sollte nicht mit der Destruktivität selbst verwechselt werden.

II. Ein Bernhard-Portrait als Kontext für seine Lyrik

„Nach meinen Erfahrungen mit Lesern, die sich über Gegenwartsliteratur unterhalten, gibt es keine gleichmütig duldende, gelassene Reaktion auf Thomas Bernhard", stellt Gabriele Wohmann (1978) fest.[17] In der Tat, die einen reagieren schroff ablehnend und fühlen sich zutiefst im Recht mit ihrer Empörung oder Abwehr; die anderen verteidigen ihn und sein Werk wie die eigenen, geheimsten Gedanken, wie eine sonst verschwiegene Versuchung. Einen wesentlichen Grund hierfür nennt Bernhard, wenn er seinen Lesern (in der bloß vorbereiteten, nicht gehaltenen Rede zum Wildgans-Preis der Industrie 1968) zuruft: „Sie fürchten ständig, daß ich etwas ausspreche, das Sie fürchten."[18] Hinzu kommen der Wahrheitsanspruch, mit dem Bernhard auch die ungeheuerlichsten Dinge vorträgt, und der Gestus der Verachtung, der ihm (auch als Familienerbe) wohlbewußt ist; der Verachtung der „Dummheit, die das Leben erträglich macht". Für ihn ist es die Kunst, die das unerträgliche Leben möglich macht, Kunst als Gegenposition zur Gedankenlosigkeit, und das heißt bei Bernhard: als Schule des Todes – in einem mehrfachen Sinn. Ein immer wiederkehrendes mehrwertiges Bild des Todes ist die Finsternis: „In der Finsternis wird alles deutlich." Nämlich all das, was der Mensch in seinem Lebensdilettantismus so gerne verbirgt, verschleiert. Während z. B. Elias Canettis Werk leidenschaftlich gegen den Tod rebelliert, scheinen Bernhards Bücher monomanisch um den Tod zu rotieren: „Denn allerhöchstes Glück ist nur im Tod, so Roithamer"[19].

Aber in solchen Sätzen lauern Mißverständnisse. Versteht man Bernhard, wenn man ihn als den „total illusionslosen Menschen" feiert (H. Fink) oder ihn als „Unterganghofer" schmäht (F. Schuh)? Ist jener Satz aus der Wiener Rede von 1968: „es ist alles lächerlich, wenn man an den Tod denkt", nur eine Platitüde? Bernhard gehört zu jenen, die zwischen Menschen nur Mißverständnisse für möglich halten: „Ich spreche die Sprache, die nur ich allein verstehe, sonst niemand, wie jeder nur seine eigene Sprache versteht; und die glauben, sie verstünden, sind Dummköpfe und Scharlatane." Bei dieser Zurückweisung der Möglichkeit der adäquaten Kommunikation handelt es sich wohl nicht um die These der Privatsprache (die Wittgenstein ad absurdum geführt hat), sondern um das demonstrative Insistieren Bernhards auf der monologischen Sprachform als der – erworbenen – Grundbewegung seines Schreibens. Das zeigt auch die Fortsetzung dieses Zitats aus der autobiographischen (Jugend-)Erinnerung *Der Keller*: „Es kommt mir vor, als existierte ich als Rutengänger im eigenen Kopf. Bin ich Teil oder Opfer der sich immer schneller drehenden und alles in ihr ununterbrochen malmenden und zermalmenden Existenzmaschine? frage ich mich. Die Antwort muß ausbleiben."[20] Dies beunruhigt ebenso wie das andere, das sich ihm später als Überzeugung aufdrängen will: „Der einzige Zweck ist, die Zwecklosigkeit (der Natur) zu beobachten."[21]

Der oft eruptive Tonfall der Protagonisten seiner Werke, aufgeladen mit dem Willen und der Anstrengung auf die Spitze getriebener Künstlichkeit, wobei Tragisches in Komisches umschlägt und umgekehrt, zwingt den Leser zur Teilnahme. Die Radikalität des Bekenntnisses, der Verzweiflung, der Korrektur von Hoffnungen, die vorübergehend Handlungen ermöglichen, erschwert gelassene Prüfung, läßt dem Leser zunächst nur die Alternative zwischen Identifikation mit Bernhards Desillusionierungsprozeß oder der Besinnung auf fundamental andere Voraussetzungen seiner Einstellung zu Leben und Tod, Natur und Geschichte. Nicht zuletzt in dieser Stellungnahme erzwingenden Kunst und in ihren unübersehbaren Bezügen zur österreichischen, zur europäischen kulturellen Tradition und Situation liegt der außergewöhnliche Wert, die

Bedeutung des Werkes von Thomas Bernhard. Immer wieder führt er die Protagonisten seiner Werke (und die Leser) an den Punkt, wo sie „plötzlich in der phantastischen Geometrie der Zerwürfnisse stehe[n], in der Übelkeit zweier Jahrtausende"[22], und er zeigt, wie es ihnen ergeht beim Versuch standzuhalten.[23]

Nach diesem Versuch einer überblickshaften Orientierung über Rezeption und Thematik der Dichtung Thomas Bernhards nun eine knappe Skizze des Werdens seiner Kunst und ihrer Wirkung.

(1) Kindheit und Jugend oder Die Voraussetzungen (1931–1948)

Thomas Bernhard wurde am 9. Februar 1931 in Holland geboren, im Kloster Heerlen, einem Heim für ledige Mütter; er stammt aber aus dem Land Salzburg, der Heimat seiner Vorfahren. Seine Mutter, Tochter des Salzburger Schriftstellers Johannes Freumbichler (Österreichischer Staatspreis für Literatur 1937), arbeitete als Hausgehilfin und mußte den Neugeborenen in Pflege geben. Seinen Vater, Bauernsohn aus Henndorf, Tischler von Beruf, 1943 „in Frankfurt an der Oder an den Kriegswirren zugrundegegangen", hat Bernhard nie gesehen. Bis zu seinem siebten Lebensjahr lebte das Kind bei den Großeltern mütterlicherseits, kurz in Wien, mehrere Jahre in Seekirchen am Wallersee, dann im bayrischen Traunstein, wo sein Vormund, der Ehemann seiner Mutter, eine Anstellung gefunden hatte. Von Kindheit an Schüler des Großvaters und von ihm für die Kunst und gegen die Schule(n) erzogen, beendete Thomas Bernhard eigenwillig und plötzlich seine Salzburger Gymnasialzeit, während der er in einem Internat der Stadt untergebracht war, und begann (1947) eine kaufmännische Lehre in einer Salzburger Vorstadt. Im feuchten Keller des Lebensmittelgeschäftes zog er sich eine Rippenfellentzündung zu und wurde lungenkrank (1948–51). – Bernhards spätere Darstellung dieser Kinder- und Jugendjahre in den autobiographischen Erinnerungsbüchern: *Ein Kind* (1982) – *Die Ursache. Eine Andeutung* (1975) – *Der Keller. Eine Entziehung* (1976) – *Der Atem. Eine Entscheidung* (1978) – *Die Kälte. Eine Isolation* (1981) wurde zu einer schonungslosen Abrechnung, insbesondere mit der zugleich gehaßten und geliebten Heimatstadt Salzburg, und zu einer Selbstdarstellung, in der sich Realitätserfahrung und Stilisierung mischen. Dem Leser wird erkennbar, wie der durch Anlage und Erziehung, Familien- und Zeitverhältnisse außergewöhnlich Sensibilisierte seine ihn kennzeichnenden Widerstandstechniken entwickelt.

(2) Krise und Entscheidung oder Die Jahre der Krankheit, des Studiums und der frühen Werke (1948–1963).

Fast zugleich mit dem lungenkranken Großvater wurde auch Bernhard ins Spital eingeliefert. Der Großvater starb (1949), der Enkel hatte sich entschieden, zu leben.[24] Nachdem er vom Tod des Großvaters erfahren hatte, erkannte der Enkel: „Meine erste Existenz war abgeschlossen, meine zweite hatte begonnen."[25]

Und: „In der Lungenheilstätte Grafenhof begann ich, immer den Tod vor Augen, zu schreiben. Daran wurde ich vielleicht wiederhergestellt"[26]: Schreiben also als individuelle Widerstandstechnik, als Form des Überlebens und als Lebensform. Nach der Entlassung aus dem Krankenstand setzte Bernhard sein schon während der Schulzeit und während der Kaufmannslehre begonnenes Musik- und Gesangsstudium fort: zunächst in Wien (Freiplatz an der Musikakademie 1951), dann in Salzburg, am Mozarteum (Gesang, Regie und Schauspielkunst); er arbeitete währenddessen für Zeitungen (diverse Artikel für das „Salzburger Demokratische Volksblatt"; Theaterkritiken für die Wiener Wochenzeitung „Die Furche") und unternahm Reisen nach Italien und Jugoslawien. Er schloß dieses Studium 1957 ab (zu seinen Prüfungsarbeiten gehörte auch eine Abhandlung über Artaud und Brecht); im selben Jahr erschien sein erster Gedichtband: *Auf der Erde und in der Hölle*, dem 1958 zwei weitere folgten: *In hora mortis* und *Unter dem Eisen des Mondes*. Als Nachzügler folgte 1962 ein schmaler, nur wenigen bekannter Privatdruck der beiden langen Gedichte: *Die Irren. Die Häftlinge*. Diese Lyrik wurde wenig beachtet, ist aber zumindest symptomatisch für Bernhards innere Entwicklung jener Zeit. Der zweite Gedichtband ist „meinem einzigen und wirklichen Freund, G. L." gewidmet, das ist Gerhard Lampersberg, bei dem er 1957 bis 1960 auf dem Tonhof in Maria Saal (Kärnten) lebte und arbeitete, wenn er sich nicht in Wien aufhielt oder auf Reisen war. In Kärnten entstanden – und wurden zum Teil auch aufgeführt – (bisher unveröffentlichte) Ballettszenen (*Die Totenweiber*) und kurze Bühnenspiele (u. a. *Gartenspiel für den Besitzer eines Lusthauses in Kärnten*) sowie eine Kammeroper (*Die Köpfe*), von Lampersberg vertont. *Die Rosen der Einöde, Fünf Sätze für Ballett, Stimmen und Orchester* erschienen 1959 im Druck und wurden in einem kleinen Wiener Avantgardetheater aufgeführt; H. C. Artmann berichtete betont unernst in der Zeitung „Kurier" (Wien) über die Premiere eines „schrecklichen Theaterstücks" namens *Rosen und Einwände* von einem gewissen „Thomas Herrenbart".[27]

(3) Erfolg und Wirkung in der Öffentlichkeit (1963 ff.)

Ernst zu nehmen begann man Bernhard erst, als – über Vermittlung Carl Zuckmayers – im Insel Verlag sein erster Roman *Frost* (1963) und seine Erzählung *Amras* (1964) erschienen. Im gleichen Jahr erhielt er den Julius Campe Preis und 1965 den Literaturpreis der Freien und Hansestadt Bremen; er konnte sich einen alten Bauernhof in Oberösterreich kaufen und lebt seitdem einsiedlerisch – nicht zuletzt aus gesundheitlichen Gründen – meist auf diesem seinem Vierkanthof in Ohlsdorf bei Gmunden. Und seitdem erscheinen in rascher Folge seine Bücher bei Suhrkamp und auch im Residenzverlag: Kurzprosa, Erzählungen, Romane, Filmszenarien und seit 1970 auch Bühnenwerke. Von seinen weiteren Auszeichnungen sind zu erwähnen: 1967 der (sogenannte kleine) Österreichische Staatspreis für Literatur, 1968 der Wildgans-Preis der österreichischen Industrie, 1970 der renommierte Büchner-Preis. Auch die Zahl der wissenschaftlichen Studien über Thomas Bernhard hat seit etwa 1970 merklich zugenommen.[28]

Seinen ersten Bewunderern schon galt seine „radikale Existenzkritik" als „unentbehrlich", denn: „er stört uns in unserer falschen Sicherheit [...], die das Produkt massiver Verdrängungen ist" (G. Blöcker); gemeint ist Verdrängung der Natur, des Naturwesens Mensch. Inzwischen wird Thomas Bernhard nicht nur häufig als Dichter-Philosoph bezeichnet, sondern speziell als „fils spirituel de Wittgenstein" erkannt (Le Monde, 3. 3. 1978) – obwohl er das Narrengewand nicht verbirgt. Seinen Verächtern aber gilt er als „Unterganghofer" (Franz Schuh). Sein Werk sei „Selbstverstümmelung als Kunst" (G. Fuchs), „Lazarettliteratur" (Peter Rühmkorf). Und während leichtfüßig Fortschrittsbewegte mißmutig feststellen, Bernhard erstarre zusehends in seiner Manier, erscheint sein Werk in feministischer Perspektive als Zeichen des Endes des Patriarchats, der „Paranoia der männlichen Kraft" (Ria Endres).[29]

Wenn es zutrifft, daß Bernhards Werk ähnlich wie das von Kafka, Wittgenstein und Beckett Endzustände darstellt, dann ist es vielleicht gerechtfertigt, an den Anfang vom Ende zu erinnern, auf den ein früher Essay Kants hinweist: „Die Einfalt und Genügsamkeit der Natur fordert und bildet an den Menschen nur gemeine Begriffe und eine plumpe Redlichkeit, der künstliche Zwang und die Üppigkeit der bürgerlichen Verfassung heckt Witzlinge und Vernünftler, gelegentlich aber auch Narren und Betrüger aus und gebiert den weisen oder sittsamen Schein, bei dem man sowohl des Verstandes als der Rechtschaffenheit entbehren kann, wenn nur der schöne Schleier dichte genug gewebt ist, den die Anständigkeit über die geheime(n) Gebrechen des Kopfes oder des Herzens ausbreitet."[30] Auf die Spur solcher Gebrechen geriet Bernhard nicht zufällig oder willkürlich, sondern gedrängt von Lebens- und Zeitgeschichte. Kompromißlos auf diesem Wege weitergehend – bis zur Übertretung jener „Anständigkeit", die die Gebrechen des Kopfes und Herzens verhüllt –, hat Bernhard seine Romane *Frost* (1963), *Verstörung* (1967), *Das Kalkwerk* (1970), *Korrektur* (1975) geschaffen und die anderen Prosaarbeiten von *Amras* (1964) bis zu *Die Billigesser* (1981), *Beton* (1982) und *Wittgensteins Neffe. Eine Freundschaft* (1982). Immer wieder Wege in die individuellen und sozialen Gefährdungen, Gebrechen, Ängste und Nöte einer Spät- bzw. Übergangszeit, die sie radikal erfassen, zur Sprache bringen und damit zur Entscheidung stellen.

Die Schrecken und Schreckensaussichten heutiger Welterfahrung können auch von der Dogmatik historisch-materialistischer Geschichtsphilosophie nur (mühsam) verdeckt werden und können allein aus der geistesgeschichtlichen Tradition der Tod-Gottes-Menetekel (Pascal, Jean Paul, Heine, Nietzsche) nicht bewältigt werden. In dieser Situation weist z. B. die manieristische Seiltänzer-Metapher Bernhards,[31] das narzißhafte Motiv der Selbstbespiegelung, das Leitmotiv einer (scheiternden) Lebensarbeit, auf Vereinsamung durch Leiden am Verlust überindividueller kultureller Traditionen und durch Widerstand gegen Entfremdungsprozesse in einer Gesellschaft, die ihre Verblendungen und Klassengegensätze (noch) nicht menschenwürdig und in Freiheit zu überwinden vermag.

Wenn es zutrifft, daß Thomas Bernhard an einem einzigen Buch schreibt, von einer einzigen doppelbödigen Thematik obsessiv beherrscht ist („es ist alles lächerlich, wenn man an den Tod denkt"), dann ist auch die Annahme einer von Schrift zu Schrift, Bühnenstück zu Bühnenstück sich behauptenden typischen Menschen- und Kunstfigur im Werk Bernhards plausibel: die monologische Existenz eines Eingeschlossenen, eines in seinem Sprach-Bau zugleich geborgenen, gespiegelten und ausgesetzten Menschen: z. B. im Theaterstück *Minetti* (1976). So wenig Bernhard Erzählungen (oder gar traditionelle Romane) schreibt, so wenig schreibt er handlungsstarke Dramen (gattungsästhetisch betrachtet: ein Hinweis auf die ursprüngliche Dominanz des Lyrikers?). Seine janusköpfigen Tragödien/Komödien sind Stimmen-Konstellationen, in denen „die Finsternis Härtegrade des Wahnsinns" erreicht.[32] Wahnsinn des einzelnen als Wahnsinn der Gesellschaft, aber nicht unbeteiligt von außen, sondern mitbeteiligt von innen erlebt und dargestellt (z. B. *Vor dem Ruhestand*, 1979): zugleich Zeugen-Aussage und Schmerz-Annahme. („Es ist lebensgefährlich den Schmerz zu verweigern", G. Wohmann, 1978). Muß ein Schriftsteller engagiert ein gesellschaftspolitisch alternatives Weltbild artikulieren? Er scheint seine Aufgabe „auch dann adäquat zu erfüllen, wenn es ihm gelingt, sein Leiden an der Gesellschaft, in der er sich vorfindet, konsequent zu artikulieren", wie Lutz Holzinger 1971 formuliert hat.[33]

1930 schon, gegen Ende seiner Abhandlung *Das Unbehagen in der Kultur*, schrieb Sigmund Freud: „Wenn die Kulturentwicklung so weitgehende Ähnlichkeit mit der des Einzelnen hat und mit denselben Mitteln arbeitet, soll man nicht zur Diagnose berechtigt sein, daß manche Kulturen – oder Kulturepochen – möglicherweise die ganze Menschheit – unter dem Einfluß der Kulturstrebungen ‚neurotisch' geworden sind?"[34] Und er schloß das Bestehen von Analogien zwischen den psychoanalytisch erkennbaren Entwicklungsbedingungen des einzelnen und denen ganzer Kulturepochen keineswegs aus. Es sind demnach nicht nur die möglichen Analogien zwischen den einzelnen, den Erfahrungen des Lesers und den im Kunstwerk gestalteten Erfahrungen des Autors, die ein Werk allgemein interessant und bedeutsam machen, sondern auch die Analogien zwischen der Pathologie von Kunstfiguren und der Pathologie kultureller Gemeinschaften. Dazu müssen persönliche Erfahrungen aber eben erst Kunstfiguren werden. Daß in Bernhards Werk schließlich solche Kunstfiguren entstanden sind, das hat schon Ingeborg Bachmann klar erkannt. Ihr *Versuch* (1969) über Thomas Bernhard zeigt dies.[35] Sie schätzt an Bernhards Büchern wie *Verstörung* und *Watten* jene „Radikalität, die im Denken liegt und bis zum Äußersten" geht, und erkennt zugleich, „daß in [der] deutschen Sprache wieder die größte Schönheit, Genauigkeit, Art, Geist, Tiefe und Wahrheit geschrieben wird"; daß es Bücher sind „über die letzten Dinge, über die Misere des Menschen, nicht über das Miserable, sondern die Verstörung, in der sich jeder befindet." Diese Verstörung als Zeitproblem wird sichtbar in konkreten ‚Kunstfiguren', in denen es auch um die ‚nächsten Dinge' geht.[36]

III. „die Krankheit meiner Lieder" – Zur Lyrik Thomas Bernhards[37]

Die Metapher: „die Krankheit / meiner Lieder", die als Thema für die hier vorzunehmende Untersuchung von Bernhards Lyrik gewählt wurde, ist ein Zitat aus seinem zweiten Gedichtband *In hora mortis* (1958, S. 17). Der Problemaspekt, der damit angedeutet wird, ist wenigstens zweifacher Art. Einerseits soll damit (textimmanent-deskriptiv) ein Leitmotiv von Bernhards Lyrik erfaßt werden, andererseits wird damit (textreflektierend-wertend) eine kritische Perspektive angedeutet. Ich beginne mit dem kritischen Versuch, Stellung und Stellenwert der Lyrik Thomas Bernhards in seinem bisherigen Gesamtwerk zu erörtern.

Während Barthofer in seinem mehr deskriptiv-informativen Beitrag die Qualitätsfrage nicht stellt (bzw. den Qualitätsvergleich der Lyrik mit Bernhards späterem Prosawerk vornimmt),[38] erkennt Sorg den epigonalen Charakter dieser Lyrik, erinnert an Benns Diktum von der Kunst als dem Gegenteil von ‚gut gemeint'[39] und läßt durchblicken, daß er die frühe Lyrik – verglichen etwa mit der frühen Prosa der *Ereignisse* – nicht für gelungen hält.[40] Dennoch meint Sorg: „Im Keim liegt schon in der Lyrik die Idee [!] des gesamten [!] folgenden Werkes, nur muß man die Bilder und Situationen zu entschlüsseln wissen."[41] Die bereits im lyrischen Frühwerk beobachtbaren Motive Tod, Trauer, Kälte etc. seien im späteren Werk lediglich verschärft und konzentriert gestaltet worden.

Demgegenüber hat Mixner geltend gemacht, „daß Bernhard in seinen (frühen) journalistischen Arbeiten noch so gar nichts von seiner späteren Konsequenz ahnen läßt, im Gegenteil, Feuilletons geschrieben hat, die im krassen Widerspruch zu seinen folgenden Äußerungen zum Beispiel über

Salzburg stehen." Und er formuliert die Gegen-These, „daß es sich beim Frühwerk Bernhards – mit einigen Ausnahmen – um eine nahezu isolierte, eigenständige, im nachhinein als eine Art ‚Vorbereitung‘ bezeichenbare Arbeitsphase handelt, durch die und mit der Bernhard erst sein für ihn heute charakteristisches poetisches Darstellungsverfahren entfalten konnte".[42] Wo also Sorg im Hinblick auf Motive, Bilder und Situationen – die frühen journalistischen Arbeiten hat er noch nicht gekannt – Kontinuität sieht, da erkennt Mixner – erstaunt über die frühen journalistischen, feuilletonistischen Äußerungen Bernhards – einen Bruch; allerdings vor allem im Hinblick auf das poetische Verfahren, auf die Art der ästhetischen Verarbeitung der auch von ihm so bezeichneten „Erfahrungskonstanten". Ohne die von Mixner untersuchten und etwa zur gleichen Zeit auch von Jens Dittmar genau erfaßten frühen journalistischen Arbeiten überzubewerten, möchte ich doch auch diese Erfahrungskonstanten, die Lyrik und Prosa gemeinsam sein sollen, in Frage stellen bzw. differenzieren.

(1) Warum hat Bernhard (spätestens) 1962 die Phase seiner bisher dominant lyrischen Produktion abgebrochen und nach 1963 (also nach dem Erscheinen seines ersten Romans) kaum mehr Gedichte veröffentlicht bzw. kein Interesse an einer Wiederveröffentlichung seines lyrischen Frühwerks gezeigt? – Aus dem Material seines unveröffentlichten lyrischen Frühwerks hat er erst kürzlich nur einen kleinen Teil zur Publikation bestimmt, den schmalen Band *Ave Vergil. Gedicht (1981)*. Im Nachwort zu diesem alt-neuen Gedicht schreibt der Verfasser: „Ich hätte es mit anderen wiederaufgefundenen Gedichten aus der Zeit um die dreißig [!] vernichten können, der Grund es jetzt zu veröffentlichen, ist die in diesem Gedicht wie in keinem zweiten konzentriert wiedergegebene Verfassung, in welcher ich mich gegen Ende der fünfziger – Anfang der sechziger Jahre befunden habe."[43] Diese Art Lyrik, die Bernhard hier, als historisches Dokument und im Unterschied zur anderen Lyrik für bewahrenswert befand, unterscheidet sich in Thematik und Machart deutlich von der bisher bekannten (ausgenommen das Ende des I. Teils „Um drei Uhr früh wachst du auf . . .", das unter dem Titel *Eine Strophe für Padraic Colum, Across de Door* . . . in etwas anderer Fassung 1962 in „Wort in der Zeit" und noch 1968 in der Zeitschrift „Akzente", S. 149-151, publiziert worden war). Dieses Gedicht *Ave Vergil* hat nichts mehr mit dem Trakl-Muster zu tun; es zeigt insbesondere den Einfluß von T. S. Eliots großem Gedicht *The Waste Land* (1922), zu dem sich das der Publikation vorangestellte Motto aus Eliots Dichtung auch bekennt – und damit zu einer geistigen Verwandtschaft in der Todes-

und Zeitthematik, die zum Verständnis von Bernhards Werk Wesentliches beiträgt. Formal und inhaltlich ist bei diesem Weg vom ersten (in der Zeitung) veröffentlichten Gedicht *Mein Weltstück* (1952) bis zu den erst jetzt publizierten Gedichten aus den Jahren 1959/60 zwar eine Erweiterung des Blick- und Erfahrungsraumes und eine Veränderung der lyrischen Aussageformen festzustellen; es entsteht dennoch der Eindruck einer lyrischen Sackgasse, da Bernhard nach 1962 keine Lyrik mehr publizierte. Die Frage, warum Bernhard das lyrische Frühwerk abgebrochen hat und später auf sich beruhen ließ, läßt sich zunächst damit beantworten, daß er damals einen anderen, neuen, besseren Weg zur Realisierung seines künstlerischen Lebensentwurfs suchte und fand. (Dies schließt ein Wiederaufgreifen der lyrischen Ausdrucksform in neuer Weise nicht aus.)

(2) Warum suchte er damals einen anderen Weg künstlerischer Realisation? Darauf kann vielleicht folgende Beobachtung eine Antwort geben. Bernhard hat 1965 der Zeitschrift „Wort in der Zeit", die in einem Sonderheft einen repräsentativen ‚Querschnitt 1965' durch die damalige österreichische Gegenwartsliteratur bringen wollte, den Prosabeitrag *Ein junger Schriftsteller* zur Verfügung gestellt. Darin berichtet ein Ich-Erzähler vom Verschwinden, vom Tod, d. h. vom Selbstmord eines jungen Schriftstellers, und rekapituliert aus diesem Anlaß dessen innere Entwicklung. Ich zitiere daraus die folgenden zentralen Sätze: „Lange Zeit, fast drei Jahrzehnte [!], ‚drei tödliche Jahrzehnte', hatte er sich die Welt und die Atmosphäre um sie herum als eine höchst sinnvolle [!] vorsetzen lassen; so qualvoll [!] ihm das auch immer gewesen sei, er habe sie widerspruchslos ausgelöffelt. Plötzlich hat er sie angeschaut und sich geweigert, sie sich weiterhin einzuverleiben." Ich halte diesen Prosatext von dem jungen Schriftsteller für eine Metapher der in Bernhard selbst (nach längerer innerer Vorbereitung) vollzogenen Wende, einer Wende bzw. Korrektur seiner Einstellung zu den Dingen und einer Wende in der ästhetischen Verarbeitung seiner neuen Erfahrung. Es ist zwar bemerkenswert, daß Bernhard 1962/63, als er seine neuen Prosaarbeiten veröffentlichte (den Roman *Frost*, die ersten Stücke der *Ereignisse* und den *Briefträger*, später – nach Überarbeitung – als *Kulterer* bezeichnet), auch wenig über dreißig Jahre alt war. Wichtiger aber scheint mir, daß in diesem (fiktionalen) Bericht über einen jungen Schriftsteller vom endlichen Durchbruch einer radikalen Veränderung die Rede ist und in diesem Zusammenhang von dem folgenden:

„Er habe jetzt nur mehr noch sogenannte innere Rätsel zu lösen; die Außenwelt ist ihm ein Körper, auf welchem man immerfort die Krätze der ganzen Natur studieren könne; auf ungeheure Modifikationen für ihre Ekzeme komme man auf der Oberfläche. Ihn interessiere ‚ein Magisches unter der Erde'. Ursachen, nicht Wirkungen wolle er schließlich und endlich analysieren.[. . .] Von der Ausdauer, in welcher er ohne die Kenntnis seines Verstandes so lange ‚wie im Kerker eines Oberflächengeschwürs' in seiner Kindheit und Jugend zurückgeblieben sei, sprach er, von der ‚schönen, triumphierenden Geistlosigkeit'".[45]

Dies wäre das eine. Das andere zeigt sich im folgenden Zitat:

„Die Jugend ist nur in Bildern; der durchschnittliche Mensch ist auch nur in Bildern, nicht in Gedanken [. . .] anders der Außergewöhnliche, der Gedanken entstehen lassen und machen und produzieren kann [. . .] Er habe keine Erfahrung, denn kein Mensch habe Erfahrung; nicht einmal Anschauung von Erfahrung; Anschauung habe er von den Zwischenräumen des Lebens, von den Zwischenräumen in der Natur des Lebens."[46]

Diese Sätze lese ich als Verweise auf eine neu entstehende Poetik, einen Poetik-Entwurf, den Bernhard in der Lyrik damals nicht realisieren konnte. Eine Poetik nicht der Stimme und des (bildhaften) Ausdrucks, sondern eine Poetik der (gedanklichen) Analyse und der Anschauung, aber der ‚Anschauung' von den ‚Zwischenräumen in der Natur des Lebens', also des eigentlich Unanschaulichen, für das es eine (neue) poetische Zeichenwelt und Schreibart zu finden galt.

(3) Welche Rolle bei dieser Um- und Neuorientierung, dieser Korrektur spielt der Umstand, daß die Grundbewegung seiner frühen Lyrik stark christlich-religiös geprägt war? Diese zwar von Sorg hervorgehobene, von Barthofer aber kaum berücksichtigte und von Mixner etwas unterschätzte Tatsache hängt vor allem einerseits mit dem für Bernhard damals wichtigen Grundmuster von Trakls Lyrik zusammen, andererseits mit Bernhards intensiver Beschäftigung mit den *Gedanken* von Blaise Pascal. Im Hinblick auf das religiös-analytische Konzept und (jansenistisch-)christliche Bewußtsein dieses Mathematikers und Philosophen werden sowohl Konstanz wie Korrektur der religiösen Erfahrung Bernards erkennbar. In dem Gedicht *Paris* (im ersten Gedichtband Bernhards, *Auf der Erde und in der Hölle*, 1957, S. 44) findet sich die Zeile: „O, ich kenne meinen Pascal. . ." – und das lyrische Ich ist hier durchaus nicht ohne biographische Gewähr. Pascal spielt auch später bei Bernhard eine wichtige Rolle – aber verändert. (Man denke etwa an das Motto zum Roman *Verstörung*). Bei Pascal nun, in den *Gedanken*, findet sich das Fragment: „Was mich angeht, so bekenne ich: sobald die christliche Religion das Prinzip offenbart, daß die Natur der Menschen verdorben und von Gott abgefallen ist, öffnet das die Augen und wir sehen überall

die Merkmale dieser Wahrheit; denn die Natur ist so, daß sie überall auf den verlorenen Gott hinweist, sowohl im Menschen wie außerhalb des Menschen, und auf seine verdorbene Natur."[47] Dieser (jansenistische) Aspekt steht für die eine Perspektive, die der verdorbenen Natur, die bei Bernhard konstant geblieben ist. Die andere, für Pascal ebenso konstitutive Perspektive, die der (dennoch) gläubigen Zuwendung zu Gott, hat Bernhard später (anscheinend) aufgegeben. „Wenn der Mensch Gott erkennt", heißt es an anderer Stelle bei Pascal, „ohne sein Elend zu erkennen, verfällt er dem Stolz. Erkennt er sein Elend, ohne Gott zu erkennen, verfällt er der Verzweiflung. Durch die Erkenntnis Jesu Christi stehen wir in der Mitte, denn darin finden wir sowohl Gott wie auch unser Elend."[48]

Um diese Mitte hat – so läßt sich vermuten – Bernhard in seiner frühen Lyrik, getroffen von der leidvollen Erfahrung, qualvoll gerungen. Und damit – so unglaublich es heute klingen mag – um einen positiven Sinn des Lebens – mitten in all dem offenbaren Untergang, angesichts der Verbrechen und Katastrophen des Weltkriegs, des Zusammenbruchs der europäischen und österreichischen Traditionen, des Elends der Städte und der Dörfer, der Todeskrankheiten in seiner Familie und seinem persönlichen Leben. Er hat gerungen um Sinn, bis er erkannte, daß auch jenes radikal-‚moderne‘ religiös-metaphysische Konzept von Pascal seinen Erfahrungen und Fragen nicht mehr standhielt; bis er sich weigerte, sich die Welt weiterhin als sinnvoll einzuverleiben. Daß Bernhard von einem „ungemein starken moralischen Anspruch an Kunst und Künstlertum [. . .], der auf Positivität zielt", seinen Ausgang nahm, das hat Mixner in seiner Untersuchung des Frühwerks überzeugend dargelegt.[49]

In den Lyrikbänden Ende der 50er Jahre wird dann das Aufbrechen der Sinnlosigkeit deutlich, aber auch die Angst vor der Sinnlosigkeit. In Anspielung auf die bekannte Fabel vom Frosch – der in einen Topf mit Milch fiel, zu ertrinken drohte und um Hilfe schrie, bis er merkte, daß er durch sein Strampeln festen Boden unter die Füße bekommen könne – ließe sich sagen: Bernhard vollzog eine Wende: statt verzweifelt-hoffnungsvoll zu ertrinken (Spiegelung in der Lyrik) begann er mit der illusionslos-tätigen Rettung (Produktivität in der Prosa-Kunst, dann im Drama). Wenn Dichtung nicht nur ‚Lebensmittel‘, Form des Überlebens, sondern auch Lebensentwurf ist, entworfen im Hinblick auf Erkenntnis und Darstellung möglicher Lebenspraxis, Abwehr unerträglicher Lebensbedingungen – so bot ihm Lyrik (damals) nicht mehr ausreichend Spielraum, Darstellungs- und Erkenntnismöglichkeit – und zu wenig Wirkungsmöglichkeit.

Diese produktionsästhetischen Vermutungen zusammenfassend können wir sagen: Die Krankheit seiner Lieder war – retrospektiv betrachtet – einerseits die hilfesuchende Ich-Einsamkeit der lyrischen Subjektivität, andererseits die Befangenheit ihrer Bilder-Sprache (im Zusammenhang mit ihrer Fixiertheit auf Oberflächenphänomene) und schließlich die Einengung der gedanklichen Analyse (die Unfähigkeit, statt Wirkungen zu registrieren, den Ursachen der Verzweiflung nachzugehen) im Rahmen eines religiös-metaphysischen Konzepts, für das stellvertretend der Name Pascals steht. Es sollen nun diese produktionsästhetischen Vermutungen am werkgeschichtlich Feststellbaren und textanalytisch Beobachtbaren – wenigstens im Grundriß – überprüft werden.

Aufgrund der Werkgeschichte von Dittmar und der Untersuchung von Mixner läßt sich die in meiner bibliographischen Übersicht charakterisierte Periode des Frühwerks weiter differenzieren, das heißt in drei Phasen gliedern, wobei das Verhältnis von lyrischer und anderer literarischer Produktion genauer zu untersuchen wäre.

(1) Von etwa 1949–1954: Bernhard selbst berichtet (in: *Die Kälte*, 1981), daß er, als er sich von seiner Mutter verabschiedete, um nach Grafenhof in die Lungenheilstätte zu gehen, der Mutter ein paar Gedichte vorlas: „Produkte eines achtzehnjährigen Verzweifelten". Ende des Jahres 1952 hat Bernhard zum erstenmal in einer öffentlichen Lesung Gedichte vorgetragen; im selben Jahr wurde im Salzburger „Demokratischen Volksblatt" (SDV) zum erstenmal ein Gedicht von ihm gedruckt: *Mein Weltenstück*: der Blick aus dem Fenster auf das alltägliche Leben der Umgebung, ein paarweise gereimtes sanft-melancholisches Stimmungsbild. Ebenso dem (damals) konventionell-Schönen und ‚Positiven' verpflichtet, wie die 1954 in der Wiener „Furche" (und in einem Rundschreiben der Salzburger ‚Stifterbibliothek') erschienenen *Salzburger Sonette* – und das zur gleichen Zeit publizierte Prosastück *Die Landschaft der Mutter* (die Gegend um Henndorf bei Salzburg) sowie u. a. die schon 1952 im SDV erschienene „erbauliche Weihnachtsgeschichte", von den „sieben Tannen, die die Welt bedeuten".[50]

(2) In der Phase von 1954-1957 werden die *Sechs Gedichte*, die Bernhard anläßlich der ersten Ausschreibung des Georg-Trakl-Preises durch die Salzburger Landesregierung eingereicht hatte, zusammen mit Gedichten anderer Bewerber in der Anthologie: *Die ganze Welt in meines Herzens Enge* publiziert.[51] In dem Gedicht *Aufzuwachen und ein Haus zu haben . . .* heißt es kennzeichnend vom lyrischen Ich Bernhards: „Alle seine Ströme rinnen/ unaufhörlich tief nach innen/ und sind nicht zerdacht."[52] Weitere Gedichte, die 1956 z. T. in literarischen Zeitschriften

erschienen sind[53], wurden in die frühen Lyrikbände Bernhards aufgenommen. – In dieser Phase entsteht, neben der ersten (Kurz-) Biographie
(1954), auch die erste künstlerisch bemerkenswerte und gegenüber der
Lyrik neue Möglichkeiten erprobende Prosaerzählung: *Der Schweinehü-
ter* (1953). Sie setzt sich in Aussage und Bildsprache zentral (nicht nur im
Schlußbild) und am Beispiel eines in Elend und Armut und Verzweiflung
lebenden Ehepaares, des Schweinehüters Korn und seiner Frau, mit der
Christusbeziehung des sündigen und verzweifelten, zum Selbstmord ent-
schlossenen Menschen auseinander – und zwar in Pascalscher Perspektive; dementsprechend ist dieser Erzählung ein Pascal-Motto vorangestellt.[54] Ich sehe keinen Grund, warum eine echte Glaubensüberzeugung
Bernhards (damals) ausgeschlossen sein soll; gerade ein ‚enttäuschter‘
Gottesglaube macht die spätere leidenschaftliche Abwendung (zumindest Kritik) verständlich.[55] In diesen Jahren, 1956 oder 1957, entstand
auch das Bühnenspiel *Der Berg* (erst 1970 publiziert); ihm vorangestellt
das Pascal-Motto: „Da die Menschen unfähig waren, Tod, Elend, Unwissenheit zu überwinden, sind sie, um glücklich zu sein, übereingekom-
men, nicht daran zu denken."[56] – Das soll aber weiter nichts als Bernhards anhaltende Auseinandersetzung mit Pascal demonstrieren, die
m. E. auch in den dem Philosophen des Bühnenspiels in den Mund ge-
legten Sätzen: „gewinne ich / so verliere ich / verliere ich / bin ich tot"[57]
deutlich wird; sie erinnern an Pascals *Wette*.

(3) In der Phase von 1957–1962 werden die drei – noch zu charakte-
risierenden – Gedichtbände der ausgehenden 50er Jahre publiziert: *Auf
der Erde und in der Hölle* (1957), *In hora mortis* (1958), *Unter dem
Eisen des Mondes* (1958). Ein vierter, der schmalste, erscheint unter dem
Titel *Die Irren. Die Häftlinge* im Jahre 1962 nur als Privatdruck. – In
dieser Phase entstehen auch die kurzen Prosatexte, die dann – nach vorhergehenden Teilveröffentlichungen – erst 1969 als Sammlung unter
dem Titel *Ereignisse* publiziert werden und den Abstand der damaligen
Prosa-Kunst Bernhards zur Lyrik dieser Periode am auffälligsten zeigen:
hier ist der in der Lyrik dominierende Subjektivismus konsequent bis
zum Verschwinden des Erzählers vermieden.[58] In der frühen Prosa hat
Bernhard – im Gegensatz zur genannten Lyrik – im Kern jene objekti-
vierende Sicht- und Darstellungsweise gewonnen, die dann in den großen
Romanen entfaltet wird zur „Beschreibung einer sinnentleerten Welt"
(J. H. Petersen).[59] In dieser Arbeitsphase entsteht außerdem jene Gruppe
früher Theatertexte, die zuerst Herbert Gamper in seinem Bernhard-
Buch besprochen hat; u. a. *die rosen der einöde*, eine Art Libretto für
Ballett, Stimmen und Orchester. Die Titel-Metapher ist zwar ein Zitat

aus dem Lyrik-Band *Unter dem Eisen des Mondes* (S. 44); das den Experimenten der Wiener Gruppe nahestehende, von Lampersberg vertonte Stück ist aber ganz anderer Art: mit seinem ins Abstrakte reduzierten und zerdehnten lyrischen Subjektivismus war es eher eine Sackgasse als ein Neuansatz. Das was Bernhard damals gefunden zu haben glaubte: „eine lange gesuchte Isolation. Kein Gedicht, kein Gesang, keine Liturgie",[60] das erreichte er – als kommunizierbares Ergebnis – erst später in der Kunstprosa seiner Romane und Dramen.

Diese vergleichende Zusammenschau von lyrischen, erzählenden und Bühnentexten seines Frühwerks, bezogen auf drei sich intensivierende Arbeitsphasen, zeigt, daß die lyrische Ausdrucks-, Darstellungs- und Appellfunktion sich im Frühwerk als die am wenigsten tragfähige erwies und daß Bernhards Prosa die besseren Entwicklungsmöglichkeiten enthielt, wenn es ihm darum ging, die irrationalen, d. h. rational nicht faßbaren abgründigen ‚Zwischenräume‘ in Natur und Leben durch rational faßbare Eingrenzung erkennbar zu machen und zugleich den tödlichen Sog, die Dynamik dieser scheinbaren Leerräume (im Menschen und außerhalb) in der Sprachbewegung darzustellen.

Um nun die Eigenart der (frühen) Lyrik Bernhards textanalytisch zu charakterisieren, den gewählten und dargelegten Problemaspekt zu konkretisieren und zu überprüfen, konzentrieren wir den Blick auf die im Zentrum der dritten Arbeitsphase des Frühwerks stehenden drei Lyrikbände: *Auf der Erde und in der Hölle* (= EH), *In hora mortis* (= HM) und *Unter dem Eisen des Mondes* (= EM). Die Auswahl und Anordnung der Gedichte in den drei Bänden (von 1957 bis 1958) stammt vom Autor selbst und kann deshalb als Anhaltspunkt für das analytische Verstehen dienen.

Das Gesamt der 71 Gedichte des ersten Lyrikbandes ist in fünf ungefähr gleichgroße thematisch akzentuierte Gruppen gegliedert:

(1) *Hinter den Bäumen ist eine andere Welt* – das ist die geliebte heimatliche Welt des Dorfes, in und hinter der das ‚Land der Fäulnis‘, die ‚Landschaft der Gräber‘ ständig gegenwärtig ist.

(2) *Die ausgebrannten Städte* – das ist die gehaßte und dennoch gesuchte, bereiste Welt der Großstädte wie Wien und Paris, die ‚den Krieg erfunden‘ (EH 36) hat; eine Hölle, schlaflos, lärmend, kalt; eine tödliche ‚Menschenfalle‘ (EH 42).

(3) *Die Nacht, die durch mein [!] Herz stößt* – das ist die innere Welt des lyrischen Ich, die ‚Biographie (seines) Schmerzes‘; erfüllt von Trauer über Vergänglichkeit und Ruhmverlangen, Einsamkeit und Qual des Unverstandenseins, Verzweiflung und Schuldgefühl – und Hoffnung: am

Er

Ende dieser Gruppe und damit im Zentrum des Bandes steht die Reihe der Neun Psalmen (s. u.).

(4) *Tod und Thymian* – das ist die Welt der Wanderschaft auf dieser Erde, der Geruch der Erde und die Erinnerung an die toten Vorfahren, an die toten Eltern und die Toten der Kriege, „die tiefen Spuren der Väter, / in denen meine tödliche Seele zurückstapft" (EH 95).

(5) *Rückkehr in eine Liebe* – das ist die Rückkehr in die bäuerliche Heimat, die Welt des Dorfes (EH 107, 110, 111, 113 u. ö.); eine Welt des Lebens, der Familie (EH 112) mit ihren Grundgestalten (Vater, Mutter, Bruder, Schwester) – sie verschließt sich jedoch dem Heimkehrenden – er ist ein Ausgeschlossener; zugleich ist es aber auch eine Welt des Todes, der Gräber (EH 114 ff., 122).

Der durchgeplante Aufbau des Gedichtbandes zeigt eine kreisförmige Struktur, Ausgangspunkt und Endpunkt der Bewegung entsprechen einander ebenso wie die Welt der Städte-Kerker und der Wanderschaft auf der Erde; und die (innere) Mitte dieser Dynamik ist deutlich markiert: die Subjektivität des lyrischen Ich – und das Du Gottes; besonders in den zentral plazierten Neun Psalmen, die unter dem Motto stehen: „Gottes Seele ist in den Fischern". Die ersten Verse des ersten Gedichts (*Traurigkeit*) der Mittelgruppe lauten: „Rot sind die Berge und meine Brüder gehen in meinem Hirn,/ als wäre Jesus nicht gekreuzigt worden unter den Sternen, / [...]" Der erste der Neun Psalmen beginnt: „Ich will zornig sein, / ich will alles vergessen, / ich will das Maul der Fische vergessen, / denn das Maul der Fische ist finster. / Ich will meinen Kampf beten, / den großen Kampf um meine Seele. [...] Alle haben mich vergessen, / aber ich sehe den Tisch / und den Wein, den ich trinken werde. / Es ist der Wein Gottes, / der schwarze Wein für mein rotes Hirn, / [...]" Der 3. und 4. Psalm zeigen, daß dieses lyrische Ich nicht in (narzißtischer) Selbstbespiegelung versinkt, sondern sich in messianischer Perspektive zu seiner prophetischen Aufgabe bekennt (EH 73 f.):

III
„Was ich tue, ist schlecht getan,
was ich singe, ist schlecht gesungen,
darum hast Du [= Herr] ein Recht
auf meine Hände
und auf meine Stimme.
Ich werde arbeiten nach meinen Kräften.
Ich verspreche Dir die Ernte.
Ich werde singen den Gesang der untergegangenen Völker.
Ich werde mein Volk singen.

Ich werde lieben.
Auch die Verbrecher!
Mit den Verbrechern und mit den Unbeschützten
werde ich eine neue Heimat gründen –
Trotzdem ist, was ich tue, schlecht getan,
was ich singe, schlecht gesungen.
Darum hat du ein Recht
auf meine Hände
und auf meine Stimme."

IV
„Ich werde an den Rand gehn,
an den Rand der Erde
und die Ewigkeit schmecken.
Ich werde die Hände anfüllen mit Erde
und meine Wörter sprechen,
die Wörter, die zu Stein werden auf meiner Zunge,
um Gott wieder aufzubauen,
den großen Gott,
den alleinigen Gott,
den Vater meiner Kinder,
am Rand der Erde,
den uralten Vater,
am Rand der Erde,
im Namen meiner Kinder."

Es geht hier nicht darum, die lyrische Technik (wie bei einem Meister-
werk) zu analysieren, die litaneihaft psalmodierende Technik der (ana-
phorischen) Reihung, der kumulierenden und der Anfang und Ende ver-
bindenden zyklischen Wiederholung. Es soll hier auf das in die Zukunft
gerichtete und bei aller Selbstanklage zuversichtliche, selbstbewußte pro-
phetische Pathos verwiesen werden, mit dem die Gruppe der Psalmen
auch endet:

„Ich werde sagen,
wie herrlich die Erde ist, wenn ich ankomme,
wie herrlich die Erde ist . . .
Ohne mich fürchten zu müssen . . .
Ich erwarte,
daß mich der Herr erwartet."

Dabei soll nicht verschwiegen werden, daß der 8. Psalm festhält:
„schwarz ist meine Botschaft", daß der 7. Psalm klagt: „könnte ich
sagen, was ich zu sagen bestimmt bin, / die Hölle meines Blutes, / die
Finsternis meiner Augen, / [. . .]" Eben das, die Erfahrung der Erde als

Hölle, der Gottferne, wird hier die „Unfruchtbarkeit meiner Lieder" (EH 76) oder „die Krankheit meiner Lieder" (HM 17) genannt. Und: daß sie niemand hören will. Deswegen ist dem Band das Motto von Charles Péguy vorangestellt, das die Gedichte als „Wort des Todes" ankündigt, deswegen heißt es im Prologgedicht: „Warum muß ich die Hölle sehen? Gibt es keinen anderen Weg/ zu Gott? – Eine Stimme: Es gibt keinen anderen Weg [. . .] er führt durch die Hölle". (EH 7) Ein einsamer Weg, der dennoch die Hoffnung auf „die Vollendung" kennt (EH 76). Tod und Finsternis erscheinen im Frühwerk (zunächst noch) als Durchgang zum Heil. Die Erde ist eine Hölle, aber der Himmel ist deswegen (noch) nicht geleugnet. Die hierarchische Ordnung, der überlieferte Sinn dieser Welt wird hier (noch) nicht als endgültig vernichtet erlebt oder gar zerstört; im Gegenteil, im Durchgang durch Finsternis und Zerfall lebt das Pathos des Wiederaufbaus durch das Wort: „um Gott wieder aufzubauen" (EH 74) (– als wäre Gott ein Bauwerk wie der „Kegel" im Kobernaußerwald). Die ‚Krankheit dieser Lieder', vor allem der Psalmen, ist also noch nicht: radikale Sprachskepsis. Das „Chandos-Erlebnis" jedes ‚modernen' Dichters, das gerade auch Bernhard nicht erspart bleibt, steht noch aus.

Auf den Einwand, hier werde der psalmodierende Ton überschätzt und allzu ernst genommen; er sei eine Folge des Trakl-Musters und Bernhards eigentlicher Entwicklung äußerlich – ließe sich sagen: die Psalmen stehen bewußt im Zentrum dieses ersten Gedichtbandes. Sie waren wichtig genug, als Privatdruck 1960 gesondert zu erscheinen;[61] sie werden als lyrische Form mit ihrer keineswegs anonymen Ich-Du-Polarität weiterentwickelt zu einem vierteiligen schmalen Gedichtband psalmenartiger Lyrik, die in ihrer Todessehnsucht und -ergebung an Novalis erinnern: Im ersten Teil des Bandes *In hora mortis* dominieren Zorn – „Wild wächst die Blume meines Zorns" (HM 7) – und Unruhe (HM 11); im zweiten Teil die Bedrohung durch Zerfall, Zerstörung und Todesfurcht (HM 13 ff.); im dritten Teil dominieren Vertrauen (HM 21) und Zuversicht (HM 25); im vierten und Schlußteil mündet der Psalmenzyklus in das Gegenteil der Ausgangsposition: „Preisen will ich Dich mein Gott/ in der Verlassenheit/ und alle Angst verweht/ und jeder Tod schenkt mir der Augen Licht/ [. . .]" (HM 28). „[. . .] zerstückelt ist mein Zorn/ und frei mein Blut/ in Strömen."

Wie vom Mittelstück des fünfteiligen ersten Lyrikbandes abgeleitet wirken diese psalmenartigen Zeilenkompositionen der zweiten Gedichtsammlung. Auch der dritte Lyrik-Band läßt sich hier motivisch anschließen: So wie jenes Mittelstück überschrieben ist mit *Die Nacht, die durch* mein Herz stößt, so heißt dieser dritte Gedichtband ähnlich drohend: *Unter dem Eisen des Mondes* (– und das Motto zum zweiten Gedichtband, *In hora mortis*, von Leonardo genommen, zitiert auch den Mond).[62]

Das sichelartige Nachtgestirn als Regent des lyrischen Jahres („Das Jahr ist wie das Jahr vor tausend Jahren", so beginnt das Prologgedicht) macht dieses zu einem Jahr im Zeichen des Todes (EM 25), naturhafter Todesdrohung, durch die Natur bedingter Verzweiflung (EM 15). Dementsprechend dominiert die Naturmetaphorik in der Darstellung von Raum und Zeit. Ohne hierarchisch ordnendes Kompositionsprinzip werden 57 titellose und reimlose Gedichte, den tödlichen Kreislauf der Natur repräsentierend, zwischen Frühling (der am Beginn der Sammlung stärker hervortritt) und Winter (der gegen Ende dominiert) ausgespannt (EM 37), zugleich zwischen Zorn und Müdigkeit, Aggressivität und Melancholie des – einsam gewordenen – lyrischen Ich. Natur- und Menschenwelt sind wiederholt verbunden im Bild des Mühlrades (EM 45), auch ein Todessymbol, das in der kreisförmigen Bewegungsrichtung vieler Gedichte eine Entsprechung hat (EM 29, 31, 32, 36, 44). Zwar heißt das lyrische Wort gelegentlich noch: „mein Psalm von der Erde/ die uns begraben wird mit Furcht und Hohn/ unter den träumenden Gliedern der Sonne" (EM 39), aber der prophetisch-messianische Gestus fehlt in diesem Gedichtband ebenso wie religiös motivierte Leidensergebung. Zwar fragt der im Gedicht Sprechende noch: „Wann wird mein Gott mir sagen wo und wann/ die Zeit den Stachel treibt ins Fleisch?" (EM 14), aber: „Ich weiß genau, daß ich zerschlagen bin/ wie diese Sichel, keiner täuscht mich jetzt,/ auch nicht der Fluß der seinen Spruch/ noch vor dem Morgen fällt." (EM 15) Und: „Das blanke Eisen des Mondes/ wird dich töten und der starre/ Fuß eines Riesenvogels/ dem du/ deine Trauer anvertraut hast/ im Winter." (EM 25) Und: „Nah ist der Tod mir jetzt und nah der Winter,/ Unruhe träumt das Tal und hält mich wach". (EM 41)

Diese den ganzen Band von ‚Naturgedichten' durchziehende Kopplung von Winter- und Todeserwartung ist aber von so naturgegebener Similarität, daß die Wintermetaphorik noch nicht zum ‚fremden' poetischen Zeichen wird, wie zum Beispiel in dem Theaterstück *Minetti*. [63] Erst in Verbindung damit fallen Zeilen auf wie: „lösch mich aus vorm Tor,/ laß Schnee von weißen Gipfeln treiben/ in mein Altern" (EM 42, vgl. EM 44).

Neben dieser Tendenz zur Erstarrung zeigt sich in dem Band die gegenläufige Bewegung einer starken Unruhe, wiederholt ein Drang, ans

Äußerste der Sprache zu gehen – wie die oft überfrachteten, übersteigerten, quasi-surrealistischen Metaphern deutlich machen (z. B. EM 14,
56). Auch die Farbmetaphorik, im ersten Band dominiert von schwarz
(kontrastiv dazu rot), wird greller, bunter (z. B. EM 14, 53, 60, 62):
weiß, blau, braun, neben gelb, grün, rot. Aber die Farben, teils ‚natura-
listisch‘ („die weißen Blüten meines Frühlings“) teils ‚surrealistisch‘
(„Herbst/ der Todes Pein/ in goldene Schatten wickelt“, EM 53) eingesetzt, gewinnen nicht wie bei Trakl zeichenhafte Konsistenz – sie sind
Ausdrucks- und Stimmungselemente.

> „Meine Verzweiflung kommt um Mitternacht
> und schaut mich an als wär ich lange tot
> die Augen schwarz und müd die Stirn vor Blüten,
> der bittere Honig meiner Traurigkeit
> tropft auf die kranke Erde nieder
> die mich in roten Nächten wachhält oft
> zu sehn des Herbstes unruhvolles Sterben.“ (EM 15)

Die Krankheit dieser Lieder ist also – textbezogen gesagt – die Krankheit
der Natur, die in Herz und Hirn des Sprechenden dringt. Diese Krankheit wird – zornig, lachend oder resigniert – bloß wahrgenommen,
schmerzvoll hingenommen und zum Ausdruck gebracht. (E 25). Die
Krankheit dieser Lieder ist – retrospektiv betrachtet –, daß sie noch nicht
– wie es zunehmend in der Prosa Bernhards geschah – die „Gehirnfähig-
keit der Unfähigkeit der Natur“ entdecken und denken konnten.[64] In
dem Maß sich Bernhard aus der mit seiner frühen religiösen Erfahrung
und Haltung engstens verbundenen Sprachform und Sinnsuche seiner
Lyrik löste, in dem Maß fand er sich der Sinnlosigkeit, dem Wahn-Sinn
dieser ‚verdorbenen‘ Natur ausgesetzt. Sein Weltschmerz und seine Verzweiflung nahmen nach jener ‚Wende‘, die der Prosa-Bericht von dem
jungen Schriftsteller darstellt, einen ganz anderen Charakter an. Aus
dem Leiden am Sinnverlust entstand durch jene ‚Wende‘ eine Kunst der
Verweigerung, der Verweigerung des Trostes, der Sinnsuche – und der
Idee der göttlichen Schöpfungsordnung. Damit verbunden vollzog sich
die Sezession seiner Kunst aus dem hierarchischen Modell des Schreibens. Und mit der Annahme der Sinnlosigkeit und der Unerkennbarkeit
der Welt ist der anarchische Gestus seiner Schreibart bestimmend geworden. (Zum Beispiel die Auswirkung der Sinn-Verstörung als Geschich-
tenzerstörung schon im Prosatext *Amras*, dem als Motto der Satz des
Novalis vorangestellt ist: „Das Wesen der Krankheit ist so dunkel als das
Wesen des Lebens.“) Nach der (Selbst-)Zersetzung des überlieferten
hierarchischen Modells der Wirklichkeitserfahrung und Schreibart, wie

sie hier vor allem am Beispiel der Lyrik Thomas Bernhards darzustellen versucht wurde, ist der Autor inzwischen längst zu einem Kronzeugen des anarchischen Modells der Wirklichkeitserfahrung und Schreibart geworden.

Seine Lyrik war, im synchronen Zusammenhang betrachtet, in den 50er Jahren, als die konträren Lyrik-Paradigmen von Benn und Brecht dominierten, künstlerisch nicht notwendig eine Sackgasse (wie das Gedicht *Ave Vergil* zeigt), sondern ein freiwillig aufgegebener Weg. Wenn man die Auflagenzahlen der damaligen Lyrik-Bände (jeweils 1000, soweit es sich nicht um Privatdrucke handelte, die bloß mit 150 Lesern/Käufern rechneten) in Erwägung zieht, hat sich die Abwendung von der lyrischen Kunst und die Zuwendung zur Prosa-Kunst und besonders zum Theater auch von der Publikums-Wirkung her gelohnt. Was die inneren Gründe für Bernhards Wende betrifft, so kann sich die philologische Bernhard-‚Archäologie' gerade auch nach Erscheinen der (fünf) auto-biographischen Erinnerungsbücher nicht von der Erörterung dispensieren.

Anmerkungen

1 Zum Beispiel: Hofmannsthal, Musil und Doderer; Aichinger, Bachmann, Handke und Jandl.
2 Ulrich Greiner: *Der Tod des Nachsommers.* Aufsätze, Porträts, Kritiken zur österreichischen Gegenwartsliteratur. München 1979, S. 52.
3 Josef Donnenberg: *Thomas Bernhard und Österreich.* In: Österreich in Geschichte und Literatur 14 (1970), S. 244 und 245 f.
4 Ebda, S. 244.
5 Vgl. ebda, S. 264.
6 Jean Améry: *Morbus Austriacus. Bemerkungen zu Th. Bernhards ‚Die Ursache' und ‚Korrektur'.* In: Merkur (1976), S. 91 f.
7 Heinrich Heine: *Sämtliche Schriften* in 12 Bden. Hg. v. Klaus Briegleb. Bd 5. München 1976, S. 39 ff.
8 Friedensreich Hundertwasser: *Los von Loos.* In: *Österreich zum Beispiel.* Hg. v. Otto Breicha u. Reinhard Urbach. Salzburg 1982, S. 68 ff.
9 Vgl. Evgenij Samjatin: *Wir.* In: *Gemordete Literatur. Dichter der russischen Revolution.* Hg. v. Milo Dor u. Reinhard Federmann. Salzburg 1963, S. 59 ff.
10 Thomas Bernhard: *Korrektur.* Roman. Frankfurt/M. 1975, S. 210 u. ö.
11 Ebda, S. 344.

12 Ebda, S. 86.
13 Ebda, S. 362.
14 Ebda, S. 363; 83 f. u. 96.
15 Michel Foucault: *Schriften zur Literatur*. Frankfurt/M. 1979, S. 73 ff.
16 ‚Anarchisch‘ ist hier natürlich nicht identisch mit ‚anarchistisch‘ verstanden bzw. gebraucht.
17 Gabriele Wohmann: *Überleben im Sterbezimmer. Zu Thomas Bernhard: Der Atem*. In: Der Spiegel Nr. 19/1978, S. 246.
18 Thomas Bernhard in: Neues Forum 173 (1968), S. 348.
19 Bernhard, *Korrektur*, S. 346.
20 Thomas Bernhard: *Der Keller*. Salzburg 1976, S. 156 f.
21 Thomas Bernhard: *Ein junger Schriftsteller*. In: Wort in der Zeit 11 (1965), H. 1, S. 56–59.
22 Thomas Bernhard: *Eine Zeugenaussage*. In: Wort in der Zeit 10 (1964), H. 4, S. 38–43.
23 Z. B. der Fürst in Thomas Bernhards *Verstörung*. Frankfurt/M. 1967.
24 Thomas Bernhard: *Der Atem*. Salzburg 1978, S. 19 f.
25 Ebda, S. 108.
26 Thomas Bernhard: *Lebenslauf* (1954). In: *Thomas Bernhard. Werkgeschichte*. Hg. v. Jens Dittmar. Frankfurt/M. 1981, S. 13.
27 H. C. Artmann: *Von der Wiener Seite*. Berlin 1972, S. 40 ff.
28 Auf den Suhrkamp-Sammelband *Über Thomas Bernhard* (1970) folgte 1974 das Bernhard-Heft der Zeitschrift Text + Kritik; Dissertationen (z. B. von Erich Jooß, Hans Höller, Ria Endres) sind über ihn entstanden und weitere entstehen im In- und Ausland. 1977 gab es in Triest ein internationales Bernhard-Symposion. Im gleichen Jahr erschienen Gesamtwürdigungen seines bisherigen Werkes von Bernhard Sorg und Herbert Gamper. Die Fortschritte und den internationalen Charakter der Bernhard-Forschung in jüngster Zeit zeigen namentlich die beiden 1981 erschienenen Sammelbände von Manfred Jurgensen (Anm. 37) und Jens Dittmar (Anm. 26), mit einer umfangreichen Bibliographie zur Sekundärliteratur).
29 Ria Endres: *Am Ende angekommen*. Frankfurt/M. 1980, S. 11.
30 Immanuel Kant: *Versuch über die Krankheiten des Kopfes* (1764).
31 Vgl. Erich Jooß: *Aspekte der Beziehungslosigkeit*. (Diss. München 1975). München 1976, S. 39 f.
32 Thomas Bernhard: *Frost*. Frankfurt/M. 1963, S. 81.
33 Lutz Holzinger: *Erzählen als Krankheitsbericht. Der Fall Thomas Bernhard*. In: Neues Forum (März/April 1971), S. 55 f.
34 Sigmund Freud: *Studienausgabe*. Hg. v. A. Mitscherlich u. a. Bd 9. Frankfurt/M. 1974, S. 269.
35 Ingeborg Bachmann: *Th. B.: Ein Versuch*. (Entwurf aus dem Nachlaß.) In: I. B.: *Werke*. Hg. v. C. Koschel u. a. Bd 4. München 1978, S. 361–364.
36 Vgl. ebda, S. 362 f.
37 Ein Bericht über den Forschungsstand zu Bernhards Lyrik muß derzeit noch

nicht sehr umfangreich sein. Wenn man von den ersten Rezensionen hier absehen darf, so sind vor allem vier Arbeiten von Bedeutung:
1) Alfred Barthofer: *Berge schwarzer Qual. Zur thematischen Schwerpunktstruktur der Lyrik Thomas Bernhards.* In: Acta Germanica (1976), S. 187–211.
2) Kurt Klinger: ‚*Das apokalyptische Dorf*'. In: *Kindlers Literaturgeschichte der Gegenwart.* Bd 6: *Die zeitgenössische Literatur Österreichs II.* Hg. v. Hilde Spiel. Frankfurt/M.: Fischer TB. 1980, S. 137–139.
3) Bernhard Sorg: *Thomas Bernhard.* München 1977, S. 34–41.
4) Die bisher wichtigste Studie, die die Lyrik im Kontext des ganzen Frühwerks untersucht, stammt von Manfred Mixner: *Vom Leben zum Tode. Die Einleitung des Negations-Prozesses im Frühwerk von Thomas Bernhard.* In: *Bernhard. Annäherungen.* Hg. v. Manfred Jurgensen. Bern, München 1981, S. 65–97.

38 Barthofer, *Berge schwarzer Qual* (Anm. 37).
39 Sorg, *Thomas Bernhard*, S. 34 ff.
40 Ebda, S. 45.
41 Ebda, S. 39.
42 Mixner, *Vom Leben zum Tode*, S. 65 f.
43 Thomas Bernhard: *Ave Vergil.* Gedicht. (1959/60) Frankfurt/M. 1981.
44 Ebda; vgl. Anm. 62.
45 Bernhard, *Ein junger Schriftsteller*, S. 57.
46 Ebda, S. 58.
47 Blaise Pascal: *Gedanken.* Übertr. v. Wolfgang Rüttenauer. Bremen o. J., S. 106 (Nr. 236 = Nr. 441 bei Brunschvicg).
48 Ebda, S. 105 (Nr. 231 = Nr. 527 bei Br.).
49 Mixner, *Vom Leben zum Tode*, S. 67.
50 Ebda, S. 77.
51 *Die ganze Welt in meines Herzens Enge.* Anthologie junger Salzburger Lyrik. Salzburg 1955.
52 Ebda, S. 62.
53 Vgl. Dittmar (Hg.), *Werkgeschichte*, S. 17 f. u. 19 f.
54 Vgl. Mixner, *Vom Leben zum Tode*, S. 78 f.
55 Vgl. ebda, Anm. 45.
56 Vgl. Dittmar (Hg.), *Werkgeschichte*, S. 118; Mixner, *Vom Leben zum Tode*, S. 91.
57 Thomas Bernhard: *Der Berg.* In: Literatur und Kritik 46 (1970), S. 336.
58 Vgl. Mixner, *Vom Leben zum Tode*, S. 81.
59 Vgl. J. H. Petersen: Beschreibung einer sinnentleerten Welt. In: *Bernhard. Annäherungen*, S. 143 ff.
60 Zit. in Dittmar (Hg.), *Werkgeschichte*, S. 33.
61 Vgl. ebda, S. 23.
62 Die Analogie-Beziehungen reichen sogar noch weiter: An das Motto zu den Neun Psalmen im Mittelstück von EH: „Gottes Seele ist in den Fischern",

erinnert das Motto, dem Band *Ave Vergil* vorangestellt, aus Eliots *The Waste Land* genommen: „I sat upon the shore/ Fishing, with the arid plain behind me/ Shall I at least set my lands in order?" Diese Verse vom Fischer, der am Ufer saß, die öde Ebene im Rücken, ist eine Anspielung Eliots auf das Kapitel vom Fischerkönig in Jessie L. Westons Buch über die Gralssage: *From Ritual to Romance.* – Vgl. Eliot: *Das wüste Land.* Engl. u. dt. Wiesbaden 1957, S. 42 u. 61.

63 Vgl. die Schlußfotos in: Thomas Bernhard: *Minetti. Ein Porträt des Künstlers als alter Mann.* Mit sechzehn Fotos v. D. M. Marcovicz. Frankfurt/M. 1977.

64 Vgl. den Monolog des ‚Fürsten' in *Verstörung.*

JENS DITTMAR

Die verrückte Magdalena

> „... sie lasen nur einige wenige Bücher, und
> stets dieselben, an denen sie sich überfraßen
> bis zum Ekel." (*Jean Cocteau*)

Bevor Thomas Bernhard mit dem Roman *Frost* (Frankfurt/M. 1963) der Durchbruch gelungen ist, waren außer den drei Gedichtbänden *Auf der Erde und in der Hölle* (Salzburg 1957), *in hora mortis* (Salzburg 1958) und *Unter dem Eisen des Mondes* (Köln 1958), sowie einem Band mit fünf Sätzen für Ballett, Stimmen und Orchester mit dem Titel *die rosen der einöde* (Frankfurt/M. 1959) zahlreiche Beiträge in Zeitungen, Zeitschriften und Anthologien erschienen, die bis heute bibliographisch nur sehr lückenhaft erfaßt sind. Thomas Bernhard hat sich von seinen frühen journalistischen Arbeiten im „Demokratischen Volksblatt", von den Gedichten, Erzählungen und unveröffentlichten, aber teils 1960 in einem privaten Heustadel in Kärnten aufgeführten Kurzschauspielen völlig distanziert. Er läßt nur noch die Arbeiten nach 1963 gelten, für die anderen verweigert er die Erlaubnis zum Nachdruck.

Als *Die Erzählungen* (Frankfurt/M. 1979) zusammengestellt wurden, entstanden nicht nur Probleme mit dem Vollständigkeit suggerierenden Titel, mit dem Hinweis auf die Herausgeberschaft und einem vorgesehenen kritischen Anhang, sondern Thomas Bernhard bewirkte auch, daß alle Erzählungen weggelassen wurden, die vor 1963 entstanden waren. Dieser Verfügung fiel auch *Die verrückte Magdalena* zum Opfer, die erste überhaupt auffindbare Erzählung. Sie ist am 17. 1. 1953 im „Demokratischen Volksblatt" erschienen. (Die angeblich erste Prosaveröffentlichung *Vor eines Dichters Grab* im „Salzburger Volksblatt" konnte bis jetzt nicht nachgewiesen werden.)

Hinweise auf frühe journalistische Arbeiten in dem Artikel *In Österreich hat sich nichts geändert* (In: Theater heute. Jahresheft 1969) führen in die Irre. Darin behauptet Thomas Bernhard, ihm sei vor zwanzig Jahren, „ich bin nichts als achtzehn gewesen", vor einem Salzburger Gericht der Prozeß gemacht worden, weil er in der kulturpolitischen Wochenschrift „Die Furche" seine Eindrücke über das Salzburger Theater beschrieben habe. Zieht man in Betracht, daß sich der Autor in der Erinnerung um 1–2 Jahre irrt, müßte der inkriminierte Artikel, dessen Erscheinungsdatum verschwiegen wird, in den Jahrgängen 1947–1950 der Zeitung enthalten sein. Das ist nicht der Fall. Die Privatanklage wegen Ehrenbeleidigung kam vielmehr durch einen Artikel zustande, der am 4. 12. 1955 mit dem Titel *Salzburg wartet auf ein Theaterstück* erschienen ist. Der Prozeß endete 1959 nach mehreren Instanzen mit einem Vergleich, nicht mit einer Verurteilung, wie Bernhard angibt.

Erkundigungen beim „Salzburger Tagblatt" nach Bernhards Tätigkeit als Gerichtsreporter beim damaligen „Demokratischen Volksblatt" werden üblicherweise mit der Begründung abgewiesen, Bernhard habe als freier Mitarbeiter wenig publiziert und seine Berichte nicht gezeichnet. Die Durchsicht der Jahrgänge 1952–1955 förderte jedoch über hundert mit vollem Namen, mit „Th. B." oder „Th." signierte Artikel zutage. Allerdings keine Gerichtssaalberichte. Diese erschienen anonym und stammen nach Auskunft der Redaktion von verschiedenen Verfassern. Stilanalysen sind fruchtlos. Die Gerichtssaalberichte wirken durch ihren protokollarischen Charakter alle bernhardisch, zu einer Zeit jedoch, als Bernhards eigener Stil noch nicht ausgeprägt war. Auch der Weg über Honorarabrechnungen kann nicht begangen werden, weil alle Unterlagen beim Wechsel vom „Demokratischen Volksblatt" zum „Salzburger Tagblatt" angeblich vernichtet wurden, jedenfalls verloren sind. Es bleiben gezeichnete Erlebnisberichte und Betrachtungen, Filmbesprechungen, Theaterkritiken, Gedichte und Erzählungen. Die interessanteste Erzählung ist zweifellos *Die verrückte Magdalena. Der große Hunger* (15. 10. 1953) ist eine Vorstufe von *Großer, unbegreiflicher Hunger* (In: *Stimmen der Gegenwart 1954*. Wien 1954). Zu erwähnen bleibt noch die Weihnachtslegende *Sieben Tannen, die die Welt bedeuten* (24. 12. 1953). Die meisten Veröffentlichungen im „Demokratischen Volksblatt" sind unter literarischen Gesichtspunkten unbedeutend. Auch *Die verrückte Magdalena* macht da keine Ausnahme. Formal ist es eine schlechte Erzählung, aber sie enthält inhaltliche Merkmale, die für Bernhards spätere Arbeiten typisch sind.

Die Erzählung beginnt unvermittelt mit den Aussagen eines Berichterstatters: „. . . Ja, ja, ich kannte sie sehr gut." Sobald der Leser die Vorgeschichte und Herkunft des Mädchens kennt, tritt der Ich-Erzähler in Erscheinung. Sätze von gewollter Literarität, die an *Die Aufzeichnungen des Malte Laurids Brigge* erinnern, lassen auf einen Dichter schließen: „Mein Freund blickte auf. Er konnte gut erzählen, wenn es gegen Mitternacht ging, und man das ferne Singen der Straßenbahn hörte, die sich durch die schwarzen Mauern quälte. Manchmal klingelte es, kamen Stimmen herauf, oder es klirrte eine Scheibe vor dem Restaurant auf der anderen Seite." Der Ich-Erzähler (Dichter) und der Berichterstatter (Maler) waren gute Freunde. Aus ähnlichen Gründen in die Millionenstadt getrieben, mußten sie gleichermaßen ums Überleben kämpfen. Sie halfen sich gegenseitig. Die freien Stunden verbrachten sie gerne bei einem Glas Apfelsaft zusammen. Der Maler hatte „irrsinnige Ansichten vom Leben, seinen Tagen und Nächten, Auf- und Niedergängen". Er machte Gemälde und Holzschnitte und arbeitete nebenbei als Garagenwärter, „mit einem Wochenverdienst von 110 Schillingen". Eingeweihte nannten seine Malerei impressionistisch „oder wußten mit seinen Bildern überhaupt nichts anzufangen".

Der Ich-Erzähler, der in Bernhards späteren Erzählungen als Stilmittel zur Brechung jeder direkten Aussage eingesetzt wird, entspringt in der *Verrückten Magdalena* einem Mangel an Fiktionalität. Seine einzige Funktion ist es, einem mangelhaft abgerundeten Erzählgegenstand als Rahmen zu dienen. Dieser (auto-)biographisch motivierte Rahmen kann der Erzählung jedoch nichts hinzufügen und ist selbst so arm, daß er kein Interesse für die Person des Erzählers zu wecken vermag. Die verrückte Magdalena stammt vom Dorf und kennt außer dem Kirchhof, der Gemischtwarenhändlerin und dem schielenden Lehrer nichts in der Welt. „Ihr Vater war Briefträger und besaß ein kleines Häuschen mit zwei Ziegen und einem fetten Schwein, das er vor Weihnachten schlachtete." Die Leute im Dorf wissen nicht recht, was sie von dem Mädchen halten sollen. Sie war ein gutmütiges Geschöpf, „aber irgend etwas Heimtückisches saß schon hinter ihren auffallend blonden Haaren."

Eines Tages versetzt sie ihre Mitbürger in Erstaunen, indem sie alle ihre Spielsachen unter die Kinder des Dorfes verteilt. „Und sie wehrte sich heftig, ihre Puppen und Esel, Kochlöffel und buntbestickten Tücher von den erstaunten Eltern zurückzunehmen." Man hält sie deshalb für nicht normal, und es bleibt ihr der Name „die verrückte Magdalena".

Mit 25 Jahren ist aus dem Briefträgertöchterchen jedoch eine schöne Frau, eine Tänzerin geworden. Sie lebt in den besten Kreisen von Paris und bewegt sich zwischen roten Plüschsesseln, „als wäre sie im blauen Dunst und im Rascheln der Seide emporgewachsen". Sie ist eine umjubelte Tänzerin und tanzt wie ein höheres Wesen. Die Zeitungen berichten enthusiastisch über ihre Kunst. Nach der Beschreibung des Malers, der dem Ich-Erzähler die Geschichte der verrückten Magdalena berichtet, ist sie zwar schön, aber ihr fehlt etwas. „Das Gold auf ihrem Körper, die rhythmischen, geschmeidigen Bewegungen ihrer weichen, gläsernen

Hüften strahlten etwas Sonderbares, aber durchaus nicht Wohltuendes aus ..." Man vergesse schöne Frauen, wenn sie außer ihrer Schönheit nicht etwas Besonderes an sich haben, „etwa einen Sinn für Malerei ... oder Mütterlichkeit". Sie ist eine Puppe, „die sich mit den Spitzen ihrer langen, weißen Finger unterhielt, die mit den Ohren unablässig zuckte, als gehörten sie einem mechanischen System an ..."

Lange Zeit nach der ersten Begegnung mit der Künstlerin in Paris trifft der Maler sie bei einer Vernissage wieder. „Ihre Schönheit war fort, einfach fortgeflogen ... Sie hatte noch wertvolle Ringe an den Fingern, aber ihre Kleider waren schmutzig. Ihr Gesicht krank und schmal." Sie ist lungenkrank. Nach zwei Aufenthalten in einem Sanatorium haben ihre einflußreichen und begüterten Freunde sie allein gelassen. Mit dem Tanzen ist es aus. Sie ist bettelarm und verflucht die Welt. Außer ihrem Arzt, der sie einmal in der Woche besucht, hat sie keinen Menschen mehr. Todkrank kehrt sie in ihre Heimat zurück. „Als sie aber starb und ihr Sarg auf den Friedhof gefahren wurde, dachte ich mir doch, daß eine Königin gestorben sei, eine ungekrönte Königin, die genau so viel Glück als Unglück im Leben hatte." Mit der Bemerkung: „Und wir alle lieben das Leben ...", endet der Bericht des Malers. Der Dichter zählt jedoch noch lange Zeit die Figuren an der Tapete und denkt an Paris, das er noch nie gesehen hat.

Die verrückte Magdalena ist verwandt mit den Protagonisten Bernhards, die immer auf verschiedene Namensträger verteilte Aspekte derselben Persönlichkeit darstellen. In dem Essay *Ebene* (In: Walter Pichler. *111 Zeichnungen.* Salzburg 1973) behauptet Bernhard, daß wir schon längst alles aufgegeben und verlassen hätten, wenn wir von unseren Eltern darüber aufgeklärt worden wären, daß „unser Lebensprozeß in Wahrheit nichts anderes als ein Krankheitsprozeß" ist. Jetzt falle es schwer, sich gegen die Ungeheuerlichkeit der Erziehung, die eine Lüge ist, aufzulehnen. Jetzt fehle die Kraft und der Mut. Diese Kraft bringen Bernhards Protagonisten auf. Sie brechen ihre Beziehung zu den Eltern radikal ab, verlassen ihre Heimat und kommen dennoch nicht von ihr los. Sie verkaufen ihre Besitztümer, lassen ihre Wälder verkümmern oder verschenken ihre Arbeitskraft, indem sie sich konsequent verweigern. Ihre Unabhängigkeit leitet eine Reihe von Ereignissen ein, die in Krankheit und Verrücktheit münden, wenn nicht dem Freitod der Vorzug gegeben wird. Gleichzeitig erwerben sie sich durch ihre Rücksichtslosigkeit höchstes Künstlertum und Klarheit des Denkens.

Magdalena überschreitet ein Tabu. Sie verstößt gegen den gesellschaftlichen Kodex von Sein und Haben, so daß sie als verrückt gelten muß. Sie verschenkt alles, was sie besitzt und was demzufolge ihre sogenannte Persönlichkeit ausmacht. Mit der Gabe verschwendet sie sich. Geben heißt in diesem Fall zerstören. Sie setzt ihre Existenz aufs Spiel. Aber die Zerstörung ist nicht Wille zur Vernichtung, sondern zur Erfüllung und Verwirklichung ihres Wesens. Sie begibt sich in eine existentielle Grenzsituation, sie setzt sich dem Unerhörten aus, ebenso wie sich Bernhards Figuren immer wieder bis an die Baumgrenze vorwagen, wo sie die Natur hinter sich lassen, die Luft dünner und das Denken klarer wird, um von dort aus die Welt neu zu erfahren. Mit der Abschenkung, die eine Entselbstung mit dem Ziel der Selbstverwirklichung ist, erreicht Magdalena Souveränität. Sie revoltiert gegen eine Welt der Vernunft, der Produktion und Konsumtion und demonstriert ihre Verachtung gegenüber den Wertvorstellungen der Gesellschaft, die sie schließlich richtet.

Magdalenas Entfremdung ist durch die anderen bedingt. Die Gesellschaft begrenzt sie und rückt sie aus dem Zentrum ihrer Bewegung, indem sie Magdalena auf ihren Besitz reduziert. Daß solche Äußerlichkeiten mit einer irgendwie gearteten, immer fiktiven Wahrheit oder Natur nichts zu tun haben, sondern durch die Macht der Gewohnheit zu sogenannter Natur erstarrte, willkürliche Konventionen sind, scheint Magdalena gemerkt zu haben. Mit der Abschenkung vollzieht sie eine Transgression des Ich und entzieht sich dem klassifizierenden Zugriff der Gesellschaft. Dafür handelt sie sich Isolation ein.

Eine solche Entgrenzung hat z. B. auch Roithamer vorgenommen, um sich von „Altensam und allem, das mit Altensam zusammenhängt", zu lösen (*Korrektur*. Frankfurt/M. 1975). Zur Abschenkung gehört der Verzicht auf Elternhaus, auf Erziehung und Heimat, kurz: auf alles, was überlieferte Inhalte und Werte weitertransportiert. Voraussetzung für die Überwindung der geistigen Herkunft ist die geographische Trennung von der Heimat. Thomas Bernhard spricht in *Drei Tage* (In: *Der Italiener*. Salzburg 1971) von „Schauplätze wechseln", womit die Willkürlichkeit und Uneigentlichkeit von mit Schauplätzen verbundenen Verhaltens- und Denkweisen angesprochen wird. Gleichzeitig wird auf den Topos von der Welt als Bühne verwiesen. Für Bernhard ist das Leben ein Stück Kunst. Mit dem Wechsel des Schauplatzes wechselt der Mensch von einer Künstlichkeit in die andere. Die Veränderung erweckt jedoch gegenüber dem konditionierten Verhalten den Eindruck von Freiheit und Selbstbestimmung.

Die verrückte Magdalena geht nach Paris und wird Künstlerin. Künstlertum ist bei Bernhard auf Rationalismus gegründet. Der Künstler ist ebenso Denker wie Wissenschaftler. In seiner Isolation, fern von Heimat und Gemeinplätzen, erkennt er das Ausmaß seiner Bedingtheit. Er weiß, daß seine Erziehung ihm eine irreversible Rolle zugewiesen hat. Das Denken des Menschen ist vorgeprägt und enthält nichts Eigenständiges. Alles, was er denkt, ist nach-gedacht und alles, was er macht, ist nach-gemacht. Er findet eine gewortete Welt vor, die ihm eine Lebensform vorschreibt, und er versteht sich selbst als Produkt einer Konditionierung, die keinen Spielraum offenläßt. Er weiß, daß Wahrheit Übereinkunft ist und daß die Konventionen der Sprache kein Erzeugnis der Erkenntnis, sondern willkürlich abgegrenzte Relationen der Dinge zu den Menschen sind. Wahrheit ist ein „bewegliches Heer von Metaphern", „Illusionen, von denen man vergessen hat, daß sie welche sind" (Friedrich Nietzsche: *Über Wahrheit und Lüge im außermoralischen Sinne*). Aber er hat der übrigen Menschheit eines voraus: wenn Leben, das so besehen in Wirklichkeit Existenz ist, bedeutet, nach einer festen Konvention zu lügen, kann der Künstler daraus die Berechtigung ableiten, mit schöpferischem Mutwillen die sogenannte Wahrheit durch beliebige Umkehrungen zu mißbrauchen und zu relativieren. Der Künstler auf der Suche nach Wahrheit wird selbst zum Lügner. Für ihn ist das Wort nicht gemacht, und er hält sich an keine Übereinkunft. Er „redet in lauter verbotenen Metaphern und unerhörten Begriffsfügungen" (Nietzsche: *Über Wahrheit*) und handelt auch entsprechend. Auf diese Weise befreit er sich aus den Zwängen der vorgeprägten Sprache, setzt sich aber gleichzeitig der Gefahr aus, von der Gesellschaft ausgestoßen zu werden.

Die verrückte Magdalena wird Schauspielerin, Tänzerin. „Aus dem Briefträgerstöchterchen, aus dem verrückten Geschöpf mit altmodischer Unterwäsche und dem Drang zum Verschenken, war eine Tänzerin geworden, eine schöne Frau, die abends in einer lackierten Limousine über die Champs Elysées fuhr. Sie tanzte nach Variationen von Brahms und Debussy." Die Tänzerin betreibt eine Kunst des „Als ob". Sie gibt vor, eine andere zu sein, als sie angeblich wirklich ist. Identität ist ein Kunstgebilde, so daß mit dem Identitätsverlust durch Entselbstung die Berechtigung zum künstlichen Aufbau von wechselnden Identitäten gegeben ist. Ebenso wie Magdalena auf der Bühne Künstlichkeit vorführt, stimmt ihr luxuriöses Leben in der Großstadt nicht mit ihrer angestammten Rolle als Verrückte vom Dorf überein. Ihre Transgression hat eine erotische Energie entfesselt, eine Tabuverletzung, die bestraft werden muß. Nach dem Erfolg („Am nächsten Tag waren die Feuilletonspalten überfüllt mit übereifrigen Superlativen. Ein paarmal sah ich auch ihr Bild ...")

kommt der körperliche Verfall, der bei Künstlern vornehmlich mit der Lunge beginnt. Wie der verlorene Sohn kehrt sie zurück. Um zu sterben. Aber sie stirbt als Königin, als eine, die alle Höhen und Tiefen des Lebens ausgekostet hat und deshalb viel reicher ist als ihre Geschwister (von denen in der Erzählung nicht die Rede ist). Sie hat ihr Leben aufs Spiel gesetzt und dafür einen Blick über die Grenzen getan. Zwar muß sie sterben, aber sie ist der Mittelmäßigkeit entgangen. Ihr einziger Fehler ist, daß sie zurückgekommen ist.

MANFRED MIXNER

„Wie das Gehirn plötzlich nur mehr Maschine ist ..."
Der Roman *Frost* von Thomas Bernhard*

Über siebenundzwanzig Tage hin erstrecken sich die Aufzeichnungen des
Ich-Erzählers im Roman *Frost*; angefügt ist ein lapidarer Nachsatz aus
einer späteren Zeit, eingeschoben sind sechs Briefe des Ich-Erzählers an
den Arzt, der ihm den Auftrag gegeben hatte, den ehemaligen Maler G.
Strauch, der sich in das Hochgebirgsdorf Weng zurückgezogen hat, zu
beobachten. Der Ich-Erzähler ist Medizinstudent, der in Schwarzach
seine erste Famulatur macht; der Maler G. Strauch ist der Bruder jenes
Assistenz-Arztes, der dem Erzähler den Auftrag gegeben hat. Der Hand-
lungsrahmen dieses Romans ist also sehr eng, die Gliederung übersicht-
lich; auffallend sind lediglich die zwischen dem sechsundzwanzigsten
und siebenundzwanzigsten Tag eingefügten sechs Briefe und einige mit
Überschriften versehene Abschnitte von einzelnen Tagesberichten: *Im
Armenhaus* (Zehnter Tag), *Das Hundegekläff* (Vierzehnter Tag), *Die
Geschichte mit dem toten Holzzieher* (Zwanzigster Tag), *Die Geschichte
mit dem Landstreicher* (Einundzwanzigster Tag), *Hin und Her* (Zwei-
undzwanzigster Tag), *Das Viehdiebsgesindel* (Fünfundzwanzigster Tag),
Äußerungen über Höhe, Tiefe und Umstand und *Die Felsschlucht*
(Sechsundzwanzigster Tag). Es fehlen bei diesem Roman eine episch wei-
ter ausholende Exposition und ein die einzelnen Randmotive auflösender
Schluß.[1]

Der Aufbau des Romans verrät schon, daß hier nicht eine ‚Geschichte‘
erzählt, sondern über Ereignisse, Vorgänge oder Zustände berichtet
wird; ‚Geschichten‘ werden gesondert hervorgehoben. Es handelt sich
explizit um ein Protokoll, das in einen realistisch scheinenden Funktions-
zusammenhang gestellt ist. Die Einübung in medizinische Praxis soll sich
ja nicht nur auf die handwerklichen Aspekte des Arzt-Berufes erstrecken
oder auf das soziale Training innerhalb einer Krankenhaushierarchie:
„Eine Famulatur muß auch mit außerfleischlichen Tatsachen und Möglichkeiten rechnen" (7). Der Ich-Erzähler liefert ein Protokoll der Auseinandersetzung „mit solchen außerfleischlichen Tatsachen und Möglichkeiten", er hat „etwas Unerforschliches zu erforschen" (7). Dieses
„Außerfleischliche" meint nicht unbedingt das, was man unter Seele
versteht, aber es könnte ja sein, daß „diese jahrtausendealte Vermutung
jahrtausendealte Wahrheit ist", daß es das ist, „woraus alles existiert,

und nicht umgekehrt und nicht nur eines aus dem andern" (7). Der
Auftrag, den Maler Strauch zu beobachten und über diese Beobachtungen Rechenschaft zu geben, läßt ein Protokoll entstehen, das, so kann
man zunächst annehmen, mit einer Art phänomenologischen Methode
erstellt worden ist. Am Rande sei noch angemerkt, daß die Anzahl der
Tage, die dieser Auftrag in Anspruch nimmt, einem Mondphasenzyklus
entspricht, wobei der Tag des Neumonds durch den kurzen Schlußabsatz
ersetzt erscheint. In einer Zeitungsnotiz liest der Ich-Erzähler: „Der Be-
rufslose G. Strauch aus W. ist seit Donnerstag vergangener Woche im
Gemeindegebiet von Weng abgängig. Wegen der herrschenden Schnee-
fälle mußte die Suchaktion nach dem Vermißten, an welcher sich auch
Angehörige der Gendarmerie beteiligten, eingestellt werden." (316) Jener „Donnerstag vergangener Woche" könnte also der Neumond-Tag
sein, mit einer absolut finsteren Nacht, in der der Maler Strauch vermutlich erfroren ist.

Bereits in Thomas Bernhards *Ereignissen* (jenen Kurztexten, in denen
er erstmals konsequent den Zeitpunkt des Umkippens von ‚Normalität'
in das Negationsdenken thematisierte) sind zwei Bezugsebenen des protokollarischen Feldes bedeutungskonstituierend, eine sogenannte Ob-
jekt-Ebene und eine Subjekt-Ebene. Im Roman *Frost* stellt sich das protokollarische Feld scheinbar unvermittelter dar: der protokollierende
Ich-Erzähler ist in das Romangeschehen integriert, er spielt die tragende
Rolle, denn er ist es ja, der das Verhalten des Malers Strauch beschreibt
und dessen Aussagen und dessen Sprechen zitiert und in einen eigenen
Reflexionskontext stellt. Der Verfasser des Protokolls ist aber ebenso
wie der im Protokoll beschriebene und zitierte Maler Strauch nur eine
Projektion des Autors; das protokollarische Feld ist im Roman *Frost* also
wesentlich künstlicher als in den *Ereignissen*. Diese Vermitteltheit des
Protokolls hat eine stark suggestive Wirkung auf den Leser[2], die dadurch
verstärkt wird, daß der Roman im Handlung vergegenwärtigenden Er-
zähl-Präsens geschrieben ist, mit Ausnahme des Schlusses, der mit seinem narrativen Präteritum das Romangeschehen in die Vergangenheit
zurückfallen läßt.

Gegen Ende des Romantextes findet sich eine Stelle, die Aufschluß
geben kann über die Funktion des Handlungsrahmens und der Vermitteltheit des Protokolls; es ist das der mit dem Titel *Die Felsschlucht*
überschriebene Abschnitt des „Sechsundzwanzigsten Tages". Der Maler
Strauch beginnt einen Monolog mit dem Satz: „Wie das Gehirn plötzlich
nur mehr Maschine ist, wie es noch einmal alles exakt herunterhämmert,
womit es Stunden und Tage, ja Wochen vorher geschlagen, malträtiert

worden ist." (290) Der Ich-Erzähler müsse sich eine Felsschlucht vorstellen, in die ein Mensch „auf Befehl hineingeht", ein Mensch nach der „Vorstellung" des Malers, die er dem Studenten „jetzt aufoktroyiere" (291). „Diesen Menschen zwingen Sie [der Ich-Erzähler] gemeinsam mit mir, der ich ihn für Sie und für mich erfunden habe, hinein in die Felsschlucht, [. . .] Sie stellen ihn sich als ein Rauschen in Bäumen, als ein Abbröckeln der Felsen, als ein Zähneknirschen der Angst vor, um sich ihm anschließen zu können; Sie führen sich als ein Erschrecken ein und entziehen ihm langsam die Angst, indem Sie ihm das einmalige Totentestamentliche zuführen [. . .] Also, wir haben jetzt einen Menschen auf dem Weg in die Hölle in Bewegung gesetzt, erschaffen und in Bewegung gesetzt [. . .]" (291) Dieser Mensch könne doch Lehrer sein, denn „der Lehrer ist *die* erfundene Figur" (292), er komme in die Felsschlucht und „an sein Ziel: in das Schulhaus" (292). Es sei Winter, Schnee falle: „ich habe die Lust [. . .] sein Gehirn einzuschweißen in den Gefrierpunkt, in den absoluten Gefrierhorizont" (293). „‚Sehen Sie: jetzt ist der Lehrer eingeschlossen in seine eigene unheilbringende Phantasie, langsam wird er von seinem Denken in sich hineingezwängt, in den Begriff des ‚Unaufhörlichen Schnees' . . . Man soll sich hüten, ein solches Vorgehen ‚Geschichte' zu nennen', sagte der Maler" (293). Der Maler Strauch muß den Lehrer „einen furchtbaren Tod", „einen zweiten Tod sterben lassen, [. . .] der Lehrer ist aufgelöst in der Luft meiner exemplarischen Zustände" (294). Der Ich-Erzähler fügt dieser Wiedergabe eines Monologs des Malers Strauch hinzu: „Um Unklarheiten in diesem ‚Fürchterlichen' vorzubeugen, sie einfach nicht zu gestatten, sich und dem, der das liest, nicht, und ein für allemal nicht zu gestatten, möchte ich auf den Eingangssatz dieses Versuches hinweisen, ich möchte sagen: ich fange zur Vorsicht noch einmal mit dem ersten Satz dieser Wiedergabe einer ‚unglückseligen Ausschweifung', die ich vom Maler, wie mir jetzt scheint, mit der Rücksichtslosigkeit seines eigenen Gehirns einfach abgezogen habe, an, mit dem Satz: ‚Wie das Gehirn plötzlich nur mehr Maschine ist . . .'" (295). Der Ich-Erzähler konstatiert dann noch seine Erschöpfung, die ihn zwinge, für heute aufzuhören, obwohl er Grund genug hätte, fortzufahren.

Setzt man diese Monolog-Episode nun in Analogie zum Kommunikationszusammenhang zwischen Autor und Leser, wird das Funktionsprinzip des Protokolls klar: Thomas Bernhard erfindet einen Menschen, stellt sich ihn in einer ganz realistischen Umgebung vor, zwängt das Bewußtsein dieses Menschen ein, verengt dessen Handlungsspielraum, schickt ihn auf den Weg in die Hölle und läßt ihn sterben. Er hat diesen

Menschen für sich und für seinen Leser erfunden, also bezieht er sich mit
als Beobachter in diesen Beobachtungsprozeß ein und läßt den Leser sich
mit seinem in der jeweiligen Situation vorgestellten Ich identifizieren.
Der Roman *Frost* ist so besehen keine ‚Geschichte', protokolliert wird
nicht, was sich in Wirklichkeit zugetragen hat oder was sich in Wirklichkeit zutragen könnte, sondern es handelt sich um eine Bewußtseins-
Ausschreitung, um eine konsequent fortentwickelte und sich ohne exakt
bestimmbaren Anfang und ohne schlüssiges Ende entfaltende Vorstellungswelt.[3] Diese Bewußtseins-Ausschreitung – als solche wird man das
gesamte Prosawerk Bernhards ab dem Roman *Frost* bezeichnen können
– erfolgt in kreisenden Bewegungen: Zentrum ist immer der Tod, die in
ihrer Absolutheit erkannte Endlichkeit des menschlichen Lebens wird
nicht aus dem Auge gelassen: „Sie hätten den Lehrer eingeschlossen in
Ihrer gemeinen Lüge, Sie hätten ihn, sagen wir, einfach leben lassen!"
(294), sagt der Maler Strauch. Ihm hingegen „verbietet sich das Leben
des Lehrers", er muß ihn sterben lassen, denn für ihn „ist der Lehrer
schon immer längst tot gewesen." Es ist „eine ungeheure Szenerie der
Kristalle des Todes", die der Maler Strauch sich vorstellt und „in die der
Lehrer hineingehen muß".

Wie kommt es nun zum Bild vom menschlichen Gehirn als Maschine,
und was bedeutet es in Verbindung mit der Negationsperspektive im
Bernhardschen Denken? Vernünftiges Denken in möglichst konsistenten
begrifflichen Regelsystemen zielt auf Verfügbarmachung der sinnlich
wahrnehmbaren Wirklichkeit, in der sich der Mensch bewegt; es entstehen dabei Erklärungsmechanismen, die sich automatisieren, die sinnlich
wahrnehmbare Wirklichkeit wird überzogen mit einem Netz von Kau-
salzusammenhängen, das immer engmaschiger wird, je geschlossener die
Regelsysteme wirken. Das menschliche Gehirn wird zu einer Reproduktionsmaschine dieser Kausalzusammenhänge und zerlegt die sinnlich
wahrgenommene Wirklichkeit in immer kleiner werdende Funktionsein-
heiten. Damit werden alle wahrnehmbaren und vollziehbaren Prozesse
in ihrer räumlichen und zeitlichen Endlichkeit fixiert. Es ist die verselb-
ständigte Rationalität, die das Gehirn wie eine Reproduktionsmaschine
funktionieren läßt: man denke nur an Oswald Wieners Konzeption eines
Bio-Adapters, durch den Außenwelt ersetzt wird; das Bewußtsein, das
Gehirn des Menschen wählt sich die Wirklichkeit, in der es sich bewegen
möchte, aus dem Informationsangebot des Bio-Adapters aus.[4] Bernhard
hat ein anderes Szenarium gefunden. Er demonstriert die Reproduktionsmaschine Gehirn im Zustand des aus der Alltags-Pragmatik Ge-
kippt-Seins und ihr Leerlaufen in einer längst um alle Transzendenz ge-

brachten Irrationalität. Oswald Wiener will einen Ausweg zeigen: die Vernichtung der Wirklichkeit und die radikalste Befreiung der Subjektivität um den Preis der Vernichtung der menschlichen Natur als Körperhaftes – Thomas Bernhard zeigt die Sackgasse: wie die Freisetzung von Subjektivität durch den „Ehebruch des Verstandes" in die Vernichtung des ganzen Menschen führt, weil die Vernichtung oder Überwindung der Natur nur den Tod bedeuten kann. „Das Leben ist reine, klarste, dunkelste, kristallinische Hoffnungslosigkeit . . . Dahinein führt nur ein Weg durch Schnee und Eis in Menschenverzweiflung, dahinein, wo man hineingehen muß: über den Ehebruch des Verstandes" (295), läßt er den Maler Strauch sagen.

Das Gehirn als Reproduktionsmaschine bringt keinen Fortschritt, es produziert, von seiner Erkenntnisfunktion her betrachtet, Grauen, Hoffnungslosigkeit, Angst, Schrecken, Verzweiflung; man denke nur an die Träume des Malers Strauch: der Kopf bläht sich auf und erdrückt den Menschen (37 f. und 287 f.). Für Bernhard ist die Utopie eines glücklichen Lebens in einer Gesellschaft, in der die Güter und die Gefühle verteilt sind, kein Trost. In *Frost* blitzt ein letztes Mal noch die Vorstellung einer solchen positiven Utopie auf, wenn der Maler Strauch von den „ganz eigensinnige[n] Täler[n]" mit „Herrenhäuser[n] und Schlösser[n]" spricht, die es hier „auch" gibt: „Das müssen Sie sich alles ganz unwirklich vorstellen, *so wie die tiefste Wirklichkeit*, wissen Sie." (230) Man bekomme, wenn man die Menschen dort sprechen höre, das Gefühl, „überhaupt keine Ahnung von Wörtern" zu haben: „alles hat brauchbare Beziehungen zueinander, keine Irrtümer, der Zufall und das Böse sind ausgeschlossen. Einfachheit wölbt sich wie ein klarer Himmel über das, was man denkt. Nichts Phantastisches, obwohl alles der Phantasie entsprungen. [. . .] Logik ist in Musik gesetzt. [. . .] Die Wahrheit liegt auf dem Grund wie das Unerforschliche." (230) Es ist dies ein Land, in dem Rationalität und Irrationalität keine Gegensätze mehr sind, in denen die Dialektik des Denkens, das ohne ‚negativ' kein ‚positiv' und umgekehrt entwickeln kann, aufgehoben ist, wo nicht mehr der „blinde Wille" (Schopenhauer) regiert, kein Zufallsspiel der Natur zur Wirkung gelangt. Daß man sich dieses Land „ganz unwirklich" vorstellen muß, daß dieses „unwirklich" so wie „die tiefste Wirklichkeit" sein soll, impliziert das Unrealistische dieser Hoffnung, dieser Utopie, im zweckrationalen Denken, und damit auch das Unsinnige: es läßt sich nicht realisieren. Immerhin hat hier Thomas Bernhard noch eine positiv besetzte Denkmöglichkeit offengelassen, auch wenn er sie als menschenunmöglich charakterisiert.

Dieser Hoffnungsschimmer von einem Leben, in dem die Widersprüche der menschlichen Existenz aufgehoben sind, kann nicht darüber hinwegtäuschen, daß Bernhard in seinem Negationsdenken keine Lücke
offenläßt.[5] Der Ich-Erzähler in *Frost*, der Famulant, der ausgezogen ist,
„etwas Unerforschliches zu erforschen", beendet seine Famulatur an jenem Tage, an dem er in der Zeitung vom Tod des Malers G. Strauch
erfährt, reist „zurück in die Hauptstadt", wo er sein Studium fortsetzt
(315). Nichts weiter wird von ihm mitgeteilt, welche Konsequenzen er
gezogen hat oder gezogen haben könnte aus dem fast vierwöchigen Zusammensein mit dem Maler Strauch, der Schluß ist offen. Er hat die
Unmöglichkeit entfalteter Subjektivität erfahren. Wird ihn das vorsichtiger, gelassener machen? Mit diesem offenen Schluß „wird aufgegeben,
was mehr oder weniger die Substanz des deutschen Bildungsromans seit
Goethe ausmachte: der Wert, die Möglichkeit und Folgerichtigkeit der
Entwicklung und Bildung eines Individuums, bis zur vollen Entfaltung
seiner Persönlichkeit".[6]

Kommen wir zurück auf die Feststellung, daß es sich hier um eine Art
Bewußtseins-Ausschreitung handelt, also nicht um eine Abbildung realer
Vorgänge oder um eine Widerspiegelung der Fiktion von wirklicher
Wirklichkeit, sondern um die Fiktion von Bewußtseinswirklichkeit. Protokolliert werden in dieser Fiktion von einem in diese Vorstellungswelt
geschickten Beobachter die Aussagen und Handlungen einer erfundenen
Figur, die an ihrem Anspruch auf entfaltete Subjektivität scheitert, „auf
dem Weg in die Hölle in Bewegung gesetzt" (291) wird. Bernhard hat
diese Künstlichkeit seines Textes gezielt durch einen realistischen Rahmen kaschiert: der in die Vorstellungswelt geschickte Beobachter ist immerhin Medizinstudent, bekam von einem Arzt den Auftrag, den offensichtlich geisteskranken Bruder des Arztes, den Maler Strauch, der sich
mitten im Winter in ein Gebirgsdorf zurückgezogen hat, zu observieren.
Unrealistisch mutet nur die auch für den protokollierenden Ich-Erzähler
von vornherein schon gültige Negativ-Perspektive an: „Tatsächlich erschreckt mich diese Gegend, noch mehr die Ortschaft, die von ganz
kleinen, ausgewachsenen Menschen bevölkert ist, die man ruhig
schwachsinnig nennen kann". (10) Und: „Weng liegt hoch oben, aber
noch immer wie tief unten in einer Schlucht [. . .] Es ist eine Landschaft,
die, weil von solcher Häßlichkeit, Charakter hat, mehr als schöne Landschaften, die keinen Charakter haben". (10 f.) Die Wahrnehmungen, die
der Ich-Erzähler auf dem Weg nach Weng hinauf machte, „zersetzten ihn
nicht" (11), aber sie irritieren ihn offensichtlich. Die Landschaft, das
Dorf, die Menschen haben von Anfang an eine Aura von Unwirklichkeit,

48 MANFRED MIXNER

sie erscheinen in einem unfreundlichen Licht. Da es nun die Ortschaft
Weng tatsächlich gibt, da die in *Frost* beschriebene Landschaft als eine
wirkliche Salzburger Landschaft zu erkennen bleibt, kam es zu merkwürdigen, freilich symptomatischen öffentlichen Reaktionen. In einem
Leserbrief in den „Salzburger Nachrichten" vom 17. April 1968 anläßlich Bernhards Dankrede für den Österreichischen Staatspreis für Literatur heißt es, Bernhard habe „das Volk [. . .] brüskiert", weil er Weng
und seine Bewohner in arroganter und beleidigender Weise geschildert
habe.[7] Das Beispiel zeigt, wie perfekt es Bernhard gelungen ist, die
Künstlichkeit seines Textes realistisch zu verbrämen. Da der Leser sich
mit dem unscheinbar normalen Ich-Erzähler zu identifizieren gezwungen
ist, der den abnormalen Strauch beobachtet, von diesem Ich-Erzähler
also die Wirklichkeitssicht des Malers Strauch als an sich realistisch
bestätigt bekommt, kann er auch nicht diese negative Wirklichkeitssicht
als Bewußtseinsprojektion des ‚kranken' Malers deuten. Nimmt man
aber das gesamte Protokoll, also auch den in das Romangeschehen inte-
grierten Protokollierenden als vorgestellte Wirklichkeit, kann man sich
von der Halbwahrheit, dem Scheincharakter von Realismus befreien.
Allenthalben wurde in Besprechungen und Analysen des Romans *Frost*
festgestellt, daß das Protokoll als Ergebnis einer fingierten „medizinisch-
psychiatrischen Observation" nicht zu einer abschließenden „wissenschaftlichen Diagnose" führe und daß sich der Wahnsinn des Malers
dadurch, daß er sich „der wissenschaftlichen Diagnose entzieht", „als
unerforschlicher Spiegel der eigenen Existenz" enthülle.[8] Sieht man davon ab, daß diese Argumentationsweise die Künstlichkeit des Textes
nicht zu Ende denkt, bleibt doch das Paradoxon, daß eine solche Diagnose ja auf der Hand liegt, da die Krankheit leicht auf einen Begriff
gebracht werden könnte, etwa als wahnhaft-schizoider Solipsismus mit
depressivem Grund-Trema; aber darum geht es in der Tat nicht. Wird
also der Wahnsinn des Malers damit für uns zum „unerforschlichen
Spiegel der eigenen Existenz?"

Man muß tiefer in die Konsequenzen des Gedankens von einer Bewußtseins-Ausschreitung eindringen, um diese Fragen zu lösen. Das Gehirn als Reproduktionsmaschine bringt hervor, womit es „malträtiert"
(290) worden ist. Als Reproduktions-Maschine kann es zur Entfaltung
und Freisetzung von Subjektivität nur funktionieren, wenn es seine Na-
turhaftigkeit vernichtet (Oswald Wieners Bio-Adapter, Franz Kafkas *Urteil*), wenn das Rationalitäts-Prinzip sich also radikal verselbständigt
hat; das Gehirn könnte so Wirklichkeit produzieren auf Grund der Umsetzung rationaler Erfahrung von Wirklichkeit in eine endliche Zahl von

Informationen. Das bedeutet aber, wie gesagt, die Überwindung von Wirklichkeit, die Vernichtung der Natur des Menschen, für Bernhard: den Tod. Die Figuren in Bernhards Bewußtseinswelt streben nach entfalteter, freigesetzter Subjektivität, aber sie wollen dabei am Leben bleiben. Das ist ihr Widerspruch, ihre Krankheit, ihr Wahnsinn. Das Gehirn dieser Figuren reproduziert ständig die Unmöglichkeit der Freisetzung von Subjektivität. Deshalb auch ist der Arzt, der Bruder des Malers Strauch, völlig hilflos gegenüber dieser ‚Krankheit', deshalb auch war es für den Famulanten gar nicht notwendig, „das Buch über die Gehirnkrankheiten von Koltz" (12) mitzunehmen. Es gibt für diese „Todeskrankheit" keine Heilung, sie muß bis zum Ende, bis zum Tod ohne Hoffnung auf Erlösung ausgehalten werden. Es ist diese Krankheit somit ein Bewußtseinsphänomen des Menschen, das darzustellen Bernhard sich entschlossen hat: das Bewußtsein, das sich zugleich als Objekt und Subjekt von Wirklichkeit zu denken gezwungen ist, dessen Erfahrungsweise immer zugleich eine passive und aktive ist.

Die wie in einer Zwangshandlung repetierte Unmöglichkeit von Entfaltung und Freisetzung der Subjektivität entlarvt das im Zeitalter der bürgerlichen Emanzipation entwickelte Ideal der Selbstverwirklichung als Selbsttäuschung, als Betrug. Vielleicht sollte man deshalb den Wahnsinn des Malers Strauch nicht als „unerforschlichen Spiegel der eigenen Existenz" zu deuten versuchen. In diesem ‚wahnsinnigen' Bewußtsein reproduziert sich vielmehr Wirklichkeit in einem auf Zufall, Auflösung, Zerstörung, Vernichtung fixierten Bedeutungszusammenhang. Im Gegensatz zum Frühwerk Thomas Bernhards wird im Roman *Frost* erstmals das Negationsdenken als integraler Bestandteil des Reproduktionsmechanismus eines wahnhaft auf den Tod fixierten Bewußtseins eingesetzt. Die Wirklichkeit, die jenes Gehirn, jenes Bewußtsein, das ausgeschritten werden soll, reproduziert, ist eine ihre Endlichkeit als Konsequenz verselbständigter Rationalität realisierende Welt. Das auf seinem Subjektivitätsanspruch beharrende Gehirn/Bewußtsein bedingt diese Wirklichkeitssicht auch dann noch, wenn es auf seine Objekthaftigkeit dieser Wirklichkeit gegenüber zurückgeworfen ist. Aus dieser schier unlösbaren Verknüpfung, aus diesem ‚Wahnsinn' resultiert der Verabsolutierungsmechanismus im Denken der Bernhardschen Figuren. „Nachdem Bernhard erkannt hat, daß der Einzelne nicht Illustration für die Welt ist, sondern sich in ihm der Zustand der Welt manifestiert, daß seine Zustände und Umgebungen nicht die Welt charakterisieren, sondern eben die der im Zerfall begriffenen Welt sind, können alle Individual-Erfahrungen den Anspruch erheben, Welterfahrungen zu sein. Seitdem sind die ständig monomanisch wiederholten und variierten Motive derart ineinander vermittelt, daß sie sich nicht mehr nur ergänzen, sondern zwangsläufig einander bedingen; das einzelne bedarf nicht mehr der anderen, es impliziert sie."[9]

Die Brechung des realistisch-mimetischen Beschreibungszusammenhanges durch die Verlagerung von Wirklichkeit in ein nur mehr als Reproduktionsmaschine funktionierendes Bewußtsein erfährt so ihre doppelte Rechtfertigung. Die begriffliche Rekonstruktion der philosophischen Zusammenhänge des ‚Wahnsinns' der Bernhardschen Figuren entbehrt ja der Erfahrbarkeit; es ist ein Gedankenspiel, das man mit einem Achselzucken quittieren kann. Dadurch aber, daß Bernhard „die Sprache von der Realität, auf die sie reagiert, befreit"[10], vermag er ein über die Rationalität begrifflicher Regelsysteme hinausgehendes poetisches Zeichensystem zu entwickeln, das so „ineinander vermittelt" ist, daß sich seine Konsistenz nicht an einer Verfügbarmachung von Wirklichkeit durch das Primat von Rationalität beweisen muß, sondern in der denkmöglichen Integration von Rationalität und Irrationalität. Darin liegt der künstlerische/ästhetische Erkenntniswert von Bernhards Bewußtseinsausschreitungen. Carl Zuckmayer mag Ähnliches gemeint haben, als er in seiner *Frost*-Rezension schrieb: „Wenn man das Buch gelesen hat, fühlt man sich auf eine Spur gesetzt, die so alt ist, wie die menschliche Überlieferung und dennoch so neu, und in unerforschtere Gebiete weisend als der Flug in den Raum."[11]

Das poetische Zeichensystem zur Darstellung einer Bewußtseins-Ausschreitung ist in seiner Funktionsweise im Text offengelegt. Der Famulant sagt in seinem ersten Brief an den Assistenz-Arzt Strauch: „Ich habe vom ersten Augenblick an versucht, das Medizinische dieses Falles ganz auszuschalten, mich bewußt, sozusagen auf der reinen Empfindungsebene, auf den naturgemäßen, eigenpersönlichen ‚Verhaltenskomplex' Ihres Herrn Bruders zu beschränken. Ich habe, glaube ich, schon meine wissenschaftliche – nicht medizinisch-wissenschaftliche! – Erforschungsmethode gefunden, *einen* Weg der Entdeckungen, einen solchen der *nebe*neinander-*in*einander-*unter*einander verlaufenden, *mit*einander korrespondierenden Anschauungsmöglichkeiten" (297). Er muß in der Nacht versuchen, „das Atmosphärische seiner [d. h. des Malers] Innen- und Außenwelt niederzuschreiben". Der Ich-Erzähler protokolliert, reproduziert („Wie das Gehirn plötzlich nur mehr Maschine ist . . .") die „Krankengeschichte" des Malers Strauch, die dieser „aus sich herausredet" (296), dieses „phantastischen Abgrundmenschen" (297) in seinem „ungeheuer labilen Defizitärzustand, den man als durchaus irregeleitet" und

„nicht mehr transferierbar bezeichnen muß" (298). Der Famulant muß zugeben, daß er sich „zeitweise in ebensolchen Mystizismen" wie der Maler Strauch bewege, „in diesem ‚für nichts, rein gar nichts aufschlußreichen Mystizismus des der verstandesmäßigen Klarheit entronnenen Vor-Wissenschaftsdenkens'" (300). Im Gegensatz zum „medizinischen Denken" des Assistenzarztes sei das Denken des Malers Strauch ein „amoralisches Zwischenreichdenken ohne eigentliche Funktion", „das Dämonische wie das Einfache" des Malers gehe „tatsächlich auf den Tod zu" (300). Dem Ich-Erzähler, der sich selbst als „zwangsweise gehorsamen Stenographen" bezeichnet, gebe „alles [. . .] zu denken": „Farben, Gerüche, Kältegrade – dieser fortschreitende, in allem und jedem und überall fortschreitende Frost in seiner unerhörten Begriffsvergrößerungsmöglichkeit hat die größte, immer wieder die allergrößte Bedeutung" (301). Das Protokoll benutzt also jene die Grenzen der begrifflichen Rationalität sprengenden poetischen ‚Begriffe', die wir Zeichen oder Chiffren nennen; der Ich-Erzähler wird mehr und mehr von diesem Zeichensystem und den diesem innewohnenden „unerhörten Begriffsvergrößerungsmöglichkeiten" beherrscht, aber er beherrscht „gar nichts in diesem Denken" (301).

Wir haben weiter oben versucht, die ‚Krankheit' des Malers Strauch philosophisch zu deuten als den unaufhebbaren Widerspruch zwischen entfalteter Subjektivität und einem mit der Wirklichkeit versöhnten Leben. Es ist eine exemplarische „double bind"-Konstellation, wie sie nach George Bateson für Schizophrenie als Bedingung gilt: will der Maler Strauch als Künstler die höchstmögliche Erkenntnisform erreichen, muß er dem Anspruch seines Bewußtseins auf Autonomie nachgeben; gibt er aber diesem Anspruch nach, verliert er die Realisierungsmöglichkeit seiner Erkenntnisleistung – er ist handlungsunfähig geworden. Wie zeigt sich nun die Krankheit des Malers Strauch im poetischen Zeichensystem der Bewußtseins-Ausschreitung. Der Ich-Erzähler konstatiert bei seiner ersten Begegnung mit dem Maler dessen Mißtrauen, Hilflosigkeit und Angst vor anderen Menschen; der Maler hat immer einen Stock bei sich, um „Menschen abzuwehren" (12). Der Maler „interessiert sich nur für sich" (16), er hat sich in dieses Gebirgsdorf wegen seiner „Krankheit" zurückgezogen, er hat alle Kontakte mit der Welt, mit den Menschen, mit denen er früher verkehrt hat, abgebrochen, er ist einsam. Er stößt seine Sätze aus, „wie alte Leute Speichel" (23), seine „Angst ist eine durchdachte, eine zergliederte, zerfledderte, eine in ihre Einzelheiten zerlegte, nicht niederträchtige" (34), er prüfe sich fortwährend, laufe immer hinter sich selbst her, es gebe Momente, in denen er unfähig sei, seinen

„Kopf zu tragen" (42). Immer wieder klagt der Maler über unerträgliche Schmerzen, Kopfschmerzen, die ihn fast bewegungsunfähig machten, auch Fußschmerzen: „Es besteht wahrscheinlich ein geheimer Zusammenhang zwischen meinem Kopfschmerz und diesen Fußschmerzen" (48). Eine Geschwulst unter seinem Knöchel, die der Famulant als Schleimbeutelentzündung diagnostiziert, „jage ihm [. . .] Angst ein" (49), sie „sei ein Beweis dafür, daß seine Krankheit sich jetzt schon über seinen ganzen Körper ausbreite". Er sei immer „aufgeregt und irritiert" (73), er lacht kaum, „das Lachen strengte ihn an" (175), er habe „eine instinktive Lust", sich „allem auszusetzen", was gegen ihn auftritt (256); früher sei es ihm manchmal gelungen, „in die Gesundheit zurückzugelangen", aber jetzt glaube er „nicht mehr an eine solche Lösung: sie würde mich von hinten ganz einfach töten" (258). Gegen Ende des Buches bekennt der Maler: „Der Selbstmord ist meine Natur"; und sein letzter Satz lautet: „Ein so unvorstellbarer Schmerz ist es, der von meinem Kopfe ausgeht, daß ich es gar nicht sagen kann" (316). „Gleichzeitig zu atmen und zu gehen", verursache ihm „ungeheure Schmerzen" (316). Krankheit im medizinischen Sinne ist es nicht, die den Maler Strauch quält; auch wenn sein Denken Implikationen von Beziehungswahn verrät: „Er ist *nicht* wahnsinnig! (Verrückt?) Nein, auch nicht verrückt" (306).

„Alles deutet auf eine urteilsfreudige Kindheit hin, die bald verletzt war, auf ein ‚angestochenes Nervenzentrum', auf eine organische fruchtbare Doppelbedeutung des Wahnsinns" (231), registriert der Famulant. Alle seine Bilder habe der Maler „verheizt", weil ihm „eines Tages [. . .] klar" war, daß „nichts" aus ihm werde: „Ich wollte es aber, wie jeder Mensch, nicht glauben und zog das Fürchterliche noch Jahre hinaus. Dann, am Tag, bevor ich abreiste, schlug es mir mit aller Wucht auf den Kopf" (33 f.). Der Maler hat sich an sich selbst verloren. Er konnte „nicht froh", nicht „glücklich" werden, „weil immer die Sucht zum Außergewöhnlichen, Eigenartigen, Exzentrischen, zum Einmaligen und Unerreichbaren, weil überall diese Sucht, auch was die Folterungen des Geistes anbelangt, mir alles verdorben hat" (34). Plötzlich, an einem Tag, „dessen Datum ich Ihnen nennen könnte" (266), habe er sich vom Alltagsgetriebe abgewandt, habe er die Orientierung verloren, habe er erkannt, nirgends mehr hinzugehören (267): das „sei sein Unglück gewesen". „Vor Hunger" (169) habe er sich einmal als Hilfslehrer anstellen lassen, obwohl er „in Wirklichkeit [. . .] gar nicht mit Kindern umgehen" könne (170); aus dem „Alleinsein" sei er aber unter seinen Schülern nicht herausgekommen (174). Er sei schon sehr „früh allein gelas-

sen" gewesen. „Das Alleinsein beschäftigte mich, soweit ich zurückden-
ken kann. Auch der Begriff des Alleinseins. Des Eingeschlossenseins in
sich selbst. Ich konnte mir, so wie ich war, nicht vorstellen, womöglich
immer allein zu bleiben, die ganze Zeit. Das konnte nicht in meinen
Kopf, ich brachte es nicht in meinen Kopf und nicht mehr aus mir heraus." (29) Nun habe er sich nach Weng zurückgezogen, das „hoch oben,
aber noch immer wie tief unten in einer Schlucht" (10) liegt; es ist eine
„Gegend, die ihm ja fortwährend ins Gesicht schlagen muß" (11), eine
„Grube, von riesigen Eisblöcken jahrmillionenlang gegraben" (15). Er
sei mit seiner Schwester im Krieg hier gewesen, aber seine Schwester, zu
der er ein gutes Verhältnis gehabt zu haben scheint, hat diese Gegend
gehaßt (197).

Wie läßt sich nun, immer berücksichtigend, daß es sich bei diesem
Text um eine Protokollierung einer Bewußtseinsausschreitung in Form
eines fiktiven Protokolls von der Beobachtung eines Menschen handelt,
der auf dem Weg in die Hölle in Bewegung gesetzt, seine Krankengeschichte aus sich herausredet, die Krankheit des Malers im Funktionszu-
sammenhang des Zeichensystems verstehen? Daß Strauch nach Weng
sich zurückgezogen hat, erscheint als willkürlich/unwillkürliche Konsequenz: Weng liegt „hoch oben" und „wie tief unten", „die Kälte ist
nirgends so groß, die Hitze nirgends so unerträglich" (191). In dieser
Landschaft wird der Krankheitszustand des Malers sinnlich erfahrbar.
Weng läßt sich als poetisches Zeichen für die Krankheit des Malers deuten, die Krankheit des Malers ist Weng. Wie sich im Maler der Zustand
einer Welt manifestiert, die die menschliche Existenz mit ihrer Aporie
von Subjektivitätsanspruch und Objekthaftigkeit hervorgebracht hat, so
manifestiert sich in der jahrmillionenalten Grube, in der Weng liegt, die
Unüberwindlichkeit der Natur. Die Lebensgeschichte des Malers ist
nicht die Ursache für seine Krankheit, aber sie ist exemplarisch, weil sie
die Ursachen offenbart: die Gewißheit, daß das Leben zu nichts führt als
dem Tod. Das Grundmuster der Aporie von Subjektivität und Objekthaftigkeit bestimmt die Funktionszusammenhänge des poetischen Zeichensystems, und zwar nicht auf analogische, sondern auf paradigmatische Weise. Das ist der Hauptgrund dafür, daß sich dieses poetische
Zeichensystem nicht auf ein rationales, begriffliches Regelsystem bringen läßt. Der Maler denkt seinen Kopfschmerz nicht analog zu seinen
Fußschmerzen, sondern denkt eine zeichenhafte paradigmatische Beziehung; deshalb irritiert ihn alles; deshalb würde ihn auch eine Rückkehr
zur Gesundheit hinterrücks töten: er verlöre jene Anspannung, die ihn
am Leben erhält – Selbstmord ist seine Natur: wenn er sich tötet, hat er

auf seinen Subjektivitätsanspruch verzichtet, aber diesen Subjektivitätsanspruch kann er in letzter Konsequenz nicht durchsetzen, ohne sich zu
töten, sein naturhaftes Leben aufzugeben. Von seinem Kopf also geht
sein Schmerz aus, der seine Ursache hat in der Unfähigkeit, „gleichzeitig
zu atmen und zu gehen". Natürlich kann jeder Mensch gleichzeitig gehen und atmen, ohne dabei Schmerzen zu empfinden, nur bedeutet eben
im Begriffsdenken des Malers das Paradigma Gehen und Atmen über
den Assoziations-Umweg als willkürliche und letztlich unwillkürliche
Lebensäußerung wieder nur die Aporie von Subjektivitätsanspruch und
Objekthaftigkeit.

Dieses Grundmuster eines poetischen Begriffsdenkens ist eng verknüpft mit dem gordischen Knoten von Bernhards Negationsdenken.
„Klarheit ist etwas Übermenschliches" (80), sagt der Maler; während
man „mit der Philosophie [. . .] keinen Schritt weiter" komme, sei „in
der Mathematik [. . .] alles ein Kinderspiel, denn in ihr ist alles *vorhanden*" (81). Aber an der Mathematik könne man „zugrunde gehen".
„Wenn man plötzlich, weil man die Grenze überschritten hat, keinen
Spaß mehr versteht, die Welt nicht mehr versteht, also nichts mehr versteht" (81). In der gewöhnlichen Philosophie ist der Mensch an das
Menschenmögliche seiner Realität gebunden, in der Mathematik läßt
sich mit Abstraktionen operieren, die das Nichtexistente, Werte und
Quantitäten unter Null, ohne Unterschied zum ‚Vorhandenen' verfügbar
machen; man denke nur an das Rechnen mit der imaginären Zahl $\sqrt{-1}$.
Überschreitet man die Grenze, indem man plötzlich die mathematische
Abstraktion von Nichtexistentem als mögliche Realität denkt, so ist dies
ein durchaus paradigmatischer Vorgang zum Kippen aus der Positivität
in ein Negationsdenken, in ein Denken sozusagen im Minus-Bereich. Als
ein solches Denken im Minus-Bereich stellt sich, zunächst ohne qualifi-
zierende Implikation, die Möglichkeit des menschlichen Bewußtseins
dar, Wirklichkeit zu imaginieren. Bernhard hat gleichsam assoziativ dem
Minus-Denken seiner Bewußtseinsausschreitungen eine sinnliche Konkretion verliehen, indem er die „immer gleiche totale Finsternis" in seinen Büchern als jenes Gestaltungsprinzip erklärt hat, durch das die Wörter ihre „*Deutlichkeit* oder *Überdeutlichkeit*" bekommen, „zu *Vorgängen äußerer und innerer Natur*" werden, eben durch diese „Künstlichkeit".[12]

Die Bedeutungszusammenhänge im poetischen Chiffrensystem Bernhards sind deshalb so schwierig zu erklären, weil die paradigmatisch-
assoziativen Verbindungslinien des poetischen Beziehungsdenkens nicht

nur in das Negationsdenken völlig integriert sind, sondern auch immer wieder thematisiert erscheinen. In dem Abschnitt *Hin und Her* (252 ff.) sagt der Maler: „Die Luft ist das einzige wahre Gewissen", dann, da der Famulant nicht versteht: „Die Luft, sage ich, ist das einzige wahre Wissen!" Der Famulant versteht noch immer nicht. „Die Gebärde der Luft, verstehen Sie, die große Luftgebärde. Der große Angstschweiß der Träume, das ist die Luft." Der Famulant bezeichnet dies als *„Gedankenpoesie"*, der Maler kritisiert das Wort Poesie, er habe einen anderen Begriff von Poesie. Auf die Frage „Was ist Ihre Poesie?" sagt der Maler: „Meine Poesie ist nicht *meine* Poesie. Aber wenn Sie *meine* Poesie meinen, so muß ich gestehen, daß ich sie nicht erklären kann. Sehen Sie, meine Poesie, *die die einzige Poesie ist* und also folglich auch *das einzig Wahre*, genauso das *einzige Wahre* wie das einzige wahre Wissen, das ich der Luft zugestehe, das ich aus der Luft fühle, das die Luft *ist, diese meine Poesie* ist immer nur in der Mitte ihres einzigen Gedankens, der ganz ihr gehört, erfunden. Diese Poesie ist augenblicklich. Und also ist sie nicht. Sie ist *meine* Poesie." Der Famulant hat nichts verstanden, sagt aber „Ja [. . .] sie ist Ihre Poesie." Der Maler fordert zum Gehen auf: „Die Kälte frißt sich in das Gehirnzentrum vor. Wenn Sie wüßten, wie weit die Kälte sich schon in mein Gehirn gefressen hat."

Verfolgen wir hier die Gleichsetzungen der (in unserem Sinn) poetischen Begriffe, deren Absolutheitsanspruch, wie gesagt, daraus sich ergibt, daß sich in der Person des Malers Strauch eine negativ bestimmte Finalität von Welt und Natur offenbart: *Luft = einziges wahres Gewissen = einziges wahres Wissen = großer Angstschweiß der Träume; Poesie = einziges Wahres = erfunden in der Mitte ihres einzigen Gedankens.* Die Anstrengung eines solchen Beziehungsdenkens bedingt die *Kälte* im Gehirn. Zum besseren Verständnis dieser Begriffsgleichsetzungen noch einige Ergänzungen: Der Maler nennt sein Denken einmal ein „unter der Logik reflektierendes Hochgeistestum", es ist „nichts zum Greifen, auch nichts Denkbares, auch nichts Scheinbares, auch nichts Wirkliches, wie wir uns das überliefert haben, nichts, womit man ‚verfahren' kann, selbst für Pascal nichts, nichts für Descartes. Nichts für Menschen. Nichts für Schweine." Und: „Wenn das Ungeheuerliche sich in einem Kopfe entwickeln könnte, wo kämen wir hin" (248 f.). Die Kälte sei der „scharfsinnigste Naturzustand" (247), „eines Tages werde alles einfrieren und tot sein" (246). In seiner Dankrede für die Verleihung des Bremer Literaturpreises 1965 sagt Thomas Bernhard: „Wir stellen jetzt hohe Ansprüche, [. . .] wir existieren schon größenwahnsinnig; weil wir aber wissen, daß wir nicht abstürzen und auch nicht erfrieren *können*, getrauen wir uns zu tun, was wir tun. Das Leben ist nur noch Wissenschaft, Wissenschaft aus den Wissenschaften. Jetzt sind wir plötzlich in der Natur aufgegangen. [...] Wir sind von der Klarheit, *aus welcher uns unsere Welt plötzlich ist*, unsere Wissenschaftswelt, erschrocken; wir frieren in dieser Klarheit [...]. Mit der Klarheit nimmt die Kälte zu."[13]

Das „unter der Logik reflektierende Hochgeistestum" kann man als Denken verstehen, in dem der Versuch unternommen wird, das Primat von Rationalität zurückzunehmen, Vernunft und Unvernunft zur Synthese zu bringen. Poesie, „erfunden in der Mitte ihres einzigen Gedankens", wäre das Ergebnis dieses synthetischen Denkens, sie ist das „einzige Wahre". Das Wissen um sie, das „einzige wahre Wissen", ist das reine Wissen (Gewissen), und das ist Luft. Je höher der Mensch vordringt zu diesem Wissen, desto klarer wird die Luft, desto kälter wird sie, desto weniger läßt sie den Menschen atmen, desto mehr gerät sie in Widerspruch zur Natur des Menschen, weil sie ihn zu einer Nicht-Wirklichkeit verführt, die es nicht geben kann ohne Tod. Anders ausgedrückt: die Fiktion einer reinen Vernunft, in der Irrationalität als Poesie, als „das einzige Wahre" sich mit dem „einzigen wahren Wissen" treffen könnte, hält den Menschen am Leben (sie ist die Luft zum Atmen), aber sie vernichtet ihn auch (dort wo sie am klarsten ist, erfriert der Mensch). Diese Aporie als ,Inhalt' eines „Hochgeistestums" führt uns wieder zurück auf die das gesamte poetische Chiffrensystem strukturierende Aporie von Subjektivitätsanspruch und Objekthaftigkeit des Bewußtseins: die eine ist die Bedingung des anderen, ihre Kurzgeschlossenheit als Ring – „Der Anfang sei das Ende, von diesem Satz gehe ihm alles aus" (217) – bedeutet Ausweglosigkeit. Es liegt in der Natur der Bernhardschen Versuchspersonen, die er auf dem Weg in diese Hölle in Bewegung setzt, daß sie in ihrem Subjektivitätsanspruch dieses „Hochgeistestum", diese „höhere Wissenschaft" üben, um in der Mitte ihres „einzigen Gedankens"[14] Poesie zu erfinden, das „einzige Wahre"; deshalb ist diese ihre Krankheit eine „Todeskrankheit", deshalb ist „Selbstmord ihre Natur". Womit sich diese Figuren beschäftigen, genauer, womit Bernhard sie stellvertretend für sich und damit sich selbst beschäftigt[15], ist immer um diesen einen Grad ,verrückt': eine höhere Wissenschaft, eine höhere Poesie, eine höhere Schauspielkunst, eine höhere Musik, eine höhere Medizin.

Nicht allen Ausuferungen und Ausschweifungen der „ungeheuren Begriffserweiterungsmöglichkeiten" im poetischen Zeichensystem des Romans *Frost* kann hier nachgegangen werden, doch ist es notwendig, einige der für diese Bewußtseinsausschreitung wesentlichen Randfiguren

näher zu betrachten, um das Exemplarische im Bewußtsein des Malers,
der Versuchsperson, besser zu verstehen. Immerhin hat Bernhard für
diesen Roman die Textstelle: „‚Was reden die Leute über mich?' fragte er
[der Maler]. ‚Sagen sie: der Idiot? Was reden die Leute?'" (89) als Motto
gewählt. Der Bruder des Malers, der Assistenzarzt Strauch, der den Famulanten zur Beobachtung des Malers nach Weng geschickt hat, ist die
am deutlichsten als solche gekennzeichnete Gegenfigur zum Maler. Im
vierten Brief an den Assistenzarzt schreibt der Ich-Erzähler: „Er war
schon als Kind attackiert. Und zwar von Ihnen [. . .] Ihr Herr Bruder ist
Ihnen in allem entgegengesetzt und von dort aus wieder entgegengesetzt,
Sie sind Ihr Bruder, Sie sind es *nicht* . . ." (305). An einer anderen Stelle
vergleicht der Ich-Erzähler die beiden Brüder miteinander: „Außen und
Innen der beiden gehören zwei gänzlich konträren Weltanschauungen
an. Sind entgegengesetzte Welten." Der Chirurg Strauch erscheint ihm
eher als „Erfolgsmensch", der „Verzweiflung nicht kennt oder einfach
nicht an sich herankommen läßt", „nur bis zu einem noch nicht schmerz-
auslösenden Grad", der Chirurg „*bebt* nicht" (199). Seine Tätigkeit
nehme ihn so in Anspruch, daß er gar keine Zeit hätte, tiefer nachzu-
denken, er müsse handeln: „Kaum Unterhaltung. Kaum Abwechslung.
Keine Launenhaftigkeit. Also keine Schwermut. Keine bohrende Erinnerung. Keine Frauen. Fußballtoto. Im Hof unten Tennis gegen Anzeichen
von Fett, die nicht mehr wegzubringen sind" (200). Der Chirurg hat
„eine ruhige Hand", sei kühn, entschlußkräftig, „ein Anhänger der Jagd,
ist er ein Feind des Zwischenreichs, der Kunst" (200). Er haßt „Ästhetik" und „Träume", „er hütet sich, mehr als das Vorgeschriebene zu
glauben", er sei „kein Spielverderber, weil kein Teilnehmer an einem
Spiel" (201). Dem Ich-Erzähler erscheint der Chirurg als „der Fähige",
der Maler als „der Unfähige" (201). Fast scheint es so, als verrate Bernhard hier etwas von den ganz persönlichen Motiven seiner Bewußtseinsausschreitungen: die Versuchsperson, der Maler Strauch, der ein „Objekt aller Untergänge zusammen" (303) ist, wird erkennbar als notwendige Kehrseite der Realitätstüchtigkeit; in seiner Existenz ballt sich zusammen, was Normalität aus dem Bewußtsein eliminiert, um sich kon-
stituieren zu können. Man muß mit einer solchen Deutung allerdings
vorsichtig sein, denn so einfach funktioniert ‚Schreiben als Therapie'
natürlich nicht. Die Andeutung einer aus der doppelten Negation er-
schließbaren Identität des Fähigen und des Unfähigen relativiert jedenfalls die Gegensätzlichkeit und verweist wieder auf das poetische Prinzip
in der Brechung des mimetisch-realistischen Beschreibungszusammen-
hangs: der „ungeheuer labile Defizitärzustand" (298) des Malers resul-

tiert aus der nicht nur als Quantität, sondern auch als Qualität gedachten Negativität seiner Bewußtseinswirklichkeit, in der er auftritt.

Hinter der sinnlichen Konkretion ist das abstrakte Kalkül allerdings kaum auszunehmen, man betrachte nur die Plastizität und die Fülle der Personen in Weng, dem Zielort des auf dem Weg in die Hölle in Bewegung gesetzten Malers. Zwar gibt es auch hier Realitätstüchtige und Fähige, wie etwa den Ingenieur, der alles mit dem Kraftwerksbau zu Organisierende und Planende im Kopf hat und selbst noch in der dampfenden Schwüle des Wirtshauses seine klaren Anweisungen den trinkenden und schwitzenden Arbeitern zurufen kann, aber: „hier ist alles morbid", das Land ist „verkommen", „die Einfalt und die Niedertracht" gehen hier eine „rechthaberische, stupide Ehe" ein, es herrscht „hemdsärmelige[r] Stumpfsinn" (153), „Alle haben Sie Angst" (177), „Läuse hätten die Kinder, die Erwachsenen den Tripper, die das Nervensystem zeitweise ganz ausschaltende Syphilis" (67), alle sind „im Rausch erzeugt", meist „kriminelle Naturen", viele junge Leute sitzen „im Gefängnis", „schwere Körperverletzung", „die Unzucht und die Unzucht wider die Natur" seien „an der Tagesordnung" (30). Man riecht die „Geschlechtlichkeit" dieser Menschen, das „Geschlechtliche" bringt „alle" um (17); es ist die Geschlechtlichkeit der Wirtin, die dem Famulanten schon bei seiner ersten Begegnung mit ihr „Übelkeit" verursacht (10). Diese Wirtin, die versucht, alle Männer „unter ihre Brüste" (23) zu bekommen, hat ihren Mann, der einen Gast niedergeschlagen und damit getötet hat, angezeigt und ins Gefängnis gebracht; ihr bevorzugter Liebhaber ist der Wasenmeister (Abdecker), der sich auch als Totengräber verdingt, aber sie schläft ebenso mit Gästen, mit Arbeitern, mit dem Gendarmen. In diesem Weng ist ein ganzes Panoptikum von Bosheit und Niedertracht versammelt: Der Gendarm, der eigentlich hatte studieren wollen und doch nur Gendarm geworden ist, am Land seinen Dienst machen muß, wo zwar große, aber keine „interessanten" Verbrechen geschehen (56), der ein Verhältnis mit der Wirtin hat (166), der „in die Uniform" und damit „in das Abstoßende" hineingeschlüpft ist, „er ist [. . .] längst verloren" (180). Der Briefträger mit seinen „Hundebewegungen", mit seinen „Hundepfotengriffe[n]", „haßt seine Frau. Haßt seine Kinder. Trinkt. Schwänzt" (212). Der schwerkranke Pfarrer, der sich „vor jedem Zeremoniell" fürchtet, dessen „Gelächter [. . .]" einen teuflischen Rhythmus" hat, der zwar eine Bibliothek besitzt, aber „keine Kanzelreden" halten kann (144); der Pfarrer, sagt der Maler, sei ein „absolut guter Mensch", aber „ganz unselbständig [. . .] hilflos in den einfachsten Dingen", und „er mache auch gar keinen Versuch, dem Ma-

ler mit etwas, wovon er ja selber nicht restlos überzeugt ist, zu kommen"
(209). Der Schnapsbrenner, der abseits und völlig zurückgezogen mit
seinen Töchtern lebt, wie in einer Höhle, und nur Worte im Befehlston
spricht, sonst nichts (38 f.). Die Schulkinder, „frühreif", „verschlagen,
0-beinig", die auf ihren langen Schulwegen ein „Martyrium" mitma-
chen, keine Zukunft haben (69). Ein Opfer der Brutalität sei auch die
Schwester des Malers, damals im Krieg, geworden: ganz lapidar erzählt
der Maler von ihrer Vergewaltigung durch einen Brunnenmacherlehr-
ling, daß sie ein Kind davon bekommen habe, das kurz nach der Geburt
gestorben sei (197). Alle diese Menschen sind der Natur ausgeliefert,
können gar keinen Subjektivitätsanspruch im Sinne des Malers stellen;
die Unversöhnlichkeit, mit der Bernhard hier das ‚Negativ'-Bild einer
Idylle zeichnet, man denke nur an sein frühes Feuilleton *Wintertag im
Hochgebirge*[16], das das ‚Positiv' noch enthält, soll nicht darüber hinwegtäuschen, daß es sich hier um eine Bewußtseinswirklichkeit handelt, in
der das im Alltäglichen Verdrängte auf ganz radikale Weise isoliert wird.
Die Potenzierung von Negativität in ihrer sinnlichen Konkretion ent-
spricht in ihrem Modellcharakter ganz exakt dem Strukturprinzip von
Aporie und Unausweichlichkeit im Denken des Malers Strauch als der
Versuchsperson und damit im gesamten poetischen Chiffrensystem des
Romans. Das Negativ-Bild jeder dieser Randfiguren fügt sich in das
Höllen-Panorama von Weng zeichenhaft ein: „die Gerüche menschen-
unwürdiger Menschen", „der Geruch der Verkommenheit" (54), der
Geruch der „Geschlechtlichkeit" (17), der „Geruch von viel Teer, Abort,
Korn und Apfeldunst" in Klassenzimmern von Landschulen (31), im
Wirtshaus, wenn „die Töchter der Wirtin [. . .] von einem Männerknie
auf das andere" rutschen: „Ein übler Geruch" (86), im Lärchenwald,
nach dem Krieg, der „fürchterliche Geruch" von zweihundert erschos-
senen Pferden (99), der Geruch von „Äpfel[n] oder verfaulte[n] Ge-
mischwarenhändlerbrüste[n]" im Armenhaus (103), der üble Geruch der
„Totgeburt" Kunst (133), „der Schlachthausgeruch, der immer über
dem Dorf liegt" (169), „jeder Geruch ist hier an ein Verbrechen gekettet,
an eine Mißhandlung, an den Krieg, an irgendeinen infamen Zugriff"
(53), es ist der „Geruch der Auflösung aller Vorstellungen und Gesetze"
(54). Das Hundegekläff, das „abwechselnd hoch oben, tief unten, auf
allen Seiten" ist, es „ist die hündische Übergelenkigkeit, die hündische
Überverzweiflung, eine höllische Unfreiheit" (150), es ist „der Tod, dieses Hundegekläff" (151), es „ist das Gekläff des *Weltuntergangs*"
(152).
Man muß an dieser Stelle fragen, welcher Art denn jenes Kalkül im

poetischen Chiffrensystem Bernhards ist, das es ihm ermöglicht, so naht-
los und ohne inneren Widerspruch Strukturierungsprinzipien wie die
Negationsperspektive und die Aporie von Subjektivitätsanspruch und
Objekthaftigkeit in einer Bewußtseinsausschreitung wirksam werden zu
lassen. Und wie kommt es, daß der Verabsolutierungsmechanismus und
die (poetische) Begriffserweiterungsmöglichkeit durch Subjektivierung
von Objektivität (die ‚Krankheit' des Malers ist auch der Zerfall einer
auf Endlichkeit reduzierten Wirklichkeit ohne Transzendenz) – abgesehen von dem jeder Kunst immanenten Scheincharakter – als imaginierte
Bewußtseinswirklichkeit ohne Widersprüche rezipierbar ist? Es erstaunt,
daß dieses Kalkül als mathematisches im Grunde eine Banalität ist: jeder
positive Wert oder jede positive Menge, die mit einem in eine Minus-
Relation gesetzten Multiplikator aufgerechnet wird, erscheint im Ergebnis in einer Minus-Relation; ist der Multiplikator das Nichts (Null), so
mündet jeder Rechenvorgang ins Nichts. Denkt man nun die Bewußtseinsausschreitung als Integration, als Verräumlichung von imaginierter
Realität, so bedingt die Bernhardsche Negativ-Sicht in jeder Potenzie-
rungsphase eine Minus-Relation, seine Rechnung geht immer auf. Natürlich ist diese Negativ-Sicht eine willkürliche Spielregel, nur steht sie in
einem sehr konsistenten Argumentationszusammenhang: psychologisch
rationalisierbar als Unfähigkeit, das Bild ‚springen' zu lassen (ein Charakteristikum des wahnhaften Beziehungsdenkens), philosophisch nach-
vollziehbar als Verweigerung jeder Transzendenz in der tödlichen Finalität der Aporie von Subjektivitätsanspruch und Objekthaftigkeit und als
Verweigerung dialektischer Synthese-Vorstellungen bei Gegensätzen wie
zum Beispiel zwischen Rationalität und Irrationalität im menschlichen
Denken – der ‚faule Zauber' jeder Kunst, die solches vollzieht in ihrer
Scheinhaftigkeit.

Im Denken des Malers Strauch läßt sich die Verweigerung jeder Tran-
szendenz-Vorstellung ganz deutlich erkennen: Seine Frage an den Famulanten „Glauben Sie an Christus?" (117) erwartet keine Antwort – „Die
Religionen täuschen darüber weg, daß alles Unsinn ist, wissen Sie. Das
Christentum ist Unsinn. Ja. Als Christentum. Die Gebetswelt, das sind
Zustände, die alles falsch wiedergeben. Die alles zu nichts machen."
(165) – „Gott ist eine einzige große Verlegenheit! Eine ungeheure Verlegenheit der Gestirne!" (189) Die Negationsperspektive wird auch in
diesem Motiv-Bereich in ihrer umwertenden Wirkung vorgeführt; der
Maler Strauch sagt sein Höllen-‚Vater-unser' auf: „Vater unser, der du
bist in der Hölle, geheiligt werde kein Name. Zukomme uns kein Reich.
Kein Wille geschehe. Wie in der Hölle, also auch auf Erden. Unser täg-

liches Brot verwehre uns. Und vergib uns keine Schuld. Wie auch wir
vergeben keinen Schuldigern. Führe uns in Versuchung und erlöse uns
von keinem Übel. Amen" (208). Der Famulant, ganz im Banne des
Denkens des Malers, erfährt die Wirkung der wahnhaft fixierten Negationsperspektive bei einem Besuch in der Kirche: plötzlich wird ihm ein
Gebetstext „unerträglich", er kann sich „nichts dabei vorstellen", und
beim Verlassen der Kirche sieht er „Engelsgesichter von unglaublicher
Häßlichkeit" (142). Bernhard hat eine der Wurzeln seiner hier exemplarisch vorgeführten Transzendenz-Verweigerung und Negationsperspektive im Text angedeutet: der Maler Strauch liest *seinen* Pascal, der Famulant hat zur Ablenkung ein Buch von Henry James mitgenommen.

Die beiden Autoren Pascal und Henry James haben eine Zeichen-
Funktion. Pascal hat in seinen *Pensées*, die der Maler in der Tasche trägt
und deren er sich immer wieder versichert, die Vernunft zu glauben an
den Schrecken der Unvernunft des Nicht-Glaubens nachgewiesen, indem
er der Rationalität das Erkenntnisprimat absprach und die Irrationalität
als Erfahrungskonstante gleichberechtigt neben die Rationalität stellte.
Pascal wollte, überzeugt von der ‚Richtigkeit' der Religiosität eben durch
seine eigene Christus-Vision[17], die Notwendigkeit zu glauben den Menschen vor Augen führen; er zeigte das Entsetzliche eines transzendenzlosen, eines gottlosen Lebens: „Man stelle sich eine Anzahl Menschen vor,
in Ketten gelegt und alle zum Tode verurteilt, von denen immer einige
Tag für Tag vor den Augen der anderen erdrosselt werden; so daß die,
die zurückbleiben, ihre eigene Seinslage in der ihresgleichen sehen und
voller Schmerz und Hoffnung aufeinanderschauen und warten, daß die
Reihe an sie komme. Das ist ein Bild der Seinslage des Menschen."[18] Und
das ist in nuce auch das Bild von der Seinslage des Malers Strauch, der
sich eben dieses sein Bewußtsein von seiner eigenen Hoffnungslosigkeit
durch die Lektüre von Pascals *Pensées* immer wieder bestätigt. Am Ende
ist er so weit, daß er auch seinen Pascal nicht mehr lesen kann. Auch der
Famulant ist am Ende seines Aufenthalts in Weng nicht mehr in der
Lage, seinen Henry James zu lesen, das Buch kann ihn nicht mehr ab-
lenken. Fränzi Maierhöfer hat in einem Aufsatz über Bernhard übrigens
die Zeichenhaftigkeit der Henry-James-Lektüre des Famulanten in bezug
auf die formale Gestaltung des *Frost* gedeutet: „James zählt auch zu den
ersten, die vom Standpunkt der jeweils geschilderten Person aus zu erzählen versuchten, indem sie deren Bewußtsein als Medium benutzten
und den allwissenden Erzähler zurücktreten ließen".[19] Bernhard hat dieses Verschwindenlassen des allwissenden Erzählers perfektioniert, indem
er einen sogenannten Ich-Erzähler das Verhalten und die Aussagen der

Hauptfigur, um deren Bewußtsein es im Grund geht, protokollieren läßt, allerdings zusätzlich noch den mimetisch-realistischen Beschreibungszusammenhang auflöst, was Henry James nicht machte, dessen Romane bleiben ‚Geschichten'. Pascal und Henry James verweisen also zeichenhaft auf inhaltliche und formale Aspekte des Romans *Frost*; anders als bei den poetisch-begrifflichen Chiffrierungen hat hier der Bedeutungszusammenhang einen Anspielungscharakter, ist also nicht der Strukturierung durch die Negationsperspektive oder durch die Aporie von Subjektivitätsanspruch und Objekthaftigkeit unterworfen. Daß für den Maler Strauch Pascal „der Größte" ist (96), daß sein Bezug zu Pascal also dem Verabsolutierungsmechanismus unterworfen bleibt, ist dabei kein Widerspruch.

Unberücksichtigt blieben bisher in unserer Annäherung an den Roman *Frost* die darin enthaltenen Äußerungen über das ‚Politische'. Der Maler Strauch erzählt dem Famulanten, daß er sich früher, vor seinem endgültigen Rückzug, sehr für Politik interessiert habe: „Das Politische ist ja doch das einzig Interessante an der Menschengeschichte. Es gibt allem für den Geist einen Inhalt" (130); jetzt sei sein Interesse nur mehr „beiläufig", er lese zwar noch Zeitungen – „das größte Wunder auf der Welt" –, aber nicht mehr regelmäßig. Am Staat läßt der Maler Strauch kein gutes Haar. Der Staat nutze zwar Technik und Wissenschaft, aber er setze damit, zum Beispiel beim Kraftwerksbau in Weng, „eine Bewegung in Gang, die alles noch einmal umdrehen wird" (77). Der Staat verschwendet sein Geld, er macht „bankrott" (91). „Der Staat sei so, wie ihn Platon entworfen habe, oder er sei kein Staat. ‚Es gibt keinen Staat. Der Staat ist nicht möglich. Es hat nie einen Staat gegeben.'" (265) An dieses Verdikt, das der Maler fällt, weil der ‚ideale' Staat nicht möglich ist, schließt eine Österreich-Beschimpfung an: dieser Staat, der gar kein Staat mehr sei, sei so etwas Lächerliches wie ein „kleiner piepsender Rhesusaffe in einem großen zoologischen Garten"; das Staatsoberhaupt sei ein „Konsumvereinsvorsteher", der Kanzler ein „Naschmarktzuhälter". Die Demokratie „sei der größte Schwindel" (266), alles „ein barbarischer Kitsch"; der Staat sei „schwachsinnig", „lächerlich", das Volk „erbärmlich". „Kleinbürgerliche Unzucht" herrsche; „,wir befinden uns in einem Stadium der absoluten Verwahrlosung. Unser Staat', sagte er, ‚ist ein Hotel der Zweideutigkeit, *das* Bordell Europas, mit einem ausgezeichneten überseeischen Ruf'". Der Maler prophezeit, daß es „in ein paar Jahren" hier nur noch den Kommunismus geben werde (109), der Kommunismus sei ja „die vorläufige Zukunft der Menschen der ganzen Welt" (211).

Man muß m. E. sehr genau aufpassen, daß eine Interpretation solcher Äußerungen über das ‚Politische' sich nicht in den Fußangeln der Vermitteltheit des protokollarischen Feldes verheddert. Vergleichen wir diese Äußerungen zunächst mit Bernhards öffentlichen Aussagen zum ‚Politischen'. In seiner Dankrede für den Literaturpreis der Hansestadt Bremen beklagte Bernhard die zunehmende Kälte, in die wir durch die Klarheiten geraten sind, wie sie die Wissenschaften, vornehmlich die Naturwissenschaften, geschaffen haben. Europa sei einmal eine „Märchenwelt" gewesen, die gäbe es nun nicht mehr, wer darin noch lebt, lebt „in einer toten Welt".[20] In seiner *Politischen Morgenandacht* (Andacht verstanden als „die Richtung der Gedanken auf einen Gegenstand") unterscheidet Bernhard sehr präzis zwischen der „Höhe" seines Denkens („menschenunwürdige Höhe der spekulativen Ideen und Ideenspekulationen") und der „Kartographie" seiner Landsleute und ihrer „Körper- und Geistesunbeholfenheit"; von seiner Position aus, auch wenn man ihm „verbrecherischen Hochmut", „Verblendung", „Lächerlichkeit" oder „Verrücktheit" vorwerfe, komme er zu dem Schluß, daß dem Österreicher das „Wort Kultur" zum „Fremdwort" geworden ist, die „Politik" sei von einer „den ganzen Erdball überstrahlenden Höhe" in „ihr endgültiges Nichts gestürzt", die Politik sei Opfer „der verheerenden und vernichtenden Menschheitsentwicklung, der proletarischen Weltrevolution" geworden. Nun herrsche in der Politik „unter den entsetzlichsten und perfidesten Geisteszuständen die Niedertracht und der Stumpfsinn: Unser Volk ist ein Volk ohne Vision, ohne Inspiration, ohne Charakter. Intelligenz, Phantasie sind ihm keine Begriffe. Ein Volk von Schleichhändlern und Dilettanten, zeugt es sich in jedem Augenblick in seinem alpenländischen Exklusivschwachsinn fort. [. . .] Wohin man schaut, ein integrales Gebilde aus Bergen und Strömen von theatralischen Oberflächenkontemplationen in Agonie. Eine Harmonie von zerbrochenen Dimensionen im Koma". Daß die Demokraten nicht wüßten, was Demokratie ist, die Sozialisten nicht, was Sozialismus, die Kommunisten nicht, was Kommunismus, in dieser Argumentationsweise macht Bernhard seine Perspektive einsehbar: er mißt das ‚Politische' am Ideal, wie er seinen Maler Strauch eben auch sagen läßt, daß es für diesen nur den idealen Staat Platons gebe. Und in der *Morgenandacht* heißt es dann: „Österreich mit seiner Vorstellung, die wir davon haben, muß der Wahrheit zum Opfer fallen". Und diese Wahrheit ist, daß Österreich „ein Nichts" sei. „Kommunismus und Sozialismus" sind für Bernhard „von jeher vage und völlig unrealisierbare Begriffe, poetische Wunschträume einzelner nicht begreifender Unbegriffener, im 19. Jahrhundert unglück-

lich in die Welt und in ihre hochkultivierte Struktur verliebter Schizo-
phrenieerkrankter mit Starkstromgehirnen [. . .], die durch katastrophal-
rationale Kurzschlüsse die ganze Welt unter Strom zu setzen versuchten
und schließlich auch unter Strom setzten und in Brand steckten . . .
usf."[21]

Man sollte nicht gleich den Kurzschluß ziehen, hier handle es sich um
das Pamphlet eines wildgewordenen Reaktionärs, eines Monarchisten
womöglich. In seiner Dankrede für den Österreichischen Staatspreis für
Literatur sagte Bernhard 1967: „Der Staat ist ein Gebilde, das fortwährend zum Scheitern, das Volk ein solches, das ununterbrochen zur Infa-
mie und zur Geistesschwäche verurteilt ist. [. . .] Wir sind Österreicher,
wir sind *apathisch*; wir sind das Leben als das gemeine Desinteresse am
Leben, wir sind in dem Prozeß der Natur der Größenwahn-Sinn als
Zukunft". Vorangestellt hat Bernhard dieser kurzen Ansprache den
Satz: „Es ist nichts zu loben, nichts zu verdammen, nichts anzuklagen,
aber es ist vieles *lächerlich*; es ist alles lächerlich, wenn man an den *Tod*
denkt".[22] Und in der (übrigens nicht gehaltenen) Dankansprache für den
Wildgans-Preis der österreichischen Industrie schrieb Bernhard 1968
einleitend: „Wenn wir der Wahrheit auf der Spur sind, ohne zu wissen,
was diese Wahrheit ist, die mit der Wirklichkeit nichts als die Wahrheit,
die wir nicht kennen, gemein hat, so ist es das Scheitern, es ist der Tod,
dem wir auf der Spur sind [. . .], eine Letalanalyse ist uns möglich, wenn
wir vom Leben sprechen, auf das Leben aufmerksam machen [. . .]"
Gegen Ende dieses Textes, fast versteckt, steht die Anmerkung: „[. . .]
weit von Österreich, dem Vaterland, das ich liebe [. . .]"[23] In einem Beitrag für die Anthologie *Glückliches Österreich*, den der Verleger ab-
lehnte, schreibt Bernhard von einem „Zweifel an der Aufmerksamkeit,
auch was das geliebte, genauso gehaßte Österreich, das Land meiner
Eltern, betrifft". Er fühle sich gebunden an die österreichische Landschaft, aber: „Aufwachen in Österreich heißt, in eine stickige Atmosphäre der Geistfeindlichkeit und der Gefühlsroheit hinein aufwachen, in
Stumpfsinn und Niedertracht". Das Verdikt gegen die Regierung, die
„zu jedem Verbrechen an diesem Österreich bereit" gewesen sei, gegen
das „verschlafene Volk", gegen das Parlament („ein luxuriöser und kost-
spieliger, lebensgefährlicher Wurstelprater") bleibt denkbar radikal, fordert das Mißverständnis ganz unvermittelt heraus.[24]

Will man diese Radikalität verstehen, muß man den Standort einneh-
men, von dem aus Bernhard seine Kritik ausspricht. Anläßlich der Verleihung des Büchner-Preises an ihn sprach Bernhard von der „Todes-
angst" als dem „Schöpferischen": „Was wir veröffentlichen, ist nicht

identisch mit dem, was ist, die Erschütterung ist eine andere, die Existenz ist eine andere, wir sind anders, das Unerträgliche anders, es ist nicht die Krankheit, es ist nicht der Tod, es sind ganz andere Verhältnisse, es sind ganz andere Zustände . . ."[25] Auf der Höhe des Wissens um die Nicht-Identität von Bewußtsein und Realität und den darin implizierten Widerspruch zwischen Bewußtseinserfahrung und Realitätserfahrung des Menschen, in einem Bereich also, in dem Erkenntnis sich in der Auflösung der pragmatischen begrifflichen Regelsysteme vollzieht, wählt Bernhard seinen Standort zur Beurteilung des ‚Politischen', fixiert auf die Unausweichlichkeit des Todes, dessen Kenntnis sich der Erfahrung immer entzieht, der unerreichbar bleibt für die Empirie des Bewußtseins und der Sinne. Die Nicht-Übereinstimmung von Idealen als Denkmöglichkeiten und von Realität als Praxis führt zur Radikalisierung, zur Ver-Urteilung der Realität. Bernhard mißt das Reale nicht am Realen, sondern an der am Realen ablesbaren Möglichkeit, und er radikalisiert seine Kritik im Konstatieren des immer weiter Auseinanderklaffens von Zweckrationalität und der Utopie eines herrschaftsfreien Lebens, in dem Rationalität und Irrationalität als Bewußtseinskonstanten gleichberechtigt sind. Kunst, die in ihrer Scheinhaftigkeit für Augenblicke diesen utopischen Zustand als Erfahrung aufblitzen lassen kann, sie ist in der Höhe des Wissens als nicht-reale Poesie aus diesem einzigen Gedanken erfunden. Bernhards Äußerungen über das ‚Politische' sind nicht in den zweckrationalen Handlungszusammenhang einer in sich selbst ihre Kausalität suchenden Diskursivität eingebunden, sondern genau um jenes Maß ‚verrückt', das ein Zusammendenken von Rationalität und Irrationalität ermöglichen soll.

Im Roman *Frost* läßt Bernhard den Famulanten über den Maler Strauch, der ja die Versuchsperson für dieses ‚Zusammendenken' in seiner tödlichen Finalität ist, sagen, dieser sei „nur aus zwei entscheidenden Lebensbereichen ‚fortwährend abwehrend im Entstehen begriffen' [. . .]: aus dem Politischen und aus dem [. . .] ‚Verhältnisraum'"; es seien „zwei Leben", die „vollkommen flüssig durch die gesamte Geometrie der feststehenden unverrückbaren Entscheidungen" verlaufen und ebenso auch durch den „Innenraum", durch „das ‚mit allem zusammenhängende Nichts'". Der Maler Strauch sei „eines der großen Beispiele für die Vorstellung, die den politischen Menschen als Traum und den vereinfacht Träumenden als ein Politisches auffaßt, und diese beiden in ewiger Rechenschaft zueinander" (302). Der Traum und das Politische stünden ohne Grenzziehung nebeneinander, der Traum und das Politische seien ein Ganzes, es handle sich beim Maler um eine „göttliche Zweieinigkeit", und diese bedinge, daß er ein „Objekt [. . .] aller Untergänge zusammen" sei (303). Wenn wir nun davon ausgehen, daß die Äußerungen über das Politische, wie sie der Maler Strauch formuliert, tendenziell nicht anders sind als jene von Thomas Bernhard, also denselben Standort haben, von dem aus sie ableitbar sind, erscheint die Radikalität als selbstverständliche Konsequenz. Um bei dem in dieser Untersuchung angewandten Begriffsrepertoire zu bleiben: Bernhard versucht, wenn er als Schriftsteller spricht, die zwei entscheidenden Lebensbereiche von Bewußtseinswirklichkeit und objektiver Realität gedanklich gleichsam in einem poetischen Akt zur Synthese zu bringen, in einen einzigen Gedanken zu fassen, weil das eine ohne das andere keinen Sinn hat. Diese Synthese als allumfassende schließt die Antagonismen von Rationalität und Irrationalität, von Subjektivität und Objektivität mit ein, sie bedingt aber gleichzeitig auch als Akt der höchsten Entfaltung von Subjektivität das Verlöschen des Bewußtseins und die Vernichtung der Wirklichkeit als Natur, den Tod also. Die Schopenhauersche Vorstellung, daß die Wirklichkeit als Natur, als Wille, mit der Hervorbringung von Bewußtsein ihre Selbstauflösung in den Zustand zwischen Sein und Nichts herausfordert, ist bei Bernhard ohne den metaphysischen Trost zu Ende gedacht. Seine Figuren sind niemals imstande, in der Auflösung, in der Synthese der das Bewußtsein konstituierenden Antagonismen ein Heil zu finden, sie gehen erbärmlich zugrunde. Die Rücksichtslosigkeit, mit der Bernhard seine Figuren scheitern läßt, ist dieselbe Rücksichtslosigkeit, mit der er über die sich im zweckrationalen Funktionieren erschöpfende Politik schimpfend sich ausläßt, weil er für sich selbst vom Anspruch auf entfaltete Subjektivität nicht absehen kann, weil er nicht so tun kann, als gäbe es den Tod nicht, nicht die tödliche Finalität der menschlichen Existenz.

Impliziert ist in dieser „Rücksichtslosigkeit" eine radikale Kritik nicht nur am Phänomen einer auf das reibungslose Funktionieren des Einzelnen abzielenden transzendenzlosen oder Transzendenz für Herrschaft mißbrauchenden Politik, sondern auch am Erkenntnisprimat von Rationalität, das erst eine Freisetzung von Intentionalität und Zweckrationalität im Handeln ermöglichte. Bernhards Figuren sind ja nicht nur Opfer ihres Subjektivitätsanspruchs und mithin Opfer einer im Zerfall begriffenen Welt als Natur, sie sind auch Opfer einer gesellschaftlichen Wirklichkeit, weil sie diese nicht ertragen oder in ihr keine menschenwürdige Entfaltungsmöglichkeit haben, aus ihrer Objekthaftigkeit sich nicht lösen können. Allein Bernhards Erfolgsmenschen, die sich mit dem reibungslosen Funktionieren in intentionalen und zweckrationalen Handlungszusammenhängen abfinden können, wie zum Beispiel der Assistenzarzt Strauch, fallen der Gesellschaft nicht zum Opfer. Ich glaube nicht, daß man, so besehen, die Begriffe Zeitkritik, Gesellschaftskritik, Kulturkritik in bezug auf den Aussagewert der Äußerungen über das Politische von Thomas Bernhard auseinanderdividieren kann, wie dies Josef Donnenberg versucht, der meint, Bernhard sei „weder an Kulturkritik noch an Gesellschaftskritik interessiert", denn in seinem Werk zeige sich eben nur das Absurde im Grotesken.[26] Bernhards Werk steht eben nur, wie gesagt, außerhalb der Zweckrationalität einer in sich selbst ihre Kausalität suchenden Diskursivität, und es ist seine Konsequenz, die ihn dazu zwingt, in seinen offiziellen Aussagen jene Position einzunehmen, in die er sich begibt, wenn er seinen Figuren, die er auf den Weg in die Hölle in Bewegung setzt, als gehorsamer Stenograph folgt.

Anmerkungen

* Zitiert wird im Text mit einfacher Seitenangabe aus: Thomas Bernhard: *Frost*. Frankfurt/M. 1972.
1 Vgl. den Strukturaufriß des Romans von Gerhard P. Knapp und Frank Tasche: *Die permanente Dissimulation. Bausteine zur Deutung der Prosa Thomas Bernhards*. In: Literatur und Kritik 6 (1971) H. 58, S. 484 f.
2 Vgl. Dieter Dissinger: *Alptraum und Gegentraum. Zur Romanstruktur bei Canetti und Bernhard*. In: Literatur und Kritik 10 (1975) H. 93, S. 171.
3 Vgl. Klara Fuhrimann: *Die Krankheit zum Tode. Zum Werk Thomas Bernhards*. In: Das Wort [Literarische Beilage zu DV-ATLANTIS 26 (1966)] 7 (1966) 4, S. 302: „[. . .] breit ausladend entwirft Bernhard hier das Gemälde, nicht einer Gesellschaft, sondern einer Seele."
4 ᵗOswald Wiener: *Die Verbesserung von Mitteleuropa*. Roman. Reinbek bei Hamburg 1969. S. CXXXIV–CLXXXIII.
5 Vgl. Dissinger, *Alptraum und Gegentraum*, S. 169: „Die Anti-Hoffnung ist Strukturprinzip."
6 Marion Holona: *Norm und Wahnsinn oder die Unmöglichkeit eines Dialogs. Über zwei Romane von Thomas Bernhard [Frost und Verstörung]*. In: Germanica Wratislaviensia 17 (1973), S. 49.
7 Zit. nach Josef Donnenberg: *Thomas Bernhard und Österreich*. In: Österreich in Geschichte und Literatur 14 (1970) S. 240.
8 Hartmut Reinhardt: *Das kranke Subjekt. Überlegungen zur monologischen Reduktion bei Thomas Bernhard*. In: GRM 57, N.F. 26 (1976), S. 339 f.
9 Peter Buchka: *Die Schreibweise des Schweigens. Ein Strukturvergleich ro-*

mantischer und zeitgenössischer deutschsprachiger Literatur. München 1974, S. 129.

10 Ebda.

11 Carl Zuckmayer: *Ein Sinnbild der großen Kälte*. In: *Über Thomas Bernhard*. Hrsg. v. Anneliese Botond. Frankfurt/M. 1970, S. 88.

12 Thomas Bernhard: *Der Italiener*. Salzburg 1971, S. 150 f.

13 Thomas Bernhard: *Mit der Klarheit nimmt die Kälte zu*. In: Jahresring 1965/66. Stuttgart 1965, S. 243 ff.

14 Herbert Gamper: *Thomas Bernhard*. München 1977. Das Einleitungskapitel dieses Buches ist überschrieben mit „Der einzige Gedanke".

15 Aus diesem Grund scheint mir der Begriff „Rollenprosa" zu distanzierend für das Protokoll einer Bewußtseinsausschreitung, die einen Ich-Erzähler als Verfasser ausweist.

16 In: Salzburger Demokratisches Volksblatt v. 13. Jänner 1954.

17 Am 23. November 1654 abends hatte Blaise Pascal eine Vision, von der er in einem *Mémorial* berichtet. Vgl. Albert Béguin: *Blaise Pascal*. Reinbek bei Hamburg 1959, S. 31 ff.

18 Blaise Pascal: *Pensées*. Übersetzt von Ewald Wasmuth. Heidelberg 1954, Nr. 341.

19 Fränzi Maierhöfer: *Atemnot. Zu Thomas Bernhards Texten*. In: Stimmen der Zeit 96 (1971), S. 411.

20 Thomas Bernhard: *Mit der Klarheit . . .*, S. 243.

21 Thomas Bernhard: *Politische Morgenandacht*. In: Wort in der Zeit 12 (1966) H. 1, S. 11–13.

22 Thomas Bernhard: *Der Wahrheit und dem Tod auf der Spur*. Zwei Reden. In: Neues Forum 15 (1968) H. 173, S. 349.

23 Ebda, S. 347 und 349.

24 Thomas Bernhard: *Zum österreichischen Nationalfeiertag 1977 – Was Österreich nicht lesen soll – Die Kleinbürger auf der Heuchelleiter*. In: Die Zeit (Hamburg) Nr. 8 v. 17. Februar 1978.

25 Thomas Bernhard: *Nie und mit nichts fertig werden*. In: Jahrbuch 1970 der Deutschen Akademie für Sprache und Dichtung Darmstadt. Heidelberg, Darmstadt 1971, S. 83.

26 Josef Donnenberg: *Zeitkritik bei Thomas Bernhard*. In: *Zeit- und Gesellschaftskritik in der österreichischen Literatur des 19. und 20. Jahrhunderts*. Wien 1973, S. 138.

KARLHEINZ ROSSBACHER

Quänger-Quartett und Forellen-Quintett. Prinzipien der Kunstausübung bei Adalbert Stifter und Thomas Bernhard.

für Alexander Mihailow

Adalbert Stifter und Thomas Bernhard sind Autoren, die in besonderem Maße entweder Zustimmung oder Ablehnung hervorrufen. Gleichgültig lassen sie wenige. Bei beiden ist der Fall, daß, wer sie mag, auf eine besondere Weise fasziniert ist; andererseits wird Ablehnung häufig sehr nachdrücklich formuliert. Bei Bernhard kommt noch etwas hinzu: Er scheint auch Leser zu haben, die während der Lektüre fasziniert sind, nachher aber ambivalent urteilen, etwa im Sinne von: Das ist doch nicht möglich, daß man von solch gehäufter Negativität gefesselt war.

„Musik macht auf mich einen mathematischen Eindruck, mithin einen poetischen." Dieser Satz könnte, wie zu zeigen sein wird, von Thomas Bernhard stammen, er steht bei Robert Walser.[1] Nicht so sehr die Verbindung zwischen Mathematik und Musik ist erwähnenswert – sie ist ja nicht neu –, sondern die Ausweitung dieser Beziehung auf Dichtung. Bei Thomas Bernhard wird daraus die Ausweitung auf Kunstausübung generell. Darin wiederum liegt eine Verbindung zu Adalbert Stifter, und dahinter, so meine These, steht ein Kunstprinzip der Moderne. Robert Walser mag auch zur Absicherung gegenüber der Vermutung dienen, hier solle die Beziehung Stifter-Bernhard ausschließlich als eine Spiegelung des „Österreichischen" in der Literatur betrachtet werden. Die Zahl der Namen aus der Dichtungs- und Geistesgeschichte, die für Bernhard ebenso wichtig geworden sind wie der Österreicher Stifter, mahnt zur Vorsicht (Montaigne, Pascal, Novalis, Schopenhauer, Christian Wagner etc.).[2]

Der folgende Vergleich möchte sich in der Vorgangsweise auf Bernhard selbst berufen: „[. . .] das Vergleichen ist überhaupt die Kunst, die man zu beherrschen versuchen muß. Es ist die einzige Schule, die einen Sinn hat und die einen weiter- und vorwärtsbringt."[3] Demgegenüber mag zwar immer wieder Skepsis berechtigt sein, wenn die Verglichenen, wie in diesem Falle, durch mehr als 100 Jahre getrennt sind und so weit Auseinanderliegendes nicht in die entsprechende historische Rekonstruktion eingebettet wird. Dies wäre in der Tat unerläßlich, wenn es in erster Linie um Inhalte, Motive und die Repräsentation der jeweiligen historischen Wirklichkeit im Werk ginge. Das aber soll hier nicht im Vordergrund stehen. Verglichen werden sollen formulierte Prinzipien der Kunstausübung, Implikate ihrer Anwendung und einige Begleitumstände. Das Vergleichen ermöglicht es auch, einen „Punkt außerhalb" zu beziehen, was bei beiden Autoren wichtig ist, denn sie haben schon so manchen Kritiker in ihr „System" gezogen, der dann nicht mehr herausgefunden hat.

In Adalbert Stifters Erzählung *Zwei Schwestern* schildert der Ich-Erzähler einen besonderen Inhalt seines Lebens auf dem Lande: Er spielt mit einem Dechant, einem Forstmeister und einem Schulmeister Streichquartett. Man trifft sich wenigstens einmal im Monat beim Erzähler und versucht sich an Haydn, Mozart und Beethoven. Den Mitspielern schwillt der Kamm; als sie äußern, „die toten Meister könnten sich in ihrem Grabe freuen [. . .], daß wir sie doch so gut vortrügen", denkt sich der Erzähler im stillen: „Ihr habt nie so gut spielen gehört wie ich und mögt euch immerhin freuen [. . .], ich kann es nicht." Die Sache endet bald: „Die monatlichen Quartette schrumpften zu vierteljährlichen ein [. . .] Am Ende kam alles in Vergessenheit."[4]

Wen nun hat der Erzähler „so gut spielen gehört"? In der Erzählung sind es die Schwestern Milanollo, man hört sie mit Violinduos und Orchesterstücken. Richtete man an Adalbert Stifter selbst die Frage, so könnte man an seiner ca. vier Jahre zuvor entstandenen Beschreibung des von ihm so genannten Quänger-Quartetts nicht vorbeigehen; es ist dies neben dem *Gang durch die Katakomben* eines der merkwürdigsten Stücke aus Stifters Beiträgen zu dem Band *Wien und die Wiener*. Genauer: Es sind nur fünf Seiten aus den *Wiener Salonscenen*, dem letzten dieser Beiträge.[5]

Der satirische Blick auf Wien und seine Bewohner, den Stifter mit dem Narrenmotiv im Vorwort zum Band ankündigt, allerdings nicht konsequent durchzieht, schlägt hier voll durch.[6] Stifter gerät durch den Violoncellisten des Quartetts in den Salon des Herrn Quänger. Dieser Cellist, ehedem „Dichter und Patriot", habe schon gegen Napoleon gekämpft – eine Anspielung, die später ironisch wieder aufgenommen wird; nun aber wünsche er sich ein „Bischen Häuslichkeit und Musik"[7]; er ist damit ein Biedermeier in der Definition gängiger Handbücher, dazu mittellos.[8] Im Mittelpunkt des Quartetts steht Herr Quänger, aber Stifter faßt diese Musiker, „unsere musicierende Rotte",[9] zunächst als Gruppe. „Und nun spielen sie mit ergrauten Köpfen, aber mit heißer Jünglings-

Leidenschaft, schon seit der Schlacht bei Leipzig Quartette, und haben die reinste abstracteste Freude an ihren gegenseitigen Bemühungen". Am liebsten „knacken" sie „musikalische Nüsse", z. B. die letzten Quartette Beethovens. Das Schwierigste sei ihnen gerade recht, sie würden freudig und unermüdlich daran arbeiten, „wenn sie auch so alt würden wie vier ewige Juden". In Quängers Musiksalon könne man, wie der Cellist ankündigt, „die präciseste Musik in ganz Wien hören", und der Erzähler bestätigt es: „Die Musik aber ist in der That, wie sich der Violoncellist ausdrückte, die ‚präciseste' in Wien". Nachdruck legt Stifter auf die Empfindlichkeit des Quartetts in bezug auf Ordnung im Rhythmus und in den Tempi. Zwei Vergleichsbilder werden besonders wichtig: „Der Leser erinnert sich sicher an jene hölzernen Knöpfe, welche man auseinanderlegen kann, und dann nur mit vielem Studiren und Versuchen wieder zusammenbringt", oder „an jene eisernen Rahmen, von denen man kunstreich eine Anzahl Ringe abhaspelt und wieder aufhaspelt – ein solcher Knopf und ein solcher Rahmen ist für Quänger und seine Freunde die Musik." Diese Quartettspieler „ruhen und rasten nicht eher, sollten auch dreihundert Proben nöthig sein, bis sie ein vorgenommenes Stück absolut mathematisch präcis darstellen können". Der Einsatz ist enorm: „Hierbei stört es sie auch natürlicher Weise nicht im Geringsten, wenn einer die äußersten Grimassen macht; denn das muß er tun, die Leidenschaft preßt sie ihm aus, und er muß mit seiner innersten Seele nachhelfen, wo physische Kräfte und Fertigkeiten nicht mehr ausreichen." Wollte man nachrechnen, so käme man auf beträchtliche Zeitquanten, denn: „Alle Mittwoch und Sonnabend ist Quänger'sches Quartett", und das seit fast 30 Jahren (zwischen 1813 und ca. 1843).

Im Hintergrund des Salons steht „ein lederner Sopha", doch ist das keine Sitzgelegenheit für Zuhörer, denn auf Publikum legen die Spieler nicht den geringsten Wert. Vielmehr liegt Herr Quänger darauf, „wenn er sich die Finger müde geübt, und nun im Haupte weiter arbeitet". So wie Quänger begonnen hat, der „jahrelang aus verschiedenen Stücken den Prim oder Secund einstudirte", so spielen die Vier weiter: allein. Manie ist angedeutet, wenn es heißt, daß in einem anderen Salon wiederum die Manie herrsche, nur alte Musik zu spielen. Eine Beschreibung dieser Musik, die zu der Art, wie sie hervorgebracht wird, etwa auch ihren Inhalt hinzunähme, fehlt. Sie wird nur am Modus ihrer Ausübung erfaßt.

Wer an die übrigen Werke Stifters aus den frühen Vierzigerjahren denkt, mag von dieser Beschreibung überrascht sein. Bezieht man sie aber auf spätere Werke, wie die letzte Fassung der *Mappe meines Ur-*

großvaters, Witiko, Nachkommenschaften, so erhält sie durch die iro-
nisch-satirische Brechung hindurch[10] einen deutlich vorausweisenden
Charakter. Als die wichtigsten Aspekte kann man hervorheben: die un-
ermüdliche Wiederholung im Dienste der Annäherung an ein Ideal von
Perfektion; das Moment der reinen Freude an diesem Bemühen, ausdrücklich als „abstrakt" bezeichnet; die Schwebe zwischen Erreichen
und Nicht-Erreichen des Ziels; die besondere Betonung der Präzision als
Wert für sich, die auf der Ordnung der Teile und ihres Ablaufs beruhen
soll; Analyse und Kombination, verdeutlicht einerseits an einem Spielzeug in der Art eines japanischen Würfel-Puzzles und verwoben mit dem
Aspekt des immer neuen Anlaufs („Studieren und Versuchen"), andrerseits an einem Gerät bzw. Instrument aus der Zirkus- und Akrobaten-
sphäre; der ausdrückliche Verweis auf die Mathematik als Garant für die
erstrebte Präzision; der Aspekt der unerhörten Anstrengung, die sich
(„natürlicher Weise") im Grimassieren äußert, das wiederum Zeichen
des Musizierens gegen die Erschöpfung ist, andrerseits das Üben von
zwei Tönen bis zur Erschöpfung (vgl. Quängers Ruhebett), wobei die
Musik im Kopf weitergespielt wird; der Ausschluß der Öffentlichkeit,
hart am Aspekt des Musizierens gegen die Öffentlichkeit; die nicht mehr
im Redensartlichen aufgehende Andeutung des Pathologischen („Manie"); das Nicht-Beschreiben des Inhalts, der durch solches Spielen hervorgebracht wird.

Alle diese Aspekte sind auch Aspekte von Thomas Bernhards sogenannten „Salzburger Stücken" *Der Ignorant und der Wahnsinnige*
(IuW), *Die Macht der Gewohnheit* (MdG), *Die Berühmten* (DB).[11] Besonders zahlreich sind sie in *Die Macht der Gewohnheit,* keineswegs als
Parallelen und auch nicht als identische Motivkonstellationen, wohl
aber, dies eine weitere These, als Aspekte, die es erlauben, Ähnlichkeiten
und Verschiedenheiten zwischen Bernhard und Stifter bzw. Ausfaltungen von Stifter hin zu Bernhard schärfer zu fassen.

Man spielt Kammermusik: Quartett bei Stifter, Quintett bei Bernhard. Quänger versucht sich an mehreren Stücken, Bernhards Zirkusdirektor Caribaldi probt ein einziges, Schuberts Forellenquintett. Quänger
probt in einem bürgerlichen Musiksalon, Caribaldi in einem Zirkuswagen; wie die Mitspieler Quängers ins Biedermeier, so passen auch die
Mitspieler Caribaldis in die Sphäre: ein Jongleur, ein Dompteur, ein
Spaßmacher, Caribaldis Enkelin. Man probt zwar nicht schon 30, immerhin schon aber 22 Jahre. „Alle Mittwoch und Sonnabend" spielt
man bei Quänger, „tagtäglich" bei Caribaldi (MdG 181), aber mit einer
mit Stifter vergleichbaren Besonderheit: „Der Mittwoch ist immer / ein

schlechter Tag/ Aber auch der Samstag/ ist kein guter Tag" (MdG 107).
Man probt bei Quänger und führt schließlich auf, man probt lediglich
bei Caribaldi, und auch das führt kaum über den ersten Ton hinaus: Die
Regiebemerkungen weisen Caribaldi ca. 40 mal an, „einen langen tiefen
Ton auf dem Cello" zu streichen, einmal führt er den Bogen über sein
Holzbein, das naturgemäß lautlos bleibt, 15 mal zupft er am Cello,
mehrmals werden kurze Töne angerissen, zahllose Male rutscht dem
Spaßmacher eine Haube vom Kopf, so daß Töne erst gar nicht angesetzt
werden können, Kolophonium geht verloren usw. Ein bei Stifter über
allem schwebender ironisch-satirischer Ton fährt bei Bernhard in konkrete Einzelheiten hinein und wird dort weidlich wirksam. Stifters Quartettspieler „haben sich so ineinander hineingespielt, daß sie ihre eigene
abgeschlossene Musikwelt und Zuhörerschaft sind". Sie selber sind einander noch keine Störer oder Verstörer, es fallen keine Hauben, Kolophonium ist nicht unauffindbar. Wenn sie keine Zuhörer haben, so deshalb, weil sie keine wünschen. Wollten sie sie, so hätten sie sie, man
braucht sich nur der zeitgenössischen Hausmusik- und Salonauffüh-
rungskultur zu erinnern. Man braucht aber auch nur an Stifters zahlreiche Äußerungen zu der für ihn fraglos sozialen Aufgabe der Kunst denken, um den Ausschluß des Publikums durch Quänger als ironische Brechung zu verstehen.[12] Wie problematisch Stifters zeitgenössische Rezeption, besonders nach 1850, auch verlaufen sein mag, wie rasch es auch
nach der Verharmlosung zur Vernachlässigung kam[13]: Das Verhältnis
des Künstlers zum Publikum ist zumindest in der Intention Stifters nicht
fraglich.

Anders Thomas Bernhard. Seinen Sängern, Musizierenden, Schauspie-
lern, Regisseuren legt er auf, Kunst gegen das Publikum zu praktizieren.
Zumindest werden sie nicht müde, es als Absicht zu verkünden. „Für die
Schauspielkunst/ gegen das Publikum/ gegen/ gegen/ gegen/ immer wie-
der nur gegen";[14] „dem Publikum ins Gesicht spucken", heißt es in *Der
Ignorant und der Wahnsinnige* (76). „Wir erfinden Schliche/ aber das
Publikum holt uns immer wieder ein", sagt der Doktor im selben Stück
(78). Ausschluß des Publikums ist auch im Roman *Korrektur* ein Thema:
„Die Frage ist nicht nur gewesen, wie baue ich einen Kegel [= das per-
fekte Bauwerk, Lebenswerk Roithamers], sondern ist auch gewesen, wie
verheimliche ich den Kegel, den Bau des Kegels".[15] Doch wie vieles bei
Bernhard, so ist auch hier die Radikalität jederzeit auch als ihr Gegenteil
möglich: Caribaldi, der seine Antipathie gegen das Publikum und seinen
„üblen Geruch" nicht verhehlt (MdG 155), träumt von der perfekten
Überraschung, einer einmaligen Verschmelzung von vollkommener

Kunstausübung und vollkommen getäuschtem Publikum: „Sie kommen/ in eine Zirkusvorstellung/ und hören das Forellenquintett" (MdG 150). Doch das wird nie sein: Weder wird das Quintett vollkommen spielen, noch wird es erwartungslose Kunstteilnahme außerhalb der der Kunstausübung zugeteilten Orte geben.

Dies führt zu einem gesellschaftlichen Aspekt dieser Art von Kunstpraxis. Stifter hat die Schilderung des Quänger-Quartetts an das Ende einer Sammlung von Aufsätzen gestellt, denen ein Wahrnehmungs- und Darstellungsprinzip gemeinsam ist und das einen großen Zweck verfolgt: die ständisch gegliederte Gesellschaft Wiens im Vormärz immer wieder zusammenzuführen und harmonisierende Bilder von einer zumindest vorübergehenden Integration, ja Aufhebung der gesellschaftlichen Schichtung zu entwerfen. Aus großer (vertikaler) Distanz erscheint ihm vom Stephansturm aus der Stephansplatz als ein Ort des Ständeausgleichs, die zeitliche Distanz bzw. die Vergänglichkeit vereint in den Katakomben die Gebeine der zu Lebzeiten streng geschiedenen Personen, auf dem Tandelmarkt liegen Kostbarkeiten und Plundersachen „friedlich und ebenbürtig" beisammen (WW 138), die Religiosität vereint in der Karwoche Fürstin und Bettelfrau im Gebet, kniend auf gleicher Höhe sozusagen (WW 161 f.), der allsonntägliche Corso in der Prater Hauptallee mischt Oben und Unten, bevor sich die Stände wieder trennen. Im Musiksalon des Herrn Quänger entsteht ebenfalls zweimal wöchentlich ein Ort der egalité: Die Musik führt den Cellisten, „der ein armer Teufel ist", mit dem reichen Herrn Quänger zusammen, „der sehr viele Tausend Thaler jährlich zu verzehren hat" und der nach dem Spiel reichlich auftischt, bevor die Spieler wieder an ihren sozialen Ort zurückkehren. In jedem Fall wird die ständische Gliederung zwar vorausgesetzt, aber unter bestimmten Bedingungen als ausgleichbar beschrieben.[16]

Anders in der *Macht der Gewohnheit*. Ein Zirkuswagen, ein von vornherein ständeloser Ort, steht, als Wohnplatz von Artisten, ebenso wie die Opern-Garderobe in *Der Ignorant und der Wahnsinnige*, außerhalb der Orte bürgerlicher Seßhaftigkeit. Artistentum und Künstlertum, bei Bernhard austauschbar, suggerieren zwar eine Sphäre, in der nicht soziales Oben oder Unten, sondern gelungener Akt bzw. künstlerische Harmonie bestimmend sind. Und ausgerechnet anhand dilettantischer Kunstausübung setzt Bernhard eine hierarchische Welt als Bühne und gewaltbestimmtes Leben als Musizieren in Szene. Was bei Stifter nur angedeutet ist – ökonomisch großzügige Gönnerschaft Quängers und seine Quartettführung vom Leitinstrument Violine aus –, ist bei Bernhard verzerrt und überschärft: Der Direktor steht an der Spitze einer außerhalb der

Proben entstandenen und verankerten Ordnung, nämlich der des Zirkus als eines Unternehmens, und er dominiert das Quintett vom Begleitinstrument Cello aus. Das verzerrt die Verhältnisse allein schon vom Musikalischen her, denn niemals wird im Stück klar, ob diese Ordnung durch die Spielfähigkeiten Caribaldis oder ausschließlich durch seine Position als Zirkusdirektor gerechtfertigt ist. Er kommt nie in die musikalische Position, das Quintett zu führen, umso mehr ist seine Machtausübung willkürlich. Das Cello ist die Peitsche[17], Caribaldi ist entschlossen, „sie alle mit Fußtritten/ an ihre Instrumente (zu) treten" (MdG 152). Dem Jongleur fällt es zu, dies mit einer Spracharabeske als Verdinglichung sozialer Beziehungen zu kennzeichnen: „Durch diese Tür/ kommen Ihre Opfer herein/ Herr Caribaldi/ Ihre Instrumente/ Herr Caribaldi/ Nicht Menschen/ Instrumente" (MdG 114). Im Spiel, wenn es begänne und gelänge, erschiene eine Synthese, geformt nach dem Bilde des Forellenquintetts, eine Synthese, in der das Cello und sein Spieler im Dienste der Harmonie stünden, nicht aber durch dissonante Führungsanmaßung herausfielen. So aber garantiert auch die Musikausübung keinen sozialen Verband mehr, der anders wäre als die von Bernhard als Hackordnung gezeichnete Gesellschaft. „Das ‚verwirklichte' Forellenquintett wäre also auch der Inbegriff von brauchbaren Beziehungen unter den Ausführenden."[18] Doch Bernhard sorgt im Bild des scheiternden Quintettspiels dafür, daß diese Beziehungen nicht brauchbar sein können. In der *Macht der Gewohnheit* beherrscht eine Macht die Gewohnheit des Mißlingens. Eine Macht der Gewohnheit beherrscht – wie könnte es bei Bernhard anders sein – auch das Gegenteil, die Perfektion: Auf die Königin der Nacht (IuW) treffen die Worte des Jongleurs ebenfalls zu. In der Kunstausübung fällt diese Sängerin der Verdinglichung anheim, sie ist eine „Koloraturmaschine" (IuW 11). Das für Bernhard so typische Das-eine-ist-auch-das-andere macht, daß man nicht verwirrt zu sein braucht, wenn das eine Mal eine Gewohnheit abgebrochen wird – nämlich das Funktionieren als Präzisionsmaschine (vgl. die Absagen der Königin der Nacht an die europäischen Opernhäuser) –, im andern Fall jedoch eine Gewohnheit gefordert wird, und sei es als äußerste Kunstanstrengung „gegen jeden/ gegen alles/ lebenslänglich". „Wir dürfen nicht kapitulieren/ nicht kapitulieren/ wenn wir nachgeben/ ist alles zu Ende".[19] Das Gemeinsame, ja Identische in Variation liegt darin, daß das eine, die Perfektion, wenn sie erreicht ist, in den Marionettismus führt,[20] das andere, solange kein Ziel erreicht ist, vor dem „Stumpfsinn"[21] nicht bewahren kann. Das zweite ist das Wahrscheinliche: Minetti wird keine vollkommene Darstellung des *Lear* zuwegebringen, Caribaldi kein vollkommenes Forellenquintett aufführen. Die Gewohnheit unermüdlicher Anstrengung, das Ziel zu erreichen, und jene, die nötig ist, um sie aufrechtzuerhalten, erscheinen gleichermaßen sinnlos. „Jahrzehnte spiele ich/ gegen den Stumpfsinn das Cello/ Aber es ist kein Ende abzusehen" (MdG 166). Daraus erwächst für Caribaldi und Bernhard gleichermaßen das Absurde. Im zweiten Band seiner autobiographischen Prosa[22] gibt Bernhard eine klassische Definiton des Absurden: Von seinem Großvater habe er „die lebenslängliche Gewohnheit, früh und fast immer vor fünf Uhr früh aufzustehen. Das Ritual wiederholt sich, den Jahreszeiten wird, gegen die pausenlosen Kräfte der Trägheit und in dem ununterbrochenen Bewußtsein, daß alles Tun nur ein sinnloses Tun ist, durch die tagtägliche gleiche Disziplinierung begegnet."[23] „Lebenslänglich", „tagtäglich", „Gewohnheit", „sinnlos", weil ohne Ziel: Albert Camus hätte es kaum anders gesagt, hätte er seinen Essay Der Mythos von Sisyphos mit Kenntnis von Caribaldis Quintett verfaßt.[24] Sein Tun als sinnlos erkennen und es trotzdem, ja gerade deshalb, mit ungeheurer Anstrengung ausführen, sich nachdrücklich (bei Camus auch „freudig", bei Bernhard in humoresker Brechung) dazu bekennen, das ist der Punkt, unter den bei Bernhard alles fällt. Deshalb ist Alfred Barthofers Vergleich mit Sisyphus zwar naheliegend[25], man sollte ihn aber nicht von Bernhard direkt zum antiken Mythos, sondern über Camus' Interpretation des Absurden laufen lassen. Tut man dies, so braucht man sich nicht, wie Barthofer, zu wundern, daß Selbstmord im Stück nicht erwogen wird. Das Absurde schließt diese Todesoption geradezu aus.

Auch bei Stifter gibt es die unerhörte und unaufhörliche Kunstanstrengung, aber alles, die Zahl der Proben (bis zu 300 an einem Stück) und das Übersteigen der physischen Kräfte durch psychische Nachhilfeschübe, wie Grimassieren, sind zielgerichtet. Das Proben dient noch dem Aufführen, gerade noch. Man könnte es so sagen: Knapp bevor es absurd wird, verhilft Stifter dem Quartett noch zu einer Aufführung. Jedoch scheint bereits durch, daß daraus ein perpetuum mobile des Probierens werden könnte.

Viel also über den Modus der Kunstausübung, was aber über die Inhalte? Was Thomas Bernhards große Räsonneure sagen, erfahren wir häufig über vermittelnde Berichtende; das gilt natürlich in erster Linie für die Erzählprosa, in den Stücken geht es direkter zu. Immerhin findet schon in der Erzählprosa jene Brechung in der Wiedergabe von Inhalten statt, die als „Reden über", nicht als „Darstellung von" eine Eigenart von Bernhards Weltrepräsentation ausmacht. Wenn nun dazukommt, daß inhaltliche Ausfaltungen vermieden werden, so führt das zur „leeren

Mitte" bei Bernhard. Das Zustandekommen bzw. das Scheitern von Studien (*Das Kalkwerk*[26], *Korrektur*), das Sprechen über wissenschaftliche Methoden allein (z. B. die urbantschitsche im *Kalkwerk*), die Aufsätze Roithamers über Musiktheorie, über den Vergleich zwischen Händel und Purcell, über eine Lichtung, vor allem die große Studie über den Kegel, das Erbauen des Kegels selbst – über all das wird geredet: daß es zustandekommt, daß es verfaßt, erbaut, entwickelt worden sei, daß es scheitert etc. Selten aber erfährt man mehr über Inhalt und Wesen. Dabei ist von nebensächlicher Bedeutung, daß man (z. B. bei MdG) im allgemeinen als Zuseher weiß, was das Forellenquintett ist, was es beinhaltet, denn angestrebt wird die noch nie dagewesene vollendete Realisierung. So wie sich Katastrophenstimmung bei Thomas Bernhard „meistens im Reden über Katastrophen erschöpft",[27] so erschöpfen sich Aussagen über Kunst und Künstler im Reden über die Art der Ausübung meist in der Form, daß über Grade von (Über-)Anstrengung und Präzision gesprochen wird.

Will man Stifter und Bernhard auf dieser Ebene vergleichen, so ist zunächst festzuhalten, daß die Mitte bei Stifter weniger leer ist. Wenn Stifter über Musik spricht – übrigens seltener als über Malerei, bildende Kunst und Dichtung, und seltener als Thomas Bernhard es tut –, so beschreibt er meist auch „Inhalte" der Rezeption, also Wirkungen. Beethovens *Pastorale* ruft beim Erzähler der *Feldblumen*[28] „alle Idyllen und Kindheitsträume" wach; das Geigenspiel, das der Erzähler der *Zwei Schwestern* in Rikars Hause hört, wirkt als „sanfte Klage", „heißes Flehen", „Ungeduld des Heischens", „Hohn", „Fröhlichkeit"[29]. (Andererseits ist richtig, was Gerald Gillespie etwa vom Zitherspieler im *Nachsommer* sagt: Obwohl er für Heinrich Drendorf einer der Bildungsgeber ist, höre man ihn niemals spielen.[30] Musikalisch ist er leer, wichtiger sind für Stifter hier, wo kein Virtuose belauscht werden, sondern ein junger Mann spielen lernen soll, Beharrlichkeit, Geordnetheit beim Lernen, über allem aber Stetigkeit und Genauigkeit. Auch ist daran zu erinnern, daß bei Stifter nicht erst im Spätwerk die Sätze vom Typus „Dann waren Gespräche", „Es war Heiterkeit", „Sie sprachen über viele und verschiedene Dinge" auftauchen.)

Die wichtigste Bestimmung für Kunstausübung, sowohl bei Stifter, als auch bei Bernhard, ist die Präzision. Die Musik, die in Quängers Salon gemacht wird, ist für Stifter „die ‚präciseste' in Wien", wobei die Anführungszeichen von Stifter nicht deshalb gesetzt werden, weil er den Ausdruck distanzierend gebraucht, sondern weil er damit die Worte des Cellisten zitiert. Der Preis für solchen Superlativ sind Hunderte von Proben für ein Musikstück; Quänger und seine Spieler ruhen nicht eher, „bis sie ein vorgenommenes Stück absolut mathematisch präcis darstellen können". Wenn sie andere spielen hören, so urteilen sie nach Präzision/Nichtpräzision. Stifter deutet an, daß sie sich dadurch Argumentationsvorteile verschaffen und daß sie nicht selten unangreifbar in ihrer Kritik werden, weil „so kolossale Kenntnis der Mathematik der Musik aus ihnen heraussieht".

Der Zusammenhang mit Bernhards Quintett-Spielern ist evident, auch wenn diese nach Tausenden von Proben zu keiner Aufführung gelangen. Präzision ist jener Wert, den Bernhard seinen Figuren immer wieder in den Mund legt, den er aber auch selbst beim Schreiben befolgt. Wenn Bernhard bekennt: „Ich bin Musil verfallen"[31], so ist das keine seiner All-Behauptungen und Beliebigkeits-Ausweitungen. Claudio Magris spricht im Zusammenhang mit Bernhards Figuren von einer „hier selbstverständlich umgekehrten Musil'schen ,Utopie des exakten Lebens'." „Umgekehrt", deshalb, weil Bernhard diese Exaktheit selbst dort, wo er sie gelingen läßt, als „Perfektion" herabsetzt – die Königin der Nacht als Koloraturmaschine, Glyndebourne als Musikfabrik (DB 13) usw. –, oder ihren Wert dergestalt aufhebt, daß er sie noch im „exakten Irrereden"[32] dominieren läßt. Caribaldi ist zum Cellospiel gekommen, weil die Konzentrationsschwäche in seiner Zirkusnummer nicht mehr zu leugnen war. Die Pferde hätten nicht mehr reagiert, „Nicht präzise/ nicht mit der erforderlichen Präzision/ Und jetzt spiele/ oder besser gesagt übe/ ich zweiundzwanzig Jahre das Cello" (MdG 106). Der Wert des Präzisen überträgt sich auf die anderen, z. B. den Dompteur und seine Löwennummer, wo Mangel an Präzision schwere Folgen hat („Max beißt tief"). Wie in *Der Ignorant und der Wahnsinnige*, wo der Doktor Präzision, Exaktheit und Konsequenz zu Schlüsselwörtern sowohl für Musikausübung als auch für Medizin/ Anatomie/ Sezieren erklärt und die beiden Bereiche zusammenrückt (62), so sieht der Dompteur Zirkusartistik und Musik unter dem Aspekt: „Präzise/ wie mein Onkel immer sagt/ Präzise/ Die Präzision zur Gewohnheit machen" (MdG 135). Bernhard vergißt allerdings nicht, die lächerlich-pedantische Variante von Präzision ebenfalls auszuspielen: bei den Übungen der Enkelin, beim Taschentuch und/oder Schuhfetzchen in linker und/oder rechter Tasche des Jongleurs. Wenn auch hier, in einem Drama, die komplizierte Zitierungstechnik eines Erzählvorgangs wegfallen muß, so wird der Eindruck durchkalkulierten Stils durch verschiedenste, genau durchgeführte Stilfiguren hervorgerufen.[33]

Die bei Bernhard am häufigsten beschworene Leit-Wissenschaft für

Präzision ist, wie in Stifters Kennzeichnung auch, die Mathematik: „Die Kunst/ ist eine mathematische Kunst" (MdG 153). In *Der Atem* hält Bernhard fest, daß er diesen Zusammenhang sehr früh auch schon auf das Lesen ausgeweitet habe, als „Entdeckung, daß die Literatur die mathematische Lösung des Lebens und in jedem Augenblick auch der eigenen Existenz bewirken kann, wenn sie als Mathematik in Gang gesetzt und betrieben wird, also mit der Zeit als eine *höhere*, schließlich die *höchste mathematische Kunst*, die wir erst dann, wenn wir sie ganz beherrschen, als *Lesen* bezeichnen können [. . .]"[34] Andere Wissenschaften hingegen bringen bereits einen Vorschuß an Präzision mit. Dazu gehört die Physik als angewandte Mathematik. Das Ende des Romans *Korrektur* steht in ihrem Zeichen. Die Beschreibung von Ruhelage, Kippen und Auf-der-Kippkante-Stehen eines Körpers ist die mathematisch-physikalische – und in ihrer Anwendungsmöglichkeit auf Leben, An-die-Grenze-Gehen, Glück/Unglück als parabolisch zu verstehende – Coda des Romans.[35] Das ist jedoch noch abstraktes „Sprechen über", Ideal eines Praktizierens, das sich die Mathematik als Vorbild nimmt. Die Frage ist, ob Mathematik und Wissenschaftlichkeit in einem eingehenderen Sinne mitspielen, als es in Sätzen wie „Die Kunst ist eine mathematische Kunst" behauptet wird.

„Der Leser erinnert sich sicher an jene hölzernen Knöpfe, welche man auseinanderlegen kann, und dann nur mit vielem Studieren und Versuchen wieder zusammenbringt". Das ist, wie schon erwähnt, Adalbert Stifters Analogie für die Bemühung seines Quänger-Quartetts. Das zusammengelegte Spielzeug existiert in den Köpfen, die Spieler versuchen sich an seiner Verwirklichung. Auch für Bernhard ist das Zusammenlegspiel das Analogon für Kunst. Seine Personen haben die Ganzheit im Kopf, sei es ein Musikstück (z. B. ein Bartok-Quartett in *Der Italiener*, im Hintergrund gespielt, immer wieder abgebrochen), ein Kegel als perfektes Bauwerk (*Korrektur*), eine Studie über das Gehör (*Das Kalkwerk*). Den Bezug zur Literatur und dann wieder zur Musik stellt Bernhard selber her: „Das sind die Sätze, Wörter, die man aufbaut. Im Grunde ist es wie ein Spielzeug, man setzt es übereinander, es ist ein musikalischer Vorgang." Es bleibt allerdings nicht dabei: „Ist eine bestimmte Stufe erreicht nach vier, fünf Stockwerken – man baut das auf – durchschaut man das Ganze und haut alles wie ein Kind wieder zusammen."[36] Dem Zusammenlegen steht also das – häufig gewaltsame – Zerlegen entgegen. In *Der Atem* stellt Bernhard diesen Vorgang als lustvolle Tätigkeit dar, er kennzeichnet z. B. seinen Genesungsvorgang so: „Ich hatte [. . .] mein Vergnügen am Denken und also am Zerlegen und

Zersetzen und Auflösen der von mir angeschauten Gegenstände wieder entdeckt".[37] Da es für Bernhard keine unbefragte und unzerstückelte Ganzheit geben kann[38], wird das Zerlegen zur notwendigen Ergänzung aller Bemühung um Synthese. Der abstrahierende Begriff dafür ist die „kombinatorische Analysis", und sie steht bei Bernhard im Bildbereich von Mathematik und Musik. „Hat die Musik nicht etwas/ von der kombinatorischen Analysis/ und umgekehrt/ Zahlenharmonien/ Zahlenakustik/ gehört zur kombinatorischen Analysis" (DB 45), fragt und sagt der Verleger, und es gehört zu der für Bernhard so typischen Methode, Begriffe auszuweiten bzw. andere in den Zusammenhang zu ziehen, daß es bei Musik und Mathematik nicht zu bleiben braucht, sondern daß die Dichtung subsumiert wird.[39] Die kombinatorische Analysis ist auch eine kompositorische Analysis, und als solche ist sie auch eine dichterische Praxis: „Die Sprache ist ein mathematisches Ideeninstrument/ Der Dichter/ Rhetor und Philosoph/ spielen und komponieren grammatisch" (DB 47 f.). Wie in Stifters Quänger, in dessen Kopf die Musik weiterspielt, wenn er sich ausruht, rumoren auch bei Bernhards Personen die Ganzheiten im Kopf. „Eine vollkommene Konstruktion" ist es meist, sie beruht auf analytischer Kombinatorik: „Aus was für Ideen der Kegel ist, die alle zusammen die Idee des Kegels sind".[40] Jeder Versuch einer Verwirklichung verkehrt allerdings die Reihenfolge, aus analytischer Kombinatorik wird die bloße Analysis, und sie erfolgt meist mit Gewalt: „Studien, Wissenschaft, Verwirklichung, Vollendung, Zerstörung, Vernichtung. In jedem Fall und in jeder Sache in dieser Reihenfolge . . ."[41] Die Variation der Abfolge in der *Macht der Gewohnheit* lautet so: Vorstellungen von Vollendetheit, ‚Studieren und Versuchen' bzw. Üben (bis hierher wie bei Stifter), Scheitern an der Verwirklichung (die bei Stifter gerade noch gelingt, wenn wir die letzte Fassung der *Mappe meines Urgroßvaters* ausnehmen).

Die Spannung zwischen Analyse (Zerfall, Zertrümmerung als Varianten) und Kombination (Komposition, Synthese) durchzieht Bernhards gesamtes Werk. Dabei wird Analyse niemals ausgelassen, die Synthese hingegen kommt entweder als früher einmal gelungene, aber jetzt abwesende, oder als eine nur im Kopf existierende vor. Dem Sezieren eines menschlichen Körpers (IuW) steht eine Bemühung um ein vollkommenes Quintett gegenüber (MdG), der Auflösung eines Herrensitzes (Ungenach, Altensam) die traumhafte Beschwörung eines leuchtend-intakten (*Frost*) oder die Idee eines vollkommenen Bauwerks (aber: „In der Frühe zerfällt der Kegel in meinem Kopf"[42]); der Erinnerung an vollkommen gesungene Gesang-Partien die an einen scheiternden, in den Orchester-graben stürzenden Dirigenten (DB); im selben Stück kommt noch die Zertrümmerung von Sängeridol-Puppen hinzu. In der *Macht der Gewohnheit* gibt es sowohl das Zerfallen als auch das Zertrümmern: Wenn Caribaldi spielen will, bekommt er Rückenschmerzen, „und das Musik-stück fällt auseinander" (MdG 109). Daß es nicht zusammengelegt wer-den kann, dazu trägt, in gewaltsamer Variante, der Dompteur bei. Er, von dem Caribaldi sagt, er sei „Der Kunstzertrümmerer/ der die Kunst zertrümmert" und „Der Niedrige am Klavier" (MdG 194), ist die Bern-hardsche Variante des Bettlers in Hugo von Hofmannsthals *Das Salz-burger Große Welttheater*.[43] Zwar „trommelt er mit beiden Armen auf den Klaviertasten" (MdG 195), aber er zerschlägt sie nicht. Die Ähnlich-keit hat im übrigen ihre Grenzen: Hofmannsthals Bettler schreckt vor dem Zerschlagen einer gegebenen sozialen Ordnung zurück, der Domp-teur spielt bloß einen störenden Part in einem Nicht-Konzert, in dem alle einen störenden Part spielen. Kunstzertrümmerer sind sie alle, und ihr Schöpfer hat sich selber als solchen bezeichnet: In *Drei Tage*, wo Bern-hard von seiner Schriftstellerei – und vom Geschichtenzerstören spricht (83), sagt er: „Es darf nichts Ganzes geben, man muß es zerhauen" (87).

Es ist kaum überraschend, daß die Gegenläufigkeit von Analyse und Synthese als einander ergänzenden Vorgängen bei Adalbert Stifter fehlt. Das Ziel ist die Synthese allein, zumindest in den zeitlich nahestehenden Werken. Ist das Zusammenlegen zu Ende, so folgt kein Zerlegen mehr. Das bedeutet nicht, daß es nicht auch Analyse geben kann, sie ist ja im Bilde des Würfel-Puzzles impliziert. Aber Stifter ordnet sie der Synthese unter, und sei es nur dadurch, daß er Antipathie gegen sie durchscheinen läßt. In der Erzählung *Feldblumen* erklingt auf einer Abendgesellschaft Tanzmusik, von der sich der Ich-Erzähler fernhält. Ebenso distanziert hört er anfangs auch einem Musiker zu (es ist, wie Caribaldi, ein alter Violoncellist!), der über Beethoven spricht: „Mein Nachbar zerlegte [. . .] kunstgerecht die Pastoralsymphonie und zog mich doch zuletzt ins Interesse".[44] Höher steht für Stifter eindeutig die Synthese. Der Freun-deskreis in dieser Erzählung betreibt auch Musik, dabei betont Stifter Regelmäßigkeit, Kalkül, Reflexion, Genauigkeit: „Zur Musik sind auch bestimmte Tage auserkoren. [Man erinnere sich: in Quängers Salon Mittwoch und Samstag, in Caribaldis Zirkuswagen täglich, besondere Tage sind der Mittwoch und der Samstag.] Daß aber da von keinem bloßen Herabschütten der Noten die Rede sein kann, begreifst du; son-dern da wird an das Pianoforte gesessen, jede Stelle des Tonstücks

[= also jeder zusammenzulegende Teil] geprüft [. . .]; dann forscht man nach der Seele des Ganzen und paßt ihr die Glieder an – dann so lange Proben, bis nicht mehr die kleinste Ausführungsschwierigkeit vorhanden ist – dann eines schönen Abends braust ein Beethoven durch die Fenster hinaus."[45] Niemals wird es bei Caribaldi so sein, das Ziel einer perfekten Aufführung ist als Traum gekennzeichnet (MdG 150), und das Einzelne, z. B. schon der zweite Ton, gelingt nicht, weil von einer „Seele des Ganzen" nicht die Rede sein kann, ein Ganzes bei Bernhard vielmehr vor dem Entstehen schon zerhauen wird. – Es muß auch vermerkt werden, daß die Beschreibung von Musizieren in den *Feldblumen* sich, bei einigen Parallelen, vom Quänger-Quartett abhebt; im Gegensatz zu dort ist hier das Ideal einer klassischen Ästhetik deutlich erkennbar. Nach 1848, als Stifter sie immer stärker reflektiert, fällt er kaum mehr in jene Ironie, die in der Beschreibung des Quänger-Quartetts dominiert: Zusammenlegen der Teile durch Ab- und Übereinstimmung ja, ebenso Kontrolle durch Besonnenheit, aber eben nicht mehr so ausschließlich die Mathematik als Leitbild für kühl-mechanistische Operation. Im *Nachsommer* herrscht, um aus dem Roman selbst zu zitieren, „jene allseitige Übereinstimmung aller Teile zu einem Ganzen, erzeugt durch jene Besonnenheit, die in höchster kunstliebender Begeisterung nie fehlen darf . . ."[46] Im Spätwerk tritt die Mathematik wieder hervor. Den Abstand zwischen *Nachsommer* und *Witiko* markiert der Schritt von der „Besonnenheit" als Leitlinie der Komposition zum „Kalkül" als mathematischem Prinzip, zum analytisch-kombinatorischen Umgang mit den Teilen.

„Im Volk sind aber diese Aufzüge wie nichts anderes beliebt, und es drängt sich in Scharen zu diesen Umzügen." Dieser Satz könnte mit seinem Stilklang aus Adalbert Stifters *Wien und die Wiener* stammen – übrigens auch aus Franz Grillparzers Novelle *Der arme Spielmann* –, zu finden ist er hingegen in Thomas Bernhards drittem autobiographischen Prosaband *Der Atem*.[47] Andererseits scheint der Beginn von Stifters Erzählung *Nachkommenschaften*, in der ein Maler nie zu einem Ende seiner Bilder kommt bzw. immer neu ansetzt, einem beliebigen Prosatext Bernhards entnommen zu sein. Der Maler Strauch im Roman *Frost* könnte über sein früheres Leben etwa sagen: „So bin ich unversehens ein Landschaftsmaler geworden. Es ist entsetzlich. Wenn man in eine Sammlung neuer Bilder gerät, welch eine Menge von Landschaften gibt es da; wenn man in eine Gemäldeausstellung geht, welch eine noch größere Menge von Landschaften trifft man da an, und wenn man alle Landschaften, welche von allen Landschaftsmalern unserer Zeit gemalt werden, von solchen Landschaftsmalern, die ihre Bilder verkaufen wollen, und von solchen, die ihre Bilder nicht verkaufen wollen, ausstellte, welch allergrößte Menge von Landschaften würde man da finden!" Es gibt also frappante Ähnlichkeiten. Aber bei jeder Etikettierung des Verhältnisses ist Vorsicht angebracht. Wenn Bernhard schreibt: „Was wir denken, ist nachgedacht"[48], sollte man nicht an Epigonalität denken. Bernhard ist kein Epigone, auch nicht einer Stifters.[49] Aber zweifellos sind die Beziehungen vielfältig.[50] Einen Kegel so der Natur zu überlassen wie einem Wald die Reste eines Hauses[51], stellt beinahe eine Parallele dar, und in solchem punktuellen Sinne gibt es zahlreiche. Aber Ähnlichkeiten fordern die Betrachtung von Unterschieden heraus. Sie liegen bei Bernhard in der unerwarteten Ausfaltung von Aspekten, die bei Stifter im Keim warten, in der Schrumpfung von inhaltlicher Erzählfülle, und in der Spannung zwischen Auflösung und Bewahrung (Analyse und Kombination). Schrumpfung liegt in der merkwürdigen Art des Redens um eine „leere Mitte" herum. In *Korrektur* heißt es aus dem Munde des Erzählers, der als Nachfolger Roithamers in der Höllerschen Dachkammer wohnt: „So hatte ich die Möglichkeit, einen Gegenstand nach dem anderen durchzugehen, wie man eine wissenschaftliche Arbeit durchgeht".[52] Solche Sätze könnten auch bei Stifter vorkommen, allerdings ohne den Vergleich mit der wissenschaftlichen Methodik. Mit der angelsächsischen Literaturkritik gesprochen: Es geht um den Unterschied zwischen „showing" und „telling". Stifter führt vor, wovon Bernhard redet: Die Beschreibung der Zimmer in *Turmalin* ist ebenfalls „wissenschaftlich", aber sie ist so gehalten, daß jeder Gegenstand als Folge des vorhergehenden *gezeigt* wird und seinerseits Ursache für den nächsten (gezeigten) ist.[53] Es fällt schwer, hier nicht von Realismuskriterien des 19. Jahrhunderts aus auf Bernhard zu blicken, also von einer Literatur des „showing" auf eine des „telling".

Es ist darauf aufmerksam gemacht worden, wie Stifter dort, wo z. B. Verfall weit gediehen ist, vor der letzten Auflösung halt macht, z. B. in *Turmalin, Die Narrenburg, Der Hagestolz*. Es scheint, als sei er durch sein ethisch-ästhetisches Gesetz des Bewahrens davor geschützt. Aber in diesem Gestus des Bewahrens drückt sich immer auch die Anstrengung ab, mit der Auflösung vermieden wird, ähnlich wie umgekehrt das Quänger-Quartett mit letzter Anstrengung noch die Synthese erreicht. Scheitern und Tragödie, „bei Stifter dissimuliert und verborgen"[54], brechen bei Bernhard hervor – und das gilt auch dort, wo, wie von Bernhard mehrmals ausgesprochen, das Tragische komödienhaft ist.

Der letzte Vergleichspunkt: Quänger, der „jahrelang aus verschiedenen Stücken den Prim oder Secund einstudirte", ist ein armer Spielmann, der aber noch Wollen und Gelingen zur Deckung bringen kann. Doch gibt es bei Stifter einen noch ärmeren Spielmann: Der Rentherr aus *Turmalin*, Vater eines Kindes mit Wasserkopf, spielt auf seiner Flöte nicht einmal mehr „den lieben Gott", wie sein Verwandter bei Grillparzer[55], vielmehr spielt gleichsam Gott mit ihm: Er ist geistesverwirrt. Ihm ist auch noch der soziale Bezug, der bei Grillparzers Gestalt das musikalische Scheitern begleitet, versagt. Beide spielen sie jedoch noch Tonfolgen, wenn auch kaum mehr zusammengehörige. „Eine unzusammengehörige Folge von Tönen ohne Zeitmaß und Melodie"[56] ist es bei Grillparzer, eine Folge, „in der immer etwas anderes kam, als man erwartete"[57], ist es bei Stifter.

Thomas Bernhard hat sich selbst in diesen Zusammenhang gestellt, ohne ihn so zu benennen.[58] In *Die Ursache* hat er sich zu einem armen Spielmann à rebours stilisiert, der nicht nur den lieben Gott nicht mehr spielt, sondern auch in der Selbsteinschätzung scheitert. Sein Violinunterricht: „Die von mir auf meiner Geige produzierte Musik war dem Laien die außerordentlichste und meinen eigenen Ohren die gekonnteste [. . .], wenn sie auch eine vollkommen selbsterfundene gewesen war".[59] Die Erklärung wird nachgesetzt: Sie hatte „mit der Mathematik der Musik nicht das geringste zu tun [. . .]" Dadurch, daß er die Anstrengungen Quängers nicht mehr auf sich nimmt, versagt er „in jeder Geigenstunde auf das kläglichste". Parallelen zum Auseinanderfallen von Wollen und Gelingen finden sich in seinen Werken mehrmals. In *Der Keller* ist es Podlaha: „Er mag sich als Musiker gefühlt haben, der er zweifellos ist, ohne tatsächlich Musiker zu sein".[60] Hierher gehört auch die Episode vom jungen Krainer im Roman *Verstörung*[61], eine Krankheitsstudie, die im Modus des musikalischen Versagens beschrieben ist. Der junge Krainer leidet an Sprachstörung, sein Kopf ist „zu eng", anläßlich eines Aufenthaltes in der Irrenanstalt Steinhof in Wien hört er ein Konzert mit dem Cellisten Casals (dessen Namen Caribaldi so genußvoll und leitmotivisch ausspricht, wenn ihm einer seiner Einzeltöne „gelingt" – MdG 124, 125, 129, 153). Zurückgekehrt, heftet der junge Krainer sich ans Cello, aber mit dem Fortschreiten seiner Krankheit zerfallen Kopf und Musik: „Jetzt sei es ihm nicht mehr möglich, gleich welche Musikstücke in seinem Kopf zu harmonisieren. Seine Musik sei entsetzlich". Er beschmiert die Bilder der großen Komponisten, er zerstört aus Verstörung: „Drei Geigen, deren Hälse abgebrochen waren". Ohne die „Mathematik der Musik" kann Musik nicht mehr gelingen.

Am Endpunkt in dieser Reihe von Musikern – an der Kippe zum Komischen, was bei Bernhard immer auch ein Signal für Radikalität seiner spezifischen Weltinterpretation ist – steht das Caribaldi-Quintett. Die Spieler sind arme Spielleute, Caribaldi ein ärmster Spielmann, weil er die deutlichste Vorstellung vom vollkommenen Gelingen hat, aber am allerwenigsten zu vollbringen vermag. Weder bei ihm noch bei den anderen wird klar, ob sie überhaupt noch Musikausübende sind, und die Widrigkeiten, die Unterbrechungen nach dem ersten Ton, wären dann bloß eine Erscheinungsweise kaschierten Unvermögens. „Tagtäglich prüfe ich/ eure Instrumente/ kein Mensch kann/ sein Instrument stimmen" (MdG 191). Die „entsetzliche" Musik des jungen Krainer tönt als „Kakophonie" (MdG 189) fort.

Ausgefaltet, um auf die Beziehung Bernhard – Stifter zurückzukommen, hat sich hier die Tendenz zu Verfall und Zerfall, der keine Perspektive zur Synthese mehr entgegensteht. Zwischen Stifter und Bernhard passierte, so könnte man salopp sagen, die Destruktionsästhetik der Marx Brothers; aber auch Franz Kafkas Erzählung *Josefine, die Sängerin oder Das Volk der Mäuse*, Karl Valentins Szene *Die verhexten Notenständer*, Federico Fellinis Film *Die Orchesterprobe* könnte man in diesem Zusammenhang nennen.

Was aber bringt dieser Vergleich für die Verglichenen, welche – hier lediglich anzudeutenden – Ausblicke eröffnen sich am Ende? Über den Ton der Ironie hinaus wohnt Stifters Beschreibung des Quänger-Quartetts eine „musikästhetische Prophetie" inne, die erst in der Moderne eingelöst worden sei – so der sowjetische Literaturwissenschaftler Alexander Mihailow. Man könne darin die „kunstpraktische Monomanie" unserer Tage angelegt sehen.[62] In der anderen Richtung und auf Literatur übertragen, eröffnet sich von ihr aus die Möglichkeit, Stifters Alterswerke, im besonderen seinen experimentell zu nennenden Roman *Witiko*, als ein Ergebnis solcher Monomanie in den Blick zu nehmen. Die erwähnte „reinste abstracteste Freude" in literarischer Variante: Das wäre nicht die einzige Aktualisierungsmöglichkeit, die Stifter heute anbietet. Neben den literarischen „Modernitäten", die bei ihm vorzufinden sind, gilt dies auch für einzelne Aspekte seiner Malerei.[63]

Für Bernhard ergibt der Vergleich einen Traditionsbezug mehr, wenn es auch nicht ein ausschließlich austriazistisch gedeuteter sein sollte. Auch weitern sich einige bereits erkannte Möglichkeiten[64], die Spannung zwischen Auflösung im Inhaltlichen, Ideellen, Transzendenten, zwischen Zerfall in „Köpfen", Abschenkung von Besitztümern als Bild fürs Abdanken historischer Gesellschaftsvorstellungen einerseits und Geschlossenheit seiner Stilformen (vor allem in der Prosa) andererseits in den Zusammenhang seiner musikalisch-kombinatorischen Sprachlogik zu stellen.[65] Bernhards Wiederholungsmanie als Leitmotive einerseits, als selbständig gewordene Refrains andrerseits begreifen, seine spiraligen Satzstrukturen als Thema mit Variationen hören zu lernen, seine rhetorischen Figuren, z. B. seine Chiasmen, unmittelbar als Frage- und Antwortteile musikalischer Phrasierungstechnik zu erfassen: Das alles könnte erklären helfen, warum viele Bernhard-Leser für die Dauer der Lektüre fasziniert sind, sich aber nachher von den Inhalten distanzieren.[66] Exakt konstruierte Satzgebäude beim Lesen mitzuschaffen, „die Hypotaxe (als) System der lückenlosen, geschlossenen Form"[67] zugleich analytisch-mathematisch und kombinatorisch-musikalisch zu erfassen, verschafft die – wie immer vorübergehende – Illusion, am Erzeugen lückenloser Ganzheit beteiligt zu sein.

Anmerkungen

1 Robert Walser: *Lektüre für Minuten. Gedanken aus seinen Büchern und Briefen.* Auswahl und Nachwort von Volker Michels. Zürich 1978, S. 116.

2 Es wäre allerdings Apperzeptionsverweigerung, die vielfältigen Bezüge, die von Stifter zur österreichischen Gegenwartsliteratur führen, zu ignorieren. Ulrich Greiner drückt dies schon im Titel seines Bändchens *Der Tod des Nachsommers* aus (München: Hanser 1979). Greiner stellt sich damit aber manchmal unter vereinseitigenden Beweiszwang. Daß Peter Handke, besonders in seinen letzten Büchern, Peter Rosei, Gerhard Roth, Jutta Schutting, vor allem aber auch Thomas Bernhard sich Adalbert Stifter nahe fühlen, bringen sie selbst immer wieder zum Ausdruck. Vgl. dazu die Dissertation von Lisa Witasek: *Stilbezüge zu Stifter in der österreichischen Literatur der Gegenwart. Gezeigt an Peter Handke, Thomas Bernhard, Jutta Schutting, Peter Rosei.* Phil. Diss. Salzburg 1981; Hans Höller: *Kritik einer literarischen Form. Versuch über Thomas Bernhard.* Stuttgart 1979. (= Stuttgarter Arbeiten zur Germanistik/Salzburger Reihe. 1.) S. 142 ff. Josef Donnenberg: *Thomas Bernhard und Österreich.* In: Österreich in Geschichte und Literatur 10 (1970), S. 237–251; Karlheinz Rossbacher: *Die Tradition und ihre kritische Erinnerung. Zur Rezeption Adalbert Stifters bei Jutta Schutting.* In: Vierteljahresschrift des Adalbert Stifter-Instituts des Landes Oberösterreich (= VASILO) 25 (1976), Folge 3/4, S. 101–115; ferner die hier zitierten Arbeiten von W. Schmidt-Dengler und C. Magris.

3 Thomas Bernhard: *Drei Tage.* In: Th. B.: *Der Italiener* (1971). München: dtv 1973, S. 87.

4 Adalbert Stifter: *Studien.* Bd 2. Hrsg. von Max Stefl. Augsburg: Kraft 1956, S. 442 f.

5 Adalbert Stifter: *Wien und die Wiener in Bildern aus dem Leben*. SW, Bd 15. Hrsg. von Gustav Wilhelm. Reichenberg 1935, S. 229–254. Hier zitiert als WW.

6 Jürgen Hein: *Der Erzähler als Satiriker in Stifters ,Wien und die Wiener'*. In: VASILO 1969, S. 115–119.

7 WW, 247.

8 Von Gustav Wilhelm (s. Anm. 5, S. 418) wird dieser Cellist als Ignaz Franz Castelli aufgeschlüsselt.

9 WW, 247. Die folgenden Zitate aus den Seiten 247–251. Weitere Zitate unter WW und Seitenanzahl im Text.

10 Gustav Wilhelm spricht von einer „Humoreske"; WW, XXIII.

11 IuW (Uraufführung Salzburger Festspiele 29. 7. 1972), MdG (Uraufführung Salzburger Festspiele 28. 7. 1974), diese beiden als „Salzburger Stücke", Frankfurt/M.: Suhrkamp 1975. DB (Frankfurt/M.: Suhrkamp 1976), die Aufführung dieses Stückes bei den Salzburger Festspielen kam nicht zustande. (Zitate in Klammern im Text.)

12 Die Veröffentlichung der *Bunten Steine* stellt Stifter in der Vorrede unter die Absicht, „gleichgesinnten Freunden eine vergnügte Stunde zu machen". A. St.: *Bunte Steine*. Späte Erzählungen. Hrsg. v. Max Stefl. Augsburg: Kraft 1960, S. 5.

13 Rudolf Wildbolz: *Adalbert Stifter. Langeweile und Faszination*. Stuttgart: Kohlhammer 1976, S. 7 f.

14 Thomas Bernhard: *Minetti. Ein Portrait des Künstlers als alter Mann*. Frankfurt/M.: Suhrkamp 1977, S. 19.

15 Thomas Bernhard: *Korrektur*. Roman. Frankfurt/M.: Suhrkamp 1975, S. 346.

16 Daß dieser Ausgleich flüchtig sein muß, wenn die soziale Ordnung selbst nicht angetastet wird, soll, wie überhaupt der Sammelband als literarisches Bild der Wiener Gesellschaft im Vormärz, an anderer Stelle ausführlicher behandelt werden.

17 Vgl. dazu Alfred Barthofer: *Das Cello und die Peitsche. Beobachtungen zu Thomas Bernhards „Die Macht der Gewohnheit"*. In: Sprachkunst 7 (1976), S. 294–311.

18 Herbert Gamper: *Thomas Bernhard*. München: dtv 1977, S. 155.

19 Bernhard, *Minetti*, S. 26.

20 Der Marionettismus bei Bernhard ist eng mit der Schau auf das Leben als Bühne verbunden. Caribaldi läßt seine Tochter „Wie verneigt man sich" üben, bis Lebendigkeit draußen und mechanische Perfektion drinnen ist. In IuW spricht der Doktor zum Vater darüber, „einen Mechanismus als Tochter zu besitzen/ oder eine Tochter als Mechanismus" (53). Ebenso spricht er von der Oper als „Puppentheater"; „nicht Menschen agieren hier/ nur Puppen" (54). Caribaldi selbst hat bereits ein Holz-Ersatzteil als Bein (MdG 128). Im dritten Salzburger Stück *Die Berühmten* stellt Bernhard Puppen auf die Bühne, z. B. Richard Mayr, die dann von ihren Äquivalenten im Stück,

z. B. vom „Bassisten", zertrümmert werden. Und auch hier unterscheidet sich autobiographische Prosa nicht: Zu Bernhards Krankenhaus-Schilderungen gehört die Beschreibung, wie Patienten an Schläuchen hängen, gleichsam liegend an ihnen baumeln und damit, wie Leben und Sterben überhaupt, einem „Marionettentheater" angehören. Vgl. *Der Atem. Eine Entscheidung.* Salzburg: Residenz 1978, S. 49 f. Der ganze Aspekt weist nicht zuletzt in die Romantik (E. T. A. Hoffmann) und ist damit nicht der einzige Romantik-Bezug bei Bernhard (Novalis).

21   Bernhard, *Minetti*, S. 26.

22   Thomas Bernhard: *Der Keller. Eine Entziehung.* Salzburg: Residenz 1976.

23   Ebda, S. 149.

24   Albert Camus: *Der Mythos von Sisyphos. Ein Versuch über das Absurde.* Hamburg: Rowohlt 1959, S. 98–101.

25   Barthofer, *Das Cello*, S. 249 f.

26   Thomas Bernhard: *Das Kalkwerk* (1970). Frankfurt/M.: Suhrkamp 1976.

27   Peter Laemmle: *Stimmt die ‚partielle Wahrheit' noch? Notizen eines abtrünnigen Thomas Bernhard-Lesers.* In: Text und Kritik 43, Juli 1974, S. 47.

28   Adalbert Stifter: *Studien.* Bd 1. Hrsg. von Max Stefl. Augsburg: Kraft 1955, S. 66.

29   Stifter, *Studien*, Bd 2, S. 477.

30   Gerald Gillespie: *Space and Time through Stifter's Telescope.* In: German Quarterly 37 (1964), S. 126.

31   Bernhard, *Drei Tage*, S. 87.

32   Claudio Magris über den Monolog des Fürsten Saurau im Roman *Verstörung* (*Geometrie und Finsternis. Zu Thomas Bernhards ‚Verstörung'.* In: Études Germaniques 33 (1978), S. 288).

33   Gerhard P. Knapp und Frank Tasche: *Die permanente Dissimulation. Bausteine zur Deutung der Prosa Thomas Bernhards.* In: Literatur und Kritik 58 (1971), S. 490.

34   Bernhard: *Der Atem*, S. 152.

35   Bernhard, *Korrektur*, S. 362 f.

36   Bernhard, *Drei Tage*, S. 80.

37   Bernhard, *Der Atem*, S. 114 f. Auf eine Ähnlichkeit zwischen Spielzeug-Analogie und Sprach- bzw. Erzählspiel und damit auf Ludwig Wittgenstein sei hier bloß verwiesen.

38   Vgl. dazu Höller, *Kritik* (Anm. 2), S. 49 ff.

39   Vgl. dazu Wendelin Schmidt-Dengler: *„Der Tod als Naturwissenschaft neben dem Leben, Leben".* In: Über Thomas Bernhard. Hrsg. von Anneliese Botond. Frankfurt/M.: Suhrkamp 1970, S. 40 f.; ferner auch die leseökonomische, aspektreiche Darstellung in: *Deutsche Literatur der Gegenwart in Einzeldarstellungen.* Bd II. Hrsg. von Dietrich Weber. Stuttgart: Kröner 1977, S. 56–76.

40   Bernhard, *Korrektur*, S. 233 und 231.

41   Ebda, S. 358.

42 Ebda, S. 332.
43 Vgl. Walter Weiss: *Salzburger Mythos? Hofmannsthals und Reinhardts Welttheater.* In: Zeitgeschichte 2 (1974/75), S. 115.
44 Stifter, *Studien*, Bd. 1, S. 78.
45 Ebda, S. 100.
46 Adalbert Stifter: *Der Nachsommer.* Eine Erzählung. Hrsg. von Max Stefl. Augsburg: Kraft 1954. 2. Buch, 2. Kap.: Die Annäherung, S. 387.
47 Bernhard, *Der Atem*, S. 156. An der Fortsetzung wird es kenntlich: „Es ist immer und zu allen Zeiten vom Militärischen und von der militärischen Brutalität angezogen gewesen ..." Nun ist es unverkennbar ein Satz von Thomas Bernhard.
48 Thomas Bernhard: *Rede* (1968). In: *Über Thomas Bernhard*, S. 8.
49 Brief an Hilde Spiel. In: Ver Sacrum 1971, S. 47. Bernhard hat Stifter zusammen mit Wittgenstein und Kant in einem Satz genannt – und in denselben Zusammenhang von Größe gestellt.
50 Vgl. Lisa Witasek, *Stilbezüge* (Anm. 2).
51 Bernhards *Korrektur*, S. 22 und Stifters *Der Hochwald*, Schlußpassage.
52 Bernhard, *Korrektur*, S. 56.
53 Der Zusammenhang zwischen naturwissenschaftlicher Wahrnehmungsform und Erzählperspektive ist behandelt worden von Martin Selge: *Adalbert Stifter. Poesie aus dem Geist der Naturwissenschaft.* Stuttgart: Kohlhammer 1976.
54 Magris, *Geometrie*, S. 285.
55 Franz Grillparzer: *Der arme Spielmann.* In: F. G.: *Sämtliche Werke*, Bd 3. Hrsg. von Karl Pörnbacher. München: Hanser 1964, S. 162 f.
56 Ebda, S. 149.
57 Adalbert Stifter: *Turmalin.* In: A. St.: *Bunte Steine.* München: Goldmann o. J., S. 107.
58 Allgemein über Th. B. und die Musik vgl. bei Victoria J. Moessner: *Thomas Bernhard and Music.* MS des Referats auf der MLA-Tagung New York 1978.
59 Thomas Bernhard: *Die Ursache. Eine Andeutung.* Salzburg: Residenz 1975, S. 53 und 56.
60 Bernhard, *Der Keller*, S. 64.
61 Thomas Bernhard: *Verstörung.* Roman. Frankfurt/M.: Insel 1967, S. 84–92, die folgenden drei Zitate auf S. 88–91.
62 Brief an Verf., 20. 1. 1979.
63 Vgl. Franz Baumer: *Adalbert Stifter, der Zeichner und Maler. Ein Bilderbuch.* Passau: Passavia 1979, S. 7–16 und die auf S. 139 angegebene Literatur.
64 Z. B. Wolfgang Maier: *Die Abstraktion vor ihrem Hintergrund gesehen.* In: *Über Thomas Bernhard*, S. 7–23.
65 Vgl. u. a. Knapp/Tasche, *Die permanente Dissimulation* (Anm. 33).
66 Die Musikalität macht einen guten Teil der Faszination von Bernhard-Lek-

türe aus. In welcher anderen Präsentation würden wir z. B. so kapitel- und absatzlose Bücher wie *Das Kalkwerk* mit seiner Häufung von Krankheit, Todverfallenheit und Grausamkeit aufnehmen wollen? Es ist nicht unproblematisch, wenn (vgl. H. Höller, *Kritik*, Anm. 2, S. 31 f.) ein Eigentliches (Verdinglichung und Entfremdung) von einem Vermittlungsmodus (Musikalität, die den Leser „angenehm lähme" und seine Wahrnehmung einlulle) abgesetzt wird. Zur besonderen Rolle der musikalischen Sprachform vgl. Manfred Jurgensen: *Die Sprachpartituren des Thomas Bernhard*. In: *Bernhard. Annäherungen*. Hrsg. von M. J. Bern und München: Francke 1981, S. 99–122.

67 Maier, *Die Abstraktion*, S. 19.

ERNST GROHOTOLSKY

Die Macht der Gewohnheit
oder:
die Komödie der Dialektik der Aufklärung[1]

> „Gesellschaftlich entscheidet an den Kunst-
> werken, was an Inhalt aus ihren Formstruk-
> turen spricht. Die ungelösten Antagonismen
> der Realität kehren wieder in den Kunstwer-
> ken als die immanenten Probleme ihrer
> Form." (T. W. Adorno: *Ästhetische Theo-
> rie*)

Auf den ersten Blick erscheint Thomas Bernhards Komödie als absurde
Parabel. Die Nichtigkeit des Dargestellten im Verhältnis zum Aufwand
der Darstellung legt diesen Eindruck nahe. Fünf Artisten – der Zirkusdirektor Caribaldi, seine Enkelin, der Jongleur, der Dompteur und der
Spaßmacher – proben seit Jahren das Forellenquintett. Der Direktor,
getrieben vom Wahn einer perfekten Interpretation des Quintetts,
zwingt die übrigen Mitglieder der Truppe brutal zu den täglichen Proben; und diese, da sie den Sinn des quälenden Unternehmens längst nicht
mehr einsehen, verhindern die Proben durch Sabotage. Definiert man
Handlung als triadisches Schema von Ausgangssituation – Verände-
rungsversuch – veränderte Situation[2], dann hat sich am Ende des Dramas nichts verändert. Die dramatis personae stehen schließlich in der
gleichen Situation da wie zu Beginn; einzig Zeit ist vergangen. Und das
Ende des Stücks wiederholt die Situation des Dramenanfangs:

> „Morgen Augsburg
> *Er dreht das Radio neben sich auf. Aus dem Radio das Forellenquintett.*
> *Fünf Takte*"[3]

Die Kritik ist häufig geneigt, von zyklischer Struktur des Dramas zu
sprechen; es folgen wohlbekannte Schlagworte von der Aussichtslosig-
keit der menschlichen Existenz, der Sinnentleertheit der Welt – eben
Absurdität. Und die liebgewordene Gewohnheit, die Thesen der Haupt-
figuren herauszupräparieren, nach Parallelen in anderen Werken des Autors zu suchen, all das dann dessen Individualpsychologie zuzuschreiben,

mündet ins stereotype Verdikt: Bernhardsche Monomanie – oder: je nachdem – nihilistische, reaktionäre Perspektivelosigkeit. Auf der Strecke bleibt dabei das Werk selbst. Was man zumeist noch goutiert, ist die Komik, die ihre Wirkung aus der verzweifelten Anstrengung der nichtigen Orchesterprobe zieht, die da so tierisch ernst betrieben wird.

Diesen gängigen Usancen der Literaturkritik soll hier Adornos emphatisches Diktum entgegengehalten werden: „Kunst existiert nur innerhalb einer bereits entwickelten Kunstsprache, nicht auf der tabula rasa des Subjekts und seiner angeblichen Erlebnisse."[4] Einer solchen Betrachtungsweise erscheint der formale Aspekt des Kunstwerks dann nicht als subjektiver Willkürakt seines Autors, sondern die Objektivation des Einzelwerks wird als Reaktion auf die objektiven Forderungen und Implikationen der historischen Formalien der Gattung begriffen. Formaler Wandel erklärt sich in dieser Sicht als das Problem, die ästhetischen Materialien in Einklang zu bringen mit dem Stand der Erfahrung der außerästhetischen Realität, mit den spezifischen Inhalten der Gegenwart, denen sich das Kunstwerk nicht verschließen kann, will es seine Chance auf substantielle Authentizität wahren und nicht zur laudatio temporis acti verkommen. Um Verbindlichkeit zu erlangen, muß das Kunstwerk gleichsam historisches Bewußtsein dokumentieren, indem es die Rolle und die Möglichkeiten der Kunst innerhalb des gegenwärtigen Bewußtseins- und Erfahrungsstandes in seine immanente Konstitutionsproblematik (in die Vermittlung von Form und Inhalt) verflüssigt und dergestalt reflektiert. Operiert aber ein ästhetisches Urteil mit den Kategorien Perspektivelosigkeit, Sinnentleertheit und Absurdität, dann bedarf es allererst einer Beleuchtung der Sinnkategorie selbst; ihrer Entstehung, ihres Umfelds, ihres Stellenwerts und ihrer ideologischen Implikationen innerhalb der tradierten, historischen Ästhetiken und Dramaturgien. Hier sei nur eine flüchtige Skizze erlaubt, die an wesentlichen Knotenpunkten der deutschen Dramaturgie die angesprochenen Probleme schlaglichtartig erhellen kann.

Die Forderung nach Darstellung freier, selbstbestimmter, zweckgerichtet handelnder Charaktere ist ein Topos der bürgerlich aufklärerischen, idealistischen Ästhetik und Dramaturgie seit ihren Anfängen. Bei Lessing verknüpft sich dieses Postulat explizit mit der Konzeption des „organischen", geschlossenen Kunstwerks, die sich deutlich als Nachhall der Leibnizschen Theodizee zu erkennen gibt. Die formale Bestimmung der in sich selbst stimmig motivierten, harmonischen Totalität weist das Kunstwerk als Nachbild der Harmonie der göttlichen Schöpfung aus. Das Drama wird auf rationale Handlungsmotivation und stringente Kausalitäts- und Finalitätsstrukturen verpflichtet; Irrationalität und Kontingenz werden verbannt. Der ästhetische soll den metaphysischen Sinnzusammenhang nachbilden und somit verbürgen. Der „ästhetische Schein" bestimmt sich gleichsam als „Vorschein" metaphysischer Harmonie. Die Konzeption weist auf die in Hegels Ästhetik programmierte Versöhnung von Subjekt und Objekt im Absoluten voraus. Nach dem endgültigen Sturz des metaphysischen ordo läßt sich jedoch die Einheit des ästhetischen Sinnzusammenhangs durch keine Berufungsinstanz mehr legitimieren. Der noch von Lukács unternommene Versuch einer Realismuskonzeption unter Rückgriff auf Hegel ist mit den gesellschaftlichen Erfahrungen der Gegenwart nicht mehr zu vereinbaren, wie schon Brecht richtig erkannt hat.[5] In der modernen, „verwalteten Welt" ist das Drama als substantielle Handlung sich frei entscheidender Subjekte ebensowenig möglich wie das psychologische Theater, dem der mechanisierte Produktionsprozeß und die Techniken der Kulturindustrie die Charaktere – und damit den Gegenstand entziehen. Durch eine solche Historisierung der ästhetischen Formproblematik und die Preisgabe gesicherter, normativer Oberbegriffe wird die ästhetische Urteilsbildung zwingend auf die Kasuistik zurückverwiesen; auf die Analyse der Produktionslogik der Werke, der Vermittlung von Form und Inhalt im Hinblick auf die gesellschaftliche Subjekt/Objekt-Relation ihres historischen Kontexts.

Der Punkt, an dem eine Analyse der Produktionslogik in Thomas Bernhards Komödie ansetzen kann, ist die auffallende Diskrepanz zwischen der Statik des Geschehens und der durchaus konfliktreichen, dynamischen Textstruktur. Gemeint ist mit anderen Worten die Frage, warum eine so offensichtlich konfliktgeladene Situation, die potentiell alle Bedingungen für eine Handlung in sich trägt, in total statischem Geschehen, in der Handlungslosigkeit endet. Und erst wenn man dieser Frage nachgeht, ergibt sich die spezifische Differenz: die Originalität Bernhards gegenüber anderen „absurden" oder „existentialistischen" Stücken. Dabei läßt sich die Analyse von Adornos Postulat leiten: „Alles hängt daran, ob der Negation des Sinns im Kunstwerk Sinn innewohnt oder ob sie der Gegebenheit sich anpaßt; ob die Krise des Sinns im Gebilde reflektiert ist, oder ob sie unmittelbar und darum subjektfremd bleibt."[6] Anders ausgedrückt: wir fassen das Werk mit Adorno als bestimmte Negation, begeben uns auf die Ebene des Prozesses, den es darstellt; dann erschließt es sich als konsequent durchkonstruiert; und einer solchen Analyse der Produktionslogik des Werks lösen sich dann einige Widersprüche.

Bestimmte Negation meint hier ganz konkret, daß die geschlossene Form des idealisierend tektonischen Dramas mit ihren eigenen Mitteln negiert und destruiert wird, mit anderen Worten: Parodie im ursprünglichen Verstand des Wortes. Es fällt sofort ins Auge, daß Bernhard in seiner „Komödie" formal der klassizistischen Tradition verpflichtet bleibt. Er behält diese Form in ihrer strengsten Ausprägung bei, wie sie über die Interpretation der Aristotelischen Poetik durch Castelvetro in das europäische Drama eingewandert ist und von dort in die deutschen Regelpoetiken und klassizistischen Ästhetiken transformiert wurde. Zu den ideologischen Implikationen dieses Dramentyps vermerkt Peter Szondi: „Der Mensch ging ins Drama gleichsam nur als Mitmensch ein. Die Sphäre des ‚Zwischen' schien ihm die wesentliche seines Daseins: Freiheit und Bindung, Wille und Entscheidung die wichtigsten seiner Bestimmungen."[7] Wenn Thomas Bernhard in seinem Stück nun diese Form parodistisch ad absurdum führt, dann ist darin zugleich dieser von ihr unablösbare Gedanke bürgerlicher Autonomie, die Idee der Souveränität des Subjekts involviert.

Die Macht der Gewohnheit ist ein Regeldrama strengsten Sinns. Die Handlung verläuft einsträngig, als ein ideales, zeitsynchrones, lückenloses Nacheinander. Die Aktgrenzen sind theoretisch überflüssig. Bernhard bezeichnet die drei Abschnitte konsequenterweise als Szenen, denn auch die Einheit des Orts bleibt streng gewahrt; wenngleich der zumeist öffentliche Schauplatz der idealistischen Dramenkonzeption zum Wohnwagen des Zirkusdirektors schrumpft und der Jongleur klagt:

„Es ist windig hier
und staubig" (10).

Auch die Ständeklausel ist auf ihre Art parodistisch beibehalten, und die Anzahl der als statische Typen angelegten Figuren wird nach den Grundsätzen der Handlungsökonomie gering gehalten. Selbst der Handlungsablauf gibt sich als durchaus klassizistisch zu erkennen: Die erste Szene bringt die Protagonisten ins Spiel, den Zirkusdirektor Caribaldi, seine dümmliche Enkelin und den opportunistischen Jongleur als dessen Konfidenten, wodurch die Monologe der Figuren den Anschein von Dialogen bekommen. Den Anfang der zweiten Szene bestreiten (wieder nach dem klassischen Prinzip des völligen Personenwechsels im neuen Akt) die Intriganten: der Dompteur und der Spaßmacher. Der Auftritt spiegelt das Herr-Knecht-Verhältnis zwischen Caribaldi und dem Jongleur wider. Wie der Jongleur ständig Caribaldis Kolophonium apportiert, so wird der Spaßmacher vom Dompteur mit Wurst und Rettichstücken gefüttert, die er ihm zuwirft wie seinen Raubtieren. Daran schließt dann die Konfrontation mit Caribaldi, die in dessen Monolog übergeht, den man als Höhepunkt bezeichnen kann. Die fallende Handlung bringt die dritte Szene; als retardierendes Moment wirkt die Slapstickeinlage „Über die Haube" des Spaßmachers. Die Intrige ist hier aufgespalten, ist an den Clown delegiert, um mit dem Auftreten des Dompteurs der Katastrophe mehr Relief zu leihen. Die Tragödie endet allerdings in einer Scheinkatastrophe, die deren Finalität aufbricht. Zur Entladung des Sinns oder zur Wiederherstellung der objektiven Gerechtigkeit der sittlichen Weltordnung im Sinne idealistischer Ästhetik kommt es hier nicht. Der Schluß bleibt offen; und das „Morgen Augsburg" (145) gibt die Gewißheit, daß die Farce nicht beendet ist.

Von hier aus fällt der Blick auf die zweite Ebene des Stücks, denn es hat durchgehend eine dialektische Struktur – es ist das „offene" Drama, das den Fragmentcharakter des Werks betont. Der Zweck der Parodie bestimmt sich aus dieser Perspektive als der gleiche, den Adorno in Becketts *Endspiel* feststellt: „Emphatisch heißt Parodie die Verwendung von Formen im Zeitalter ihrer Unmöglichkeit. Sie demonstriert diese Unmöglichkeit und verändert dadurch die Formen. Die drei Aristotelischen Einheiten werden gewahrt, aber dem Drama selbst geht es ans Leben."[8] Der eigentliche Inhalt des Stücks bestimmt sich unter diesem Aspekt als die Begründung dieser Unmöglichkeit und als Analyse ihrer Ursache.

Gemeint ist mit „offenem" Drama die Ebene des Spiels im Spiel; ein altes Lieblingsthema Bernhards, das mit der „Guten" einsetzt, die ihr *Fest für Boris* inszeniert, und über die Königin der Nacht in *Der Ignorant und der Wahnsinnige* bis zum Weihnachtsspiel der *Jagdgesellschaft* reicht (die Reihe ist erweiterbar). In der *Macht der Gewohnheit* ist die Technik der Selbstinszenierung der dramatis personae und des beabsichtigten Spiels im Spiel zur Perfektion gediehen. In diesen Kunstgriff des intendierten Spiels sind alle Figuren von Beginn an einbezogen; sie sind Artisten und Künstler. Die Zirkusvorstellung, die bis zum Ende der zweiten Szene parallel zum Bühnengeschehen läuft, bildet die Ebene des off stage der Handlung, sie motiviert Auf- und Abtritte der Personen und spendet dem Spiel damit seine Absolutheit (der gegenüber der Zirkus die „reale Welt" ist).

Aus dieser Parallelführung erklärt sich erst die (eingangs schon angedeutete) beabsichtigt komische Wirkung des Widerspruchs von statischem Geschehen und dynamischer Textstruktur, von Sein und Schein; von der miserablen Existenz der Karikaturen und ihren Dialogen, die wie jene der transpsychologisch konzipierten Charaktere klassizistischer Tragödien auch in emotionalen Ausbrüchen (Haß) höchste Luzidität der Selbstreflexion sowie exaktes Beurteilungsvermögen in der Charakterisierung ihrer Gegenspieler bewahren. Die Parallelstruktur des Dramas wird gleich zu Beginn deutlich:

> JONGLEUR *tritt ein*
> Was machen Sie denn da
> Das Quintett liegt auf dem Boden
> Herr Caribaldi
> Morgen Augsburg
> nicht wahr
> CARIBALDI
> Morgen Augsburg
> JONGLEUR
> Das schöne Quintett
> *hebt das Quintett auf*
> Ich habe übrigens
> den französischen Brief bekommen (9)

Folgen wir der Definition von Peter Pütz: „Sobald von einer Absicht gesprochen wird, hat die Handlung des Dramas begonnen"[9], dann zeigt sich, daß die Aufmerksamkeit der Rezipienten, obgleich die Bühnendekoration für die Orchesterprobe aufgebaut ist und das Quintett kurz erwähnt wird, sogleich auf die „Zirkusebene" gelenkt wird. Das „Morgen Augsburg", das am Anfang massiert Erwähnung findet und das ganze Stück über leitmotivisch wiederkehrt, stiftet eine Finalspannung, die aber noch ungeklärt läßt, auf welche Ebene sie sich bezieht, während der Brief eine Detailspannung konstituiert, welche die Aufmerksamkeit auf die Zirkusebene lenkt.

Unter diesem Aspekt sind die ersten beiden Szenen als dominant futurisch in den Dialog integrierte Exposition der Parabel zu verstehen, die teils aktualisierte Vorgeschichte ist, teils Vorgeschichte als Zustand schildert. Und in der dritten Szene, wo die Zirkushandlung einmündet ins Spiel im Spiel (wo die eigentliche Handlung erst beginnt), fallen Intrige, Höhepunkt und Katastrophe zusammen. Von hier aus ist das ganze „offene" Drama bestimmbar als mißlungene Verhinderung der Verhinderung der Orchesterprobe.

Wie virtuos Bernhard die antithetischen Ebenen verschwimmen läßt, sei an einem Beispiel demonstriert, dem eigentlichen Einsatz der Exposition als motivierendem Rückgriff (17–23):

Jongleur
    Den ganzen Tag denke ich
    wie lange probieren Sie das Quintett
    fünfzehn
    oder gar zwanzig Jahre
    so weit ich zurückdenken kann
    von dem ersten Tag an
    in welchem ich mit Ihnen zusammen bin
    erinnere ich mich
    sitzen Sie hier auf dem Sessel
    und probieren das Forellenquintett
Caribaldi
    Das Forellenquintett
    übe ich
    zwanzig Jahre
    genaugenommen
    das zweiundzwanzigste Jahr
    Eine Therapie
    müssen Sie wissen
    Spielen Sie ein Instrument
    ein Saiteninstrument
    hat mein Arzt gesagt
    damit Ihre Konzentration nicht nachläßt
Jongleur
    Denn vor nichts hatten Sie mehr Angst
    als vor dem Nachlassen Ihrer Konzentration
Caribaldi
    Die Konzentration
    darf nicht nachlassen
    Damals
    vor zweiundzwanzig Jahren
    hatte meine Konzentration
    plötzlich nachgelassen
    Auf den Peitschenknall
    keine Präzision
    verstehen Sie
    keine Präzision
    auf den Peitschenknall
Jongleur
    Die Pferde reagierten nicht mehr (17 f.)
    [...]
Jongleur
    Ich bin neugierig ob heute
    die Probe zustande kommt

> Ihre Enkelin
> ist kränkelnd
> der Spaßmacher
> hat etwas im Hals
> und der Dompteur
> ist auch heute wieder ein Opfer
> seiner Melancholie
> Dies ist ein Begriff
> Herr Caribaldi
> ein medizinischer Begriff
> CARIBALDI
> Die letzte Probe
> ist ein Skandal gewesen
> Das möchte ich nicht mehr
> erleben
> [...]
> Wenn es nur einmal
> nur ein einziges Mal gelänge
> das Forellenquintett
> zu Ende zu bringen
> ein einziges Mal eine perfekte Musik (20 f.)

In der Vorausdeutung verschränken sich Vergangenheit und Zukunft. Die Informationsvergabe, die dynamische Spannung stiften soll, schlägt durch den Verweis auf das bisherige Mißlingen und den Zustand der Spieler wieder zurück in Statik. Es bleibt alles im dimensionslosen Schwebezustand. Zugleich ist in diese Schlüsselstelle für das ganze Stück dessen Motivation eingewoben: der Bezug auf die reale, äußere Geschichte. Das ist die dritte Ebene, die die Synthese zu den beiden antithetischen bildet. Damit gibt das Stück gleichzeitig auch die Begründung preis, warum es sich ein befriedigendes Ende versagt.

Das Stück wurde 1974 veröffentlicht, und Caribaldi übt nun „zwanzig Jahre/ genaugenommen/ das zweiundzwanzigste Jahr" (17). Dies ist offenbar als Appell zur Retrospektive auf den Zeitraum der deutschen Reintegration (Stichworte: Deutschlandvertrag, Brüsseler und Pariser Konferenz) 1952–1954 gedacht. Damals, nach offiziellem Kriegsende also, bedurfte die schwindende Präzision und Konzentration der Therapie. Seither ist der Konflikt erfolgreich internalisiert. Caribaldis verzweifeltes Eingeständnis:

> „Wir wollen das Leben nicht
> aber es muß gelebt werden
> *zupft am Cello*

Wir hassen das Forellenquintett
aber es muß gespielt werden" (43),

darf man wohl auch assoziieren mit Sätzen wie: Deutsch sein heißt, eine
Sache um ihrer selbst willen tun; und auch: Produktion um der Produktion willen. Und man geht wohl nicht zu weit, interpretiert man die Stelle
als Ausdruck endgültig gescheiterter nationaler und sozialer Hoffnungen. Die Tragikomödie gibt sich deutlich als eine deutsche zu erkennen.
Der Dompteur stopft pausenlos Rettich und Bier in sich hinein, der Zirkus steht auf der Theresienwiese in München, und morgen wird er „in
diesem muffigen verabscheuungswürdigen Nest/ In dieser Lechkloake"
(118) Augsburg sein. Seit Jahren schon tingelt er kreuz und quer durch
Deutschland, von Stadt zu Stadt.

Der Raum hat hier zugleich determinierende und reflektierende Funk-
tion. Dem realen Ort steht die ersehnte Welt der Romania gegenüber.
Der Jongleur will nach Frankreich ausbrechen, er schwärmt von Paris,
Bordeaux, auch Portugal.

„Die deutsche Sprache
verdummt mit der Zeit
die deutsche Sprache
drückt auf den Kopf" (24)

Und ebenso ist bei Caribaldi Pablo Casals, Ferrara, der Raum südlich der
Alpen (39) permanent präsent. Zur Harmonie der Kunst, die er erstrebt,
stehen allerdings seine Mittel in krassem Mißverhältnis. Die moralische
Zwangsanstalt, zu der sie bei ihm verkommt, korrespondiert eher mit
seinem Traum vom idealen Archangelsk (37), wo es ebenso kalt ist wie in
Augsburg.[10] Die gesellschaftliche Disharmonie ist der Grund dafür, daß
die Kunstharmonie nicht zustande kommt; damit kommt zugleich auch
das Drama zu keinem befriedigenden Abschluß, verweigert sich auch das
Kunstwerk der Harmonie und bleibt offen. Von hier aus gibt sich das
„offene" Drama der Orchesterprobe (das Spiel im Spiel) als Analyse der
Folgen von Zwang und Unterdrückung zu erkennen. Der Jongleur charakterisiert Caribaldi sehr treffend:

„Ihre Hand
ist an die Peitsche gewöhnt
nicht an das Kolophonium
Herr Caribaldi" (17).

Einer Verwirklichung der Sehnsucht nach zwangloser Harmonie steht
die real erfahrene und ausgeübte Gewalt im Wege. Die Subjekte haben
die Repression verinnerlicht und regredieren. Die wiederholt einge-

paukte „Konzentration und Präzision" macht die Individuen zu Maschinen, zu verdinglichten, isolierten Marionetten. Den gesellschaftlichen Prozeß, dessen Resultate das Drama auf die Bühne stellt, haben Horkheimer und Adorno bereits in der *Dialektik der Aufklärung* eindringlich analysiert:

„In der Beschränkung des Denkens auf Organisation und Verwaltung, von den Oberen seit dem schlauen Odysseus bis zu den naiven Generaldirektoren eingeübt, ist die Beschränktheit mitgesetzt, welche die Großen befällt, sobald es nicht bloß um die Manipulation der Kleinen geht. Der Geist wird in der Tat zum Apparat der Herrschaft und der Selbstbeherrschung [. . .] Von der Unreife der Beherrschten lebt die Überreife der Gesellschaft. Je komplizierter und feiner die gesellschaftliche, ökonomische und wissenschaftliche Apparatur, auf deren Bedienung das Produktionssystem den Leib längst abgestimmt hat, um so verarmter die Erlebnisse, deren er fähig ist."[11]

Der internalisierte Dualismus, der Riß, der als Konflikt die Figuren in ihrer Isolation antithetisch durchzieht, wird in der Sprache plastisch. Die Gespräche sind über weite Strecken dialogisierte Monologe, die lediglich die Pathologie des Selbstgesprächs kaschieren. Die Figuren nehmen die reale Umwelt immer nur zum Anlaß, um sich von ihr und ihrer vermeintlichen Niedertracht abzustoßen. Aber ohne die Realität zu verändern, läßt sich auch in der idealen Sphäre keine Harmonie erreichen. Die Enkelin und der Spaßmacher sind ohnehin über weite Strecken nur mehr als pantomimisch agierende, lebende Requisiten eingesetzt. Und der Jongleur dient zumeist auch nur als opportunistischer Stichwortlieferant, der umgekehrt die Worte Caribaldis wieder wie Bälle auffängt, dreht und wendet:

> „Ein Künstler
> der eine Kunst ausübt
> braucht eine andere zweite Kunst
> die eine Kunst
> aus der andern
> die einen Kunststücke
> aus den andern" (19).

Sein Hang zur Symmetrie, die Manie, pausenlos die Bilder zurechtzurükken, die Ordnungsliebe (Szene mit Taschentuch/Schuhfetzchen – 93 f.) sind die Parodie auf die Kleinbürgertugend der Mitte, das Zerrbild von Harmonie.

Absurd konterkariert die assoziative Sprache – das obsessive Kreisen der Gedanken, die Worte und Satzfragmente – den Willen Caribaldis zur Konzentration, Ordnung und Präzision. Sein Verhalten, von ihm selbst

motiviert aus der materiellen Not und dem Elend der Kindheit (89, 91),
hat sich fetischisiert, ist umgeschlagen in Menschenverachtung:

> JONGLEUR
> Durch diese Tür
> kommen Ihre Opfer herein
> Herr Caribaldi
> Ihre Instrumente
> Herr Caribaldi
> Nicht Menschen
> Instrumente (29).

Umgekehrt werden die Dinge zu Fetischen, gewinnen ein die Menschen
dominierendes Eigenleben; der Kult um die beiden Celli, die Slapstick-
Situationen mit dem Kolophonium und der Haube des Spaßmachers sind
die Parodie darauf.

Ebenso aber hat der Zwang zu Präzision und Perfektion die von Caribaldi materiell abhängigen Artisten abgestumpft, in die wortlose Regression getrieben. Die Intrige des Spaßmachers bleibt stumm wie auch
die Attacke des betrunkenen Dompteurs. Bei Caribaldi, dem patheti-
schen Lobredner von Menschenwürde, kommt es nicht mehr zum Konflikt zwischen passion und devoir, wie er als Ausdruck der Selbstbestimmung des mündigen Subjekts konstitutiv für die Helden der klassizistischen Tragödie ist. An dessen Stelle tritt wieder das Schicksal, blinder
Zufall:

> „In diese Hunderttausende von Richtungen
> in die ich hätte gehen können
> in eine einzige bin ich gegangen
> Aber ich bin kein Beispiel
> tatsächlich bin ich
> gescheitert" (98 f.).

Noch die Einsicht in das eigene Scheitern hält, gleichsam aus Trotz, an
der obsessiven, seelenlosen Pflichterfüllung fest. Mit Schmierenpathos
versucht er, die Erkenntnis zu verdrängen:

> *„zum Spaßmacher*
> Die Baßgeige
> ist dein Unglück
> verstehst du
> immer wieder
> Die Baßgeige
> ist dein Unglück" (100).

Die blinde Kontingenz wird zum mythischen Schicksal hochstilisiert, um

als tragisch affirmiert werden zu können. Damit decouvriert die bürgerliche Ideologie vom autonomen Intellekt sich selbst als Mythos. Was
Walter Benjamin als Unterschied zwischen barockem Trauerspiel
(Schicksalsdrama) und antiker Tragödie hervorhebt, das gilt uneinge-
schränkt für *Die Macht der Gewohnheit*:

> „Daher kennt das Trauerspiel keinen Helden, sondern nur Konstellatio-
> nen. Die Mehrheit der Hauptpersonen, wie sie in so vielen barocken Dra-
> men [. . .] begegnet, ist untragisch, dem traurigen Schauspiele aber ange-
> messen.
> Ausgeteilt ist das Verhängnis nicht allein unter die Personen, es waltet
> gleichermaßen in den Dingen."[12]

War aber die barocke Form wesentlich Ausdruck eines noch nicht zum
Autonomiestreben erwachten Subjekts, dann tauchen die barocken Sti-
lisationsprinzipien in Bernhards Parodie, die die bürgerliche Ideologie
von Mündigkeit und Autonomie als Schein entlarvt, mit veränderter
Tendenz wieder auf: als Denunziation der mythischen Irrationalität der
bisherigen Geschichte, einer perennierenden „Vorgeschichte", welche
den Anspruch auf die reale Einlösung der Ideologie negativ festhält.

Der Herr hat die Erfahrung der (trotz seiner Herrschaft) unbefriedi-
genden Realität internalisiert und sublimiert zum Dienst am Fetisch, zur
sehnsüchtig erstrebten Kunstharmonie, die aber auf dem Substrat von
Herrschaft nicht gedeihen kann, während auf der Seite des Knechts die
verinnerlichte Repression sich als Gewalt gegen die Dinge (der „Kunstzertrümmerer" demoliert das Klavier) ihren Weg nach außen bahnt und
auf dieser Ebene notwendigerweise folgenlos verpufft. Hier ließe sich
eine Verbindung zur Gattung des „Revolutionsdramas" herstellen, weil
die Struktur des Stücks alle Elemente aufweist, die nach Reinhold
Grimm für diese Gattung konstitutiv sind. „Die Struktur des Spiels im
Spiel und die Dialektik von Spiel und Wirklichkeit gehören wesenhaft
zum Revolutionsdrama."[13] *Die Macht der Gewohnheit* wäre dann als
Revolutionsdrama zu verstehen, das auf dem Stand gegenwärtiger historischer Erfahrung auf seine eigene Verhinderung reflektiert. Triebunter-
drückung, Isolation, Verdinglichung und Verlust der historischen Kontinuität verhindern die Konstitution eines selbstbewußten, (revolutionär)
handelnden Subjekts. Denn was hier waltet, ist nicht mehr einfach Hegels alte Herr-Knecht-Dialektik, sondern die Situation ist ausgeweitet
zur Dialektik der Aufklärung, in der Verdinglichung und Erfahrungs-
schwund (die Regression des Subjekts) umfassend sind.

Durch den Zusammenfall der beiden Spielebenen am Ende – als Pseu-
dokatastrophe und gescheiterter Handlungsbeginn – bleibt die Struktur

des Dramas konsequent offen. Das Werk konstruiert seinen Fragment-charakter, indem es zwar die dynamischen Kategorien festhält, jedoch durch die Technik der Vorausdeutung und Zurücknahme jede stringente Finalität unterläuft. War am Anfang die Bedeutung der durch die Formel „Morgen Augsburg" eingeführten Finalspannung unbestimmt und ge-wann sie im Verlauf des Geschehens die Ambivalenz von Abscheu und gleichzeitiger Hoffnung, so ist „Augsburg" am Ende des Stücks lesbar als Chiffre der Angst vor der Realität.

Das Stück selbst verweigert sich der Kunstharmonie (Brecht darin gar nicht so unähnlich). Das Überbauphänomen Kunst kann keine Lösungen anbieten, vermag höchstens Bewußtseinsprozesse in Gang zu setzen, in-dem es in seiner eigenen Konstitution den Riß von Allgemeinem und Besonderem betont. Das Werk will den Antagonismus nicht glätten, in-dem es sich zur harmonischen, sinnvollen Totalität rundet; damit würde es ihn nur überspielen. Die Synthesis ist an die Realität delegiert. Sie liegt in der minimalen Hoffnung, die davon abhängt, ob der sprachlose Trotz bloße Regression oder tragisches Schweigen ist. Benjamin bestimmte das Schweigen des tragischen Heros in der antiken Tragödie als dialekti-schen Prozeß: „Dieser Trotz bildet vielmehr in der Erfahrung der Sprachlosigkeit ebenso sich heran, wie sie an ihm sich bestärkt."[14] Das „offene" Drama bleibt bewußt „Exposition". Weil die „Komödie" dort abbricht, wo die „Vorgeschichte" in Geschichte, die Heteronomie in Autonomie umschlagen könnte, ist sie die Darstellung des Mythos – Analysis; die Anagnorisis bleibt draußen. Prinzipiell ist der Schein durch-brechbar. So lassen sich schon die beiden Sentenzen lesen, die als Motto dem Stück voranstehen:

> Ich selbst habe als junger Mensch zwischen der
> Sorbonne und der Komödie geschwankt.
> DIDEROT
> ... aber das Geschlecht des Propheten ist
> erloschen ...
> ARTAUD (7)

Bernhard selbst formuliert es schon 1968 in einer Preisverleihungsrede so:

> „Es ist alles eine zuhöchst philosophische und unerträgliche Vorge-schichte. [...] Wir haben nichts zu berichten, als daß wir erbärmlich sind, durch Einbildungskraft einer philosophisch-ökonomisch-mechanischen Monotonie verfallen."[15]

Die Komik, die im *freiwillig* auferlegten Zwang, in der *selbstverschulde-*

ten Unmündigkeit gründet, unterscheidet die Absurdität Bernhards auch von existentialistischen „Ent-würfen".

Bei ihm wird das Drama noch einmal möglich, indem es in bestimmter Negation der tektonischen Form die Isolation und Entfremdung nachbildet, die weder Solidarität auf der einen, noch harmonische Kammermusik auf der anderen Seite zuläßt. Zustande kommt das durch die Konstruktion der beiden parallelen Ebenen, wobei die horizontale Ebene der Handlung (die hier statisch ist) die Parallelebene des Spiels im Spiel zugeordnet erhält und damit eine vertikale Dimension gewinnt. An diesem Gerüst schraubt sich dann der Dialog hoch, indem er sich abhebt von der Gegenwart und zwischen den beiden antithetischen Polen der mißglückten Vergangenheit und der krampfhaft festgehaltenen Illusion oszilliert. Dabei kommt es oft zu Temposteigerungen bis hin zur Stichomythie, woraus dann am Ende auch die Komik der Tragödie resultiert – die hektische Pedanterie im statischen, luftleeren Raum.

Entscheidend aber ist, daß die „Komödie" die Dialektik der Aufklärung nicht bloß stofflich behandelt, sondern sie in die immanente Problematik ihrer Form umsetzt. Der stimmige Sinnzusammenhang des organischen, geschlossenen Kunstwerks wird konsequent von innen her aufgesprengt durch die Konstruktion der Parallelebene, die der Kausalität und Finalität die Kontingenz und den Fragmentcharakter entgegensetzt. Dadurch wird das Stück zur Exposition eines statischen Zustands. Der Schluß, in der idealistischen Dramaturgie als Entladung des Sinns konzipiert, wird zum wiederholten, offenen Geschehen in geschlossener Form. Der ästhetische Sinnzusammenhang, die Form, die der Ausdruck der Autonomie des Subjekts, seiner Freiheit und Selbstbestimmung war, nimmt sich gleichsam selbst zurück in der Darstellung der Regression des Subjekts durch die irrationale Heteronomie.

Schon Hegel hatte die Unmöglichkeit substantiellen Handelns innerhalb der bürgerlichen Ordnung einbekannt. Darum war seine Forderung an das Drama die vertiefte Charakterdarstellung und die Gestaltung der Versöhnung, unter der er die Einsicht in die Notwendigkeit und objektive Gerechtigkeit der metaphysischen Weltordnung verstand. Bei Bernhard drückt der ästhetische Sinnzusammenhang in der Negation und Sprengung des metaphysischen Sinns (der Harmonie und Versöhnung) die Tatsache aus, daß substantielles Handeln auch als Sprengung der bürgerlichen Ordnung zunehmend unmöglich wird, weil deren Irrationalität und Zwang noch die Bildung des identischen, zweckrationalen Charakters verhindert und das (ehemalige) Subjekt in die totale Erfahrungslosigkeit treibt. Ohne Finalität, den statischen Bezug, verkehrt sich die leerlaufende Dynamik ins Schwebende, nicht Fortschreitende. Bernhards Verfahren von Vorausdeutung und Zurücknahme, das im offenen Schluß der Wiederholung alles im Schwebezustand beläßt, bildet darin die gesellschaftliche Tendenz zur Immobilität nach. Die Konstruktion des Fragments vollführt eine Bewegung, die Adorno in der *Ästhetischen Theorie* (im Hinblick auf Beckett) in ihrer Ambivalenz zu fassen trachtet:

„Chiffriert ist in der Moderne das Postulat einer Kunst, welche der Disjunktion von Statik und Dynamik nicht länger sich beugt. [. . .] Dies ästhetische Konstruktionsprinzip wäre als das von Il faut continuer jenseits von Statistik; jenseits von Dynamik als auf der Stelle Treten, Einbekenntnis ihrer Vergeblichkeit. In Konkordanz damit bewegen alle konstruktivistischen Techniken der Kunst auf Statik sich hin. Das Telos der Dynamik des Immergleichen ist einzig noch Unheil [. . .] Einhalt gebietet der Dynamik der Kunstwerke sowohl die Hoffnung auf die Abschaffung von Arbeit wie die Drohung des Kältetodes; beides meldet objektiv in ihr sich an, von sich aus kann sie nicht wählen."[16]

Anmerkungen

1 Der Aufsatz ist die erweiterte Fassung eines Kapitels aus meiner soeben in Graz abgeschlossenen Dissertation: *Ästhetik der Negation – Tendenzen des deutschen Gegenwartsdramas. Versuch über die Aktualität der „Ästhetischen Theorie"* T. W. Adornos.

2 Manfred Pfister: *Das Drama. Theorie und Analyse.* München 1977, S. 269.

3 Thomas Bernhard: *Die Macht der Gewohnheit.* Komödie. Frankfurt/M. 1974, S. 145. In der Folge im Text zitiert mit einfacher Seitenanzahl.

4 Theodor W. Adorno: *Ästhetische Theorie.* Hrsg. v. Gretel Adorno u. Rolf Tiedemann. Frankfurt/M. 1974, S. 524.

5 Vgl. die vielzitierte Passage aus dem *Dreigroschenprozeß*: „Die Lage wird dadurch so kompliziert, daß weniger denn je eine einfache ‚Wiedergabe der Realität' etwas über die Realität aussagt. Eine Photographie der Kruppwerke oder der A.E.G. ergibt beinahe nichts über diese Institute. Die eigentliche Realität ist in die Funktionale gerutscht. Die Verdinglichung der menschlichen Beziehungen, also etwa die Fabrik, gibt die letzteren nicht mehr heraus. Es ist also tatsächlich ‚etwas aufzubauen', etwas ‚Künstliches' ‚Gestelltes'." (Bertolt Brecht: *Schriften zur Literatur und Kunst I. 1920–1932. Aus Notizbüchern. Über alte und neue Kunst. Radiotheorie. Der Dreigroschenprozeß.* Frankfurt/M. 1967, S. 143–234; Zitat S. 171 f.)

6 Adorno: *Ästhetische Theorie,* S. 231.

7 Peter Szondi: *Theorie des modernen Dramas.* 1880–1950. In: P. S.: *Schriften I* [. . .] Frankfurt/M. 1978, S. 11–148; Zitat S. 16.

8 Theodor W. Adorno: *Versuch, das Endspiel zu verstehen.* In: T.W.A.: *Noten zur Literatur II.* Frankfurt/M. 1973, S. 188–236; Zitat S. 214.

9 Peter Pütz: *Die Zeit im Drama. Zur Technik dramatischer Spannung.* Göttingen 1970, S. 42.

10 Das wäre Gampers Interpretation der Orte noch hinzuzufügen. Vgl. Herbert Gamper: *Thomas Bernhard.* Velber 1977, S. 155 u. 158.

11 Max Horkheimer/Theodor W. Adorno: *Dialektik der Aufklärung. Philosophische Fragmente.* Frankfurt/M. 1978, S. 35 f.

12 Walter Benjamin: *Ursprung des deutschen Trauerspiels.* Frankfurt/M. 1972, S. 141.

13 Reinhold Grimm: *Spiel und Wirklichkeit in einigen Revolutionsdramen.* In: R. G.: *Nach dem Naturalismus. Essays zur modernen Dramatik.* Kronberg 1978, S. 141–184; Zitat S. 167.

14 Benjamin: *Trauerspiel*, S. 111.

15 Thomas Bernhard: *Rede.* In: *Über Thomas Bernhard.* Hrsg. v. Anneliese Botond. Frankfurt/M. 1970, S. 7 f.; Zitat S. 7.

16 Adorno: *Ästhetische Theorie*, S. 333.

MADELEINE RIETRA

Zur Poetik von Thomas Bernhards Roman *Korrektur*.

Die seit dem neunzehnten Jahrhundert stets komplizierter gewordene Auffassung von Realität hat im ästhetischen Bereich entsprechende Reaktionen hervorgerufen. Wie jeder aus Erfahrung weiß, stellen die modernen Künste erhebliche Ansprüche an ihre Rezipienten. Sich mit zeitgenössischer Literatur zu befassen, geschweige denn deren Intellektualität zu goutieren, ist gewiß nicht jedermanns Sache. Erst recht nicht, wenn die Lektüre, wie im Fall von Thomas Bernhards Roman *Korrektur,* schon von der literarischen Kritik als eine regelrechte Tortur bezeichnet wird.[1]

Die Schwierigkeiten, die sich für viele Leser bei der Lektüre moderner Erzähltexte ergeben, resultieren ganz allgemein daraus, daß diese ihre im Umgang mit traditionell erzählenden Schriften gewonnenen Rezeptionserfahrungen angesichts solcher Texte nur noch partiell erfolgreich zur Anwendung bringen können. Das hängt im wesentlichen mit folgenden Eigentümlichkeiten dieser Texte zusammen:

a) Eine Diskrepanz zwischen Erzähltem und Erzählen, wobei die sprachlich realisierte Kontinuität die Diskontinuität der Geschichte, die nur noch bruchstückhaft vorhanden ist, oft maskiert.

b) Das Fehlen einer Handlung, mit deren Fortschreiten sich die Welt der Fiktion aufbaut und die Aufschluß über den Standort des Erzählers und Lesers in dieser Welt zu geben vermag.

c) Ein Verzicht auf die Mitteilungsfunktion der Sprache, die nicht mehr etwas erzählt, sondern nur noch sich selbst entfaltet.

Während der traditionelle Erzähler uns eine idealiter kausal stimmige fiktionale Fertigwelt anbietet, nimmt diese Bestimmtheit in modernen Texten dadurch ab, daß darin tendenziell auf Handlungskohärenz verzichtet wird. Der moderne Romancier, so scheint es, schaltet vorzugsweise gerade diejenigen Strukturierungsmittel aus, die traditionsgemäß bei der Textrezeption Steuerungsfunktion leisten und so die Sinnstruktur des Textes sichern. Der hierdurch entstehende Verlust an Determiniertheit hat das Text-Leser-Verhältnis gegenüber früher entscheidend verändert. Durch die Verweigerung moderner Erzählwerke gegenüber Geschichte und Held wird der Leser bekanntlich nicht nur dazu aufgefordert, sich aktiv an der Textproduktion zu beteiligen, sondern zugleich die Prinzipien der Textstrukturierung eher im kompositorischen als im thematischen Bereich zu suchen.

Die vorliegende Untersuchung will die Auseinandersetzung Bernhards mit bestimmten Erwartungsschemata in einer Analyse der in *Korrektur* verwendeten Vertextungsverfahren und deren Wirkung auf den Leseprozeß sichtbar machen. Zu diesem Zweck wird zunächst die Ausschaltung derjenigen Strukturierungsmittel untersucht, die in traditionellen Erzählwerken auf der Ebene der Makrostruktur (Aufbau der Fabel, Verflechtung von Episoden usw.) und auf der Ebene der Mikrostruktur (Satzverknüpfung, Verweisung, Wiederaufnahme usw.) wirksam sind und eine Steuerungsfunktion bei der Rezeption übernehmen. In einem zweiten Schritt wende ich mich dann den Textverfahren zu, die in *Korrektur* die Kommunikativität des Textes sichern.

Mit welchen Erwartungsschemata bei der Lektüre eines Prosawerks gerechnet werden kann, läßt sich am besten anhand der Erzähltheorie verdeutlichen. Diese eignet sich hierzu besonders gut, weil sie in ihrem Versuch, den systematischen Charakter des Erzählens zu beschreiben, von bestehenden Erzählkonventionen ausgeht. In diesem Zusammenhang interessieren besonders der Akzent in der modernen Erzähltheorie auf der Handlung – auf sie führen die strukturale wie auch generative Theorie die makrostrukturelle Kohärenz in einem Erzählwerk zurück – und die Erzählperspektive, deren Bedeutung als Organisationsfaktor des Erzählens erstens in der Zuordnung von Erzähltexten zu den von Stanzel definierten Typen und zweitens in der immer wiederkehrenden Frage: „Wer erzählt den Roman?" zum Ausdruck kommt.

Wenn übereinstimmend von verschiedenen teils miteinander konkurrierenden Richtungen innerhalb der Erzählforschung Kohärenz und Perspektivierung bei der Charakterisierung von Erzählprosa geltend gemacht werden, darf der Leser deren Einhaltung erwarten. Tatsächlich läßt sich bei traditionellen Erzählwerken auf Grund der wichtigsten Handlungszusammenhänge und Zeitangaben prinzipiell eine Geschichte rekonstruieren, und so nimmt es nicht wunder, wenn der Leser auf der Basis dieser Lektüreerfahrung auch gegenüber Texten, die von der Erzähltradition abweichen, zunächst die gleiche Lesehaltung einnimmt wie bei traditionell erzählten Werken.

In vielen Prosawerken der Gegenwart ist eine kohärente Handlungsabfolge jedoch nicht ohne weiteres mehr gegeben. Demzufolge werden in der Lesepraxis solche Werke denn auch oft nicht mehr als Erzählwerke empfunden. Ob man ihnen deswegen die Bezeichnung kohärenter Text oder gar Erzählwerk absprechen soll, ist die Frage. Wie dem auch sei, mit den von der strukturalen wie generativen Theorie entwickelten, von Kohärenz ausgehenden Erzählkonzepten kann man diesen Texten jedenfalls nicht beikommen. Sie entgehen solchen Modellen auf Grund ihrer Inkohärenz.

Gerade die angesprochenen Erzählkonventionen, zu deren wichtigsten die chronologisch rekonstruierbare Geschichte und die Erzählperspektive gehören, können als eine Art Kode zwischen Autor und Leser aufgefaßt werden. Sie manifestieren sich erzähltechnisch auf der Makroebene und im grammatischen Bereich auf der Mikroebene und garantieren so den kommunikativen Charakter des Erzählens. Ganz folgerichtig zwingen Werke, die diese Konventionen systematisch suspendieren, das heißt auf der Makroebene die Geschichte verweigern und auf der Mikroebene die Steuerungsfunktion sprachlicher Elemente annullieren, den Leser sein auf Handlungskonstitution eingestelltes Rezeptionsverhalten aufzugeben. Wer solchen Texten eine Bedeutung abgewinnen will, kann sich nicht mehr auf das traditionsgemäß kodierte Text-Leser-Verhältnis verlassen, er wird andere Textstrukturierungsprinzipien suchen müssen.

Oft handelt es sich hierbei um Werke, deren Autoren mit Hilfe einer Geschichte die geschilderten Erwartungen beim Leser nur noch hervorrufen, um diese ganz systematisch zu durchbrechen, um Autoren, die ihr Schreiben nicht mehr in den Dienst eines Erzählens von Geschichten bzw. einer Illusionsbildung stellen. Ein solcher Autor ist zweifellos der Verfasser des Romans, den zu analysieren wir uns vorgenommen haben. Bestätigt wird dies von Bernhard selbst in dem Prosastück *Drei Tage*, in dem es heißt: „Ich bin ein *Geschichtenzerstörer* [. . .] In meiner Arbeit, wenn sich irgendwo Anzeichen einer Geschichte bilden, oder wenn ich nur in der Ferne irgendwo hinter einem Prosahügel die Andeutung einer Geschichte auftauchen sehe, schieße ich sie ab. Es ist auch mit den Sätzen so, ich hätte fast die Lust, ganze Sätze, die sich *möglicherweise* bilden könnten, schon im vorhinein abzutöten."[2] Um feststellen zu können, wie Bernhard diese Absichten in der Schreibpraxis realisiert, gehe ich erst einmal der Frage nach, inwieweit sich in *Korrektur* aus den identifizierbaren Handlungselementen eine Geschichte rekonstruieren läßt, welche Rolle dabei die temporale Strukturierung spielt und wie die Perspektivierung gehandhabt wird.

Wie von allen anderen Romanen Bernhards kann auch von *Korrektur* gesagt werden, daß sich darin die Handlung auf ein Minimum beschränkt. Im Grunde genügt für die Inhaltsangabe dieses Romans eine Paraphrase des ersten Satzes, in dem schon so gut wie alles angesprochen ist, was auf den nächsten 362 Seiten erzählt wird. Die erste Seite hat gleichsam die Funktion einer Exposition, in der sich dem Leser u. a. ein Icherzähler vorstellt. Über diesen erfährt man, daß er das Spital, in das er wegen einer vernachlässigten Lungenentzündung eingeliefert worden war, nach drei Monaten auf eigene Verantwortung vorzeitig verlassen hat, um einer Einladung des Tierpräparators Höller im Aurachtal Folge zu leisten. Vom Spital ist er gleich zu Höller gegangen, mit dem Ziel, in dessen Haus den ihm zugefallenen, aus Tausenden von losen Zetteln und dem umfangreichen Manuskript mit dem Titel „Über Altensam und alles, das mit Altensam zusammenhängt, unter besonderer Berücksichtigung des Kegels" bestehenden Nachlaß seines Freundes Roithamer, der Selbstmord begangen hat, zu sichten und möglicherweise gleich zu ordnen. Diese Zusammenfassung entspricht ungefähr dem kurzen Inhalt der beiden Kapitel des Romans, von denen im ersten der Icherzähler in die Höllersche Dachkammer einzieht, um Roithamers Nachlaß zu ordnen, und das zweite mit „Sichten und Ordnen" überschriebene Kapitel diesen Nachlaß „geordnet" wiedergibt. Bezeichnenderweise variiert und wiederholt das letzte Kapitel vieles vom Inhalt des ersten, so daß der Leser darin nicht viel mehr über Roithamer in Erfahrung bringen kann als im ersten Kapitel, in dem bereits ausführlich aus dessen Notizen zitiert wird.

Aus den Erinnerungen des Icherzählers und dem Nachlaß Roithamers läßt sich entnehmen, daß dieser ein Sohn aus wohlhabender Familie ist, der nach dem Tod seines Vaters die Weiterführung des Familienbesitzes Altensam verweigert und die ihm zugefallene Erbschaft daran setzt, um für seine Schwester einen Kegel als Wohnung zu bauen, der ihr perfekt entsprechen und sie vollkommen glücklich machen soll, dessen Vollendung ihr aber den Tod bringt. Hierauf entschließt sich Roithamer zum Selbstmord. Er erhängt sich an einem Baum in einer Lichtung unweit von Altensam, wo er von seinem Freund Höller gefunden wird, in dessen Haus bzw. Dachkammer er die Idee zum Bau des Kegels gehabt und die wichtigsten Pläne dazu entworfen hat.

Obwohl sich die Handlungselemente in *Korrektur* zu einer Geschichte verbinden lassen, kommt es darauf in diesem Roman nicht an. Handlungsimmanent macht dies schon zu Beginn des Romans der Erzähler deutlich, der, wie er sagt, auf einmal den Gedanken gehabt hat, sich nicht nur mit dem Nachlaß Roithamers zu beschäftigen, sondern zugleich über diese Beschäftigung zu schreiben. Das Erzählen einer Geschichte hat dieser Erzähler, für den die Begriffe Erzählung, Schilderung und Bericht ohnehin problematisch geworden sind, nicht vor. Er will nur die Papiere seines Freundes ordnen und über diese Tätigkeit berichten.

Abgebaut werden die Erwartungen auf eine handlungsgebundene Erzählweise in *Korrektur* von einem Erzähler, der entstehende Handlungszusammenhänge absichtlich abbricht und Informationen, die von ihm ausdrücklich als wichtig für das Verstehen des Geschehens bezeichnet werden, wie zum Beispiel Roithamers Notiz über die Lichtung, unterdrückt. Wenn sogar die besonders im ersten Kapitel exakt eingehaltene temporale Anordnung hier keinen Zusammenhang stiftet, dann rührt das daher, daß die erzählten Ereignisse nur temporal, nicht aber auch kausal einander zugeordnet sind. In *Korrektur* täuscht die zeitliche Kontinuität dem Leser nur die Möglichkeit einer linearen Entschlüsselung thematischer Bezüge vor, die de facto nirgends in diesem Roman gegeben ist.

Durch die besondere Handhabung der Perspektive erweist sich schließlich auch diese als ungeeignet, den Stoff von *Korrektur* zu organisieren und dem Leser bei seiner Orientierung in der Welt der Fiktion zu helfen. Denn schon nach kurzer Zeit verschiebt sich die für die Icherzählung so typische Spannung zwischen dem erlebenden und dem erzählenden Ich dahin, daß das erlebende Ich zusehends über das erzählende dominiert und im letzten Teil des ersten Kapitels ein innerer Monolog entsteht.[3] Rapide wandelt sich dieses anfangs eindeutig als Ichroman erkennbare Werk unter Beibehaltung der Ichform in einen personalen Roman, um schließlich im zweiten Kapitel nochmals seinen ,Typ' zu ändern und zu einem auktorialen Roman zu werden. Aufgehoben werden die mit dieser Erzählform verknüpften Kohärenzerwartungen ihrerseits vom Erzähler, der wohl noch das Mitgeteilte kommentiert, eine Geschichte aber nicht mehr zu vermitteln vermag. Dieses Unvermögen des Herausgebers, aus dem ihm anvertrauten Material so etwas wie eine Lebensgeschichte Roithamers herzustellen, durchkreuzt die mit dem Auftritt einer solchen Figur geweckten Erwartungen auf eine gut verfolgbare Geschichte. Vorbereitet wird der Leser auf die Inkohärenz des zweiten Kapitels zudem auch durch den Fall des Rucksacks, der Roithamers unnumerierte Papiere derart durcheinander bringt, daß der Erzähler fürchten muß, sie nicht mehr ordnen zu können.

Die in *Korrektur* vorgeführte Manipulation mit den tradierten Formen des Romans, die hier nur aufgerufen werden, um sie zu zerstören, läßt die in der Regel mögliche Zuordnung zu einer der von Stanzel definierten typischen Formen nicht mehr zu. Dieser Auflösung der Form auf der Makroebene entspricht auf der Mikroebene eine Annullierung sprachlicher Konventionen, die es dem Leser einfach unmöglich macht, den Text wie gewohnt zu rezipieren. Am wirksamsten ist hier zweifellos die Reduktion der Interpunktion, die ihn vor die Schwierigkeit stellt, das massive textuelle Kontinuum, das mit der Fragmentarisierung auf der Ebene der erzählten Begebenheiten scharf kontrastiert, so zu strukturieren, daß dabei abgrenzbare Erzählsequenzen entstehen. Vom Leser wird hier eine mühselige Arbeit verlangt, die ihn nicht zuletzt wegen der überaus komplizierten Syntax frustriert. Nicht nur, daß für den Verstehensprozeß wichtige Elemente, wie Zeitwörter, Konjunktionen und Eindeutigkeit des Referenzbezugs bei der Verwendung von Personalpronomina fehlen, wird der Leser darüber hinaus irritiert durch die eigenwillige Behandlung der Tempora und Modi und den ständigen Wechsel zwischen Erzählerbericht und Zitat, der ein spontanes Erzählen verhindert.

Im Gegensatz zu vielen modernen literarischen Texten kommt es aber in *Korrektur* nicht zu einer planmäßigen Durchbrechung des sprachlichen Kodes selber. Die Basiskonventionen sprachlicher Kommunikation bleiben trotz der erwähnten Annullierung sprachlicher Konventionen gewahrt. Vielmehr handelt es sich um eine Attacke auf den bisher herrschenden Erzählkode, die dem Leser deutlich machen soll, daß in *Korrektur* der Text anders als in der bekannten Weise strukturiert ist.

Wie oben klar geworden ist, begnügt Bernhard sich nicht damit, das Entstehen einer erzählerischen Kontinuität zu verhindern; er integriert dieses Verfahren zudem in die Fiktion und verweist so ausdrücklich auf das Primat des Erzählens über das Erzählte in *Korrektur*. In diesem Zusammenhang paßt auch das Motto des Romans ("Zur stabilen Stützung eines Körpers ist es notwendig, daß er mindestens drei Auflagepunkte hat, die nicht in einer Geraden liegen, so Roithamer."[4]), das unmißverständlich auf dessen künstlichen Charakter hinweist.

Dort, wo vertraute Rezeptionsverfahren sich nicht mehr anwenden lassen, muß der Leser sich zum Verstehen des Textes nach anderen Organisationsformen umsehen. Als solche bieten sich in *Korrektur* im thematischen Bereich das Erzählen in Spiegelungen, Wiederholungen, Varianten, Oppositionen, Vergleichen, Zitaten und Assoziationen und im Bereich der Lexik einige rekurrente sprachliche Verfahren an, die sich nach und nach als für dieses Werk strukturbestimmend erweisen und zusammen bestimmte Themen und Motive entstehen lassen. Diese zu identifizieren ist nicht schwer, handelt es sich doch in *Korrektur* um eine Reihe von in Bernhards Werk regelmäßig wiederkehrenden Elementen, wie zum Beispiel "das Haßliebe-Verhältnis zur Herkunft, zur Familie und zu Österreich, der Ekel vor einem riesigen, zu vernichtenden Erbe, die außerordentliche Aufgabe, deren Erfüllung oder Nichterfüllung stets tödlich ist, die Unmöglichkeit substantieller Beziehungen und der Tod als notwendiges Ergebnis von Leben und Denken".[5] Worauf es hier ankommt, ist die spezifische emotionale Färbung dieser Themen und Motive, die allesamt etwas mit Angst, Unsicherheit und Einsamkeit, mit Krankheit, Zerfall und Tod, mit Zwang, Unfreiheit und Konflikt und mit dem Unvermögen zur Kommunikation und Erkenntnis der Welt zu tun haben.

Wegen der diskontinuierlichen Erzählweise läßt sich die Komposition von *Korrektur* allerdings erst allmählich erkennen. Erst nach mehrmaliger Lektüre stellt sich das, was sich dem Leser zunächst als ein narratives Chaos präsentiert, als ein streng durchkomponiertes Werk heraus. Dennoch ergibt bereits die Kapiteleinteilung in diesem Roman eine geschlossene, ganzheitliche Werkstruktur, wenn auch erst nach aufmerksamer Lektüre deutlich wird, daß diese weniger durch die Repetition und Variation von Zitaten aus Roithamers Nachlaß entsteht als durch ein Übereinkommen der Schicksale von Roithamer und dem Erzähler, die sich in dieser Zweiteilung spiegeln.

Die Gliederung des ersten Kapitels in drei genau abgrenzbare Teile (die Dachkammer, S. 1–99; die Höllersche Stube, S. 99–150; die Dachkammer, S. 150–192) entspricht dem Raum, in dem der Erzähler sich jeweils im Höllerschen Haus aufhält. Sein Wunsch, sich zuerst mit der Dachkammer und den darin befindlichen Gegenständen vertraut zu machen, ehe er den Nachlaß Roithamers zu ordnen beginnt, schiebt sich ständig zwischen die Erinnerungen an Roithamer und strukturiert so die erste Episode dieses Kapitels. Weil der Erzähler während des Auspackens seiner Sachen stets an Roithamer hat denken müssen, teilt er hier wenig über sich, um so mehr aber über seinen gestorbenen Freund mit, dessen Aussagen er zitatweise wiedergibt. Anstatt über sich selbst, über seine Beschäftigung mit dem Nachlaß zu berichten, verschwindet der Erzähler im Hintergrund, um in Zitaten dem Leser ein Bild seines Freundes Roithamer zu vermitteln.

An eine konzentrierte Beschäftigung mit den mitgebrachten Papieren Roithamers ist vorerst nicht zu denken, zumal der Erzähler das Krankenhaus vorzeitig verlassen hat und sich in acht nehmen muß. Der wirkliche Grund dieser Reserve gegenüber Roithamers Hinterlassenschaft ist aber ein anderer. Der Erzähler hat Angst vor Roithamer, der ihn zeitlebens so dominiert hat, daß er nur noch dessen Gedanken hat denken können. Er hat Angst, seine Identität, die er gerade erst mit dem Eintritt in die Dachkammer wiedergewonnen zu haben glaubt, wieder zu verlieren. Paradoxerweise ist aber jeder, der in diese Kammer eintritt, gezwungen, alles vorher Gedachte aufzugeben und das einzig hier zulässige Denken, das Denken Roithamers, zu denken. Wer sich nicht an diese Vorschrift hält, ist in wenigen Augenblicken verrückt oder tot. Daß eine tatsächliche Befreiung des Erzählers von Roithamer nicht stattfindet, bringen auch die vielen Vergleiche, die dieser zwischen sich und seinem Freund anstellt, zum Ausdruck. Sie tragen ebenfalls zur Struktur dieser Episode bei, in der die Assoziationen des Erzählers von Gegenständen in der Dachkammer hervorgerufen werden. Ein Vergleich zwischen Roithamers Kegel und dem von Höller gebauten Haus leitet dann lückenlos zur zweiten Episode dieses Kapitels über.

Das Schweigen Höllers beim Abendessen erlaubt dem Erzähler, seine Reflexionen über dieses Haus und die Zustände an der Aurach fortzusetzen. Er nimmt an, daß Höller sich ihm gegenüber genau so verhält wie gegenüber Roithamer. Bestätigt wird er in dieser Annahme durch seine Beobachtungen in der Höllerschen Stube, die, wie er feststellt, sich genau mit den Berichten Roithamers in England über Höller decken. Einige Versuche des Erzählers, ein Gespräch in Gang zu bringen, schlagen fehl, weil Höller und er, wie er vermutet, gegenseitig darauf warten, bis einer von ihnen über Roithamers Tod anfängt. Deswegen ergreift der Erzähler nach dem Essen die Initiative und erinnert Höller an den Weg, den er, Höller und Roithamer gemeinsam in die Volksschule von Stocket gegangen sind, um Roithamers Tod mit dem Selbstmord des Volksschullehrers in Verbindung zu bringen. Von Bedeutung ist dieser Schulweg für jeden der drei Freunde wegen der Erlebnisse, die sie auf diesem Weg gehabt haben. Denn wie dieser Weg, gefährlich und anstrengend, weil der Aurach entlang durch nichts als Fels und Wald führend, ist ihr Leben später verlaufen. Alles in ihr Leben später Eingetretene war schon auf diesem Weg eingetreten. Um welche Erlebnisse es sich handelt, erfährt der Leser aus folgendem Bericht des Erzählers: „[. . .] wie unser Schulweg sei unser Lebensweg an einem reißenden Fluß entlang gegangen, vor welchem wir immer Angst haben mußten, denn hatten wir auf dem Schulweg immer Angst gehabt, in die reißende Aurach zu stürzen, hatten wir auf unserem Lebensweg immer die größte Angst gehabt, in diesen Fluß, an welchem wir lebten und immer in höchster Angst entlanglebten, der unsichtbar, aber immer reißend und immer tödlich ist, hineinzustürzen" (139).

Zum Schluß dieser Episode knüpft der Erzähler an seinen Bericht über den Selbstmord des Volksschullehrers eine ausführliche Reflexion über den Selbstmord in Österreich, in der er den Tod Roithamers Höller gegenüber wie folgt zu erklären versucht: „Überhaupt waren wir, wie immer die Kinder in solchen sogenannten weltabgeschiedenen Gegen-

den, sehr früh schon mit dem Selbstmord konfrontiert gewesen, das
permanent in solchen Gegenden herrschende Unglück des Einzelnen und
dadurch allgemeine Unglück hatte jährlich zu Dutzenden Selbstmorden
in kleinstem Umkreis geführt, auch aus den bedrückenden Wetterzustän-
den im Vorgebirge heraus, hier neigten sie alle *immer* zum Selbstmord,
weil sie immer glaubten, ersticken zu müssen in der Tatsache, ihre Position durch nichts ändern zu können, jeder war sich dieser Benachteili-
gung durch die Geburt in dieser Landschaft bewußt, und es nützte auch
nichts, wie man sieht, daß einer der Gefährdetsten wie Roithamer, einer
dieser aus dem Kopfe, und nicht wie alle sonst, aus dem Gefühle Handelnden aus der Gegend wegging, wie Roithamer ganz einfach wegging,
weil er die Möglichkeit zum Weggehen hatte, er war doch überall, gleich,
wohin er aufgebrochen und wohin er geflohen war, dieser Benachteili-
gung durch den Geburtsort und durch die Geburtslandschaft und durch
die damit lebenslänglich zusammenhängende deprimierte Verfassung
seiner Natur aus der Natur seines Herkunftsortes ausgesetzt, und wie
wir sehen, sagte ich zum Höller, hat sich Roithamer schließlich und
endlich doch umgebracht, [. . .] er mußte genauso wie die andern, die
nicht die Möglichkeiten haben, wegzugehen und zu fliehen, zugrunde
gehen, auf seine Weise [. . .]" (146 f.).

Obwohl alle Voraussetzungen für einen Dialog zwischen dem Erzähler und Höller gegeben sind, entsteht auch jetzt kein Gespräch. Statt
dessen wird dem Leser ein seitenlanger Monolog des Erzählers vorgeführt, der Höller zu seinem Bericht darüber bewegen soll, wie er Roit-
hamer in der Lichtung gefunden und vom Baum abgeschnitten hat.
Wenn dies schließlich gelingt, teilt der Erzähler, nicht Höller, diesen eine
Viertelstunde in Anspruch nehmenden Bericht in wenigen Sätzen mit.
Zum Dialog kommt es nicht, weil Höller, dessen Reaktionen auf das
Erzählte vom Erzähler mitgeteilt werden, in seiner Eigenschaft als „An-
wesenheitspartner" (155), wie der Erzähler sich ausdrückt, nicht zu
Wort kommt. Als Knotenpunkt der Reflexionen und Assoziationen des
Erzählers dient in dieser Episode der von Höller in der Stube aufgehängte
Partezettel Roithamers, der auch nach seinem Tod die Atmosphäre im
Höllerschen Haus beherrscht.

In der letzten Episode ist der Erzähler wieder allein in der Höllerschen
Dachkammer; seine Gedanken kreisen jetzt nur noch um die eigene Per-
son. Ebenso wie Höller, der in seine Werkstatt gegangen ist, kann er
nicht schlafen. Im Mittelpunkt seiner Reflexionen steht jetzt nicht mehr
Roithamer, sondern die Frage, ob es überhaupt richtig gewesen sei, in die
Dachkammer, von der plötzlich eine zerstörerische Wirkung ausgeht,

einzuziehen und sich jetzt schon mit dem Nachlaß zu beschäftigen, wo er noch nicht ganz gesund ist. Die Suche nach einer passenden Antwort treibt ihn fast an den Rand des Wahnsinns. Er muß einsehen, daß das Testament ihn erst recht an Roithamer, von dem er sich befreit geglaubt hat, kettet, und fürchtet sich vor der Beschäftigung mit diesem Nachlaß, weil er vermutet, daß Roithamer ihn damit hat vernichten wollen. Er versucht sich zu beruhigen, indem er sich sagt: „Alles ist das, das es ist, sonst nichts. Wenn wir für uns alles, das wir wahrnehmen und also sehen und alles das, das in uns vorgeht, immerfort an Bedeutungen und an Rätsel knüpfen, müssen wir früher oder später verrückt werden, [...] Wir dürfen nur sehen, was wir sehen und es ist nichts anderes, als das, das wir sehen." (172) Ironischerweise unterliegt der Erzähler gleich darauf einer gewaltigen Täuschung. Er war fest davon überzeugt, daß Höller ihn die ganze Zeit beobachtet hat, was, wie sich herausstellt, nicht der Fall war. Die Gedankenstruktur des Erzählers, sein unschlüssiges Hin- und Herdenken, das von einem Hin- und Hergehen in der Dachkammer begleitet und in sprachliche Wendungen, wie „einerseits, andererseits", „dann wieder", „zwar aber", „aber dann", „einmal so, einmal so", „ob ... oder nicht" gefaßt ist, bildet zugleich die Erzählstruktur dieser Episode, die sich überwiegend aus Oppositionen zusammensetzt.

Wiewohl der Leser ebenso wie der Erzähler dazu neigt, in der Unordnung von Roithamers Schriften ihre Ordnung zu sehen, kennt auch das zweite Kapitel eine dreiteilige Struktur. Es umfaßt drei formverschiedene Teile, die sich thematisch teilweise variieren und wiederholen und deren Mittelteil die „Versuche" bilden, die Roithamer zum Zweck, sich Klarheit über Altensam zu verschaffen, geschrieben hat. Der erste und letzte Teil bestehen überwiegend aus mehr oder weniger unvermittelt nebeneinander stehenden losen Notizen. Gegen Ende des letzten Teils ergeben die datierten Tagebucheintragungen eine chronologische Anordnung, die aber keine kausale Bindung zwischen den einzelnen Eintragungen zustande bringt. In diesem Kapitel dreht sich alles um Roithamer, der hier unmittelbar zu Wort kommt. An die Herausgebertätigkeit des Icherzählers, der nur selten die Notizen für eine Anmerkung oder Reflexion unterbricht und der getreu mitteilt, wenn im Manuskript Wörter unterstrichen sind, sowie die Authentizität des Mitgeteilten dauernd mit der Formel „so Roithamer" betont, erinnert ferner nur noch der Übergang vom Konjunktiv zum Indikativ am Anfang und stellenweise von direkter zu indirekter Rede. In allen Teilen handelt es sich um die Determiniertheit des Menschen durch Geburt und Landschaft, um gesellschaftlichen Zwang, Kommunikationslosigkeit und das Unvermögen zur Erkenntnis der Welt, um Probleme also, die sich sowohl für den Erzähler wie für Roithamer als typisch erweisen.

Ebenso wie der Erzähler erkennt auch Roithamer schon früh, daß er möglichst schnell aus Altensam, wo man gegen das Denken ist, wegzugehen hat, um nicht zugrunde zu gehen. Schon als Kind versucht er, dem Zwang in Altensam, das ihm nicht viel mehr ist als „eine grausame und unverständliche elterliche Erziehungsfestung" (75), möglichst zu entgehen und hält sich darum lieber bei den Bauern, den Höllern und im Elternhaus des Erzählers in Stocket auf, dessen Ordnung er im Gegensatz zu der Unordentlichkeit und Nachlässigkeit in Altensam liebt. In Altensam, wo Abneigung das Verhältnis zwischen den Eferdingern (Mutter und Brüder) auf der einen und den Altensamern (Vater, Schwester und Roithamer) auf der anderen Seite bestimmt und Verständigung nicht möglich ist, herrschen chaotische Zustände. Überhaupt scheinen die Bewohner von Altensam nur dazu da, sich gegenseitig zu hassen und zu zerstören. Beschleunigt wird der Niedergang des Gutes, oder besser dessen, was davon noch niedergehen kann, denn zu diesem Zeitpunkt hat Roithamers Vater Altensam schon innerlich aufgegeben, durch dessen Heirat mit der Tochter eines Eferdinger Fleischhauers, die gleich nach ihrer Ankunft ihre Kleinbürgerlichkeit, Grobheit, Jämmerlichkeit, Ungezogenheit und Unbelehrbarkeit auf das aristokratische Altensam überträgt. Das Auftreten der Mutter, deren Kränkeln die ganze Atmosphäre in Altensam erfaßt und vergiftet, ist dann nur noch das nach außen hin sichtbare Zeichen dieses Zerfalls von Altensam.

In diesen Zerfallsprozeß werden die Roithamerkinder hineingeboren: „In diesen Nachlaß- und Aufgabeprozeß eingeschlossen, hatten wir diesen Nachlaß- und Aufgabeprozeß naturgemäß von allem Anfang unserer Existenz gefühlt und waren dann weiter immer unter seinem Einfluß gestanden, wir konnten nicht mehr heraus, wir waren mit hinuntergerissen in diese Nachlaß- und Aufgabetendenz meines Vaters. Wie wir auf die Welt gekommen sind, hatte sich unser Vater von Altensam schon abgewendet gehabt, ihm den Rücken gekehrt gehabt, wir erlebten nur noch diesen Zustand, der sich tagtäglich verstärkte [. . .]" (263). Veranschaulicht wird dieser Prozeß durch die Holzwürmer, die in Altensam Gegenstände wie Menschen anfressen und durch die alles im Laufe der Zeit dermaßen in Unordnung geraten ist, daß die Fensterläden nicht mehr passen, die Möbel schief stehen und die Bewohner fürchten, durch die Fußbodenbretter einzubrechen. Außerdem ist die Rede von der eigenartigen klimatischen Lage Altensams, die im Grunde eine ungünstige ist. Trotzdem gibt es für Roithamer zwei Altensam. Das eine, das er liebt, und das andere, das er haßt, weil es ihn vor den Kopf stößt und ablehnt. Naturgemäß beschäftigt ihn stets das Altensam, das ihn abweist und das die Voraussetzung für seine spezifische Denkweise ist. Der Zusammenhang seiner Person mit Altensam ist also notwendig, um so zu denken und handeln wie Roithamer, der es sich zur Aufgabe gemacht hat, den Frieden in Altensam zu zerstören und es schließlich gänzlich zu vernichten. Ob er dazu tatsächlich imstande ist, ist zumindest fraglich, zumal Roithamers Meinung: „der Mensch kann sich von gar nichts befreien, er verläßt den Kerker, in den er hineingezeugt und hineingeboren worden ist, nur im Augenblick seines Todes" (237), sich in verschiedenen Kontexten artikuliert. Daß gerade bei diesen weit auseinander liegenden Textstellen durch die Wiederaufnahme von bestimmten Lexemen und Lexemgruppen eine Art thematischer Kohärenz entsteht, ist nicht zufällig. Vielmehr werden so, durch sprachliche Äquivalenzbeziehungen, Passagen, die auf der Ebene der Handlung nicht ausdrücklich aufeinander bezogen sind, wie die Beschreibung der Zustände an der Aurach, in Altensam, in Österreich und schließlich in der Welt überhaupt, bewußt miteinander verknüpft.

Gegen „diese uns vorgegebene und nicht für uns und auf uns vorbereitete Welt, die eine Welt ist, die uns in jedem Fall, weil von unseren Vorgängern gemacht, angreifen und zerstören und letztenendes vernichten will", gilt es sich zu wehren (237). „Schon in den ersten Verstandesanzeichen haben wir aufmerksam die Möglichkeiten, die Welt, die wir angezogen bekommen haben wie einen abgetragen schäbigen, uns viel zu kleinen oder viel zu großen aber auf jeden Fall schäbigen und an allen Ecken und Enden zerrissenen und zerschlissenen und stinkenden Anzug, der uns sozusagen von der Weltstange herunter verpaßt worden ist, zu erforschen, diese ganze Ober- dann auch Unterfläche und schließlich immer tiefer und tiefer hinunter und hinein zu sondieren, damit wir auf die Möglichkeiten, die Welt, die nicht die unsrige ist, zu der unsrigen zu machen, kommen, unsere ganze Existenz sei keine andere als eine solche auf diese Möglichkeiten konzentrierte, wie also, auf welche Weise wir die Welt, die nicht die unsrige ist, ändern werden, schließlich ändern [...]" (237 f.) „[...], daß wir dann, am Ende unserer Existenz, sagen können, wir haben in unserer eigenen Welt existiert und nicht in der Schande zutode gehen müssen, nur in der Welt unserer Eltern existiert gehabt zu haben, denn diese Schande ist die größte." (239)

Um sich selbst zu verwirklichen, baut Roithamer, der als Naturwissenschaftler nicht zufällig von der Erbfolge fasziniert ist, einen einmaligen, noch nie dagewesenen Kegel, dessen Fundament sein Haß gegen

Altensam ist. Altensam selbst, das von Roithamer sein „Kindheitsker" (233) genannt wird und das sein Vater ihm nur vererbt hat, damit er es vernichtet, soll nach der Vollendung des Kegels verkauft werden und der Erlös den entlassenen Strafgefangenen, die, nach Roithamers Ansichten, keine Verbrecher, sondern Opfer der Gesellschaft sind, zufließen. Unter Anwendung seines Kapitals und der mit dem Kegelbau gemachten Erfahrungen will Roithamer alles tun, was in seinen Kräften steht, um diesen Unglücklichen zu helfen. Das heißt: „Heimstätten, Gebäude bauen [. . .] immer nahe an den Zentren, Menschenansammlungen, alles vermeiden, was Isolation fördert, abgesehen davon, daß *alles Isolation ist,* Arbeitsmöglichkeiten, Beschäftigungsmöglichkeiten, höchstmögliche Freiheit des Einzelnen. *Geistesfreiheit, Körperfreiheit,* [. . .] Schaffung von neuen Lebensmitteln für diese Leute. Unterhaltungsmöglichkeiten. *Entfaltung,* [. . .]" (204)

In einer Reflexion über die bürokratische Einrichtung der Welt, die auf seine Überlegungen folgt, wie er Altensam am vorteilhaftesten verkaufen könnte, kommt Roithamer zu der Schlußfolgerung, daß sich seine Ideen nicht verwirklichen lassen. Letzten Endes muß er einsehen, daß weder die Wissenschaften noch die Künste – er bezeichnet seinen Kegel als ein Kunstwerk – die Welt zu ändern vermögen. Als Wissenschaftler stellt Roithamer fest, daß er sein Manuskript „Über Altensam und alles, das mit Altensam zusammenhängt, mit besonderer Berücksichtigung des Kegels" hat abschließen müssen, um zu erkennen, daß alles anders ist. Er kommt zu der Einsicht, „daß in nichts Klarheit möglich ist, [. . .] alles immer nur ein Angenähertes ist und nur ein Angenähertes sein kann." (194) „An alles, das wir denken und beleben und das wir hören und sehen, wahrnehmen, müssen wir immer anfügen: wahr ist vielmehr . . . woraus unsere Unsicherheit ein ununterbrochener Zustand geworden ist." (214) Deswegen hat Roithamer gleich auf dem Weg zum Begräbnis seiner Schwester in Altensam im Zug angefangen, sein Manuskript zu korrigieren, in der Absicht, es zu vernichten. Nach der Meinung des Erzählers aber ist dieses Manuskript gerade erst dadurch zu dem geworden, wie es ihm nachgelassen worden ist, sind stets neue Fassungen entstanden, die alle zusammen Roithamers Arbeit ausmachen. Da jede Korrektur etwas Neues ergibt, das seinerseits wieder korrigiert werden muß, ist es zwecklos, etwas in dieser Welt ändern zu wollen. Überhaupt korrigieren wir uns selbst nach Roithamer fortwährend „mit der größten Rücksichtslosigkeit, weil wir in jedem Augenblick erkennen, daß wir alles falsch gemacht (geschrieben, gedacht, getan) haben, falsch gehandelt haben, wie wir falsch gehandelt haben, daß alles bis zu diesem Zeit-

punkt eine Fälschung ist, deshalb korrigieren wir diese Fälschung und
die Korrektur dieser Fälschung korrigieren wir wieder und das Ergebnis
dieser Korrektur der Korrektur korrigieren wir undsofort, so Roithamer.
Aber *die eigentliche Korrektur* zögern wir hinaus, [. . .]" (325) Beenden
kann diesen Prozeß nur die „eigentliche Korrektur", der Selbstmord, der
denn auch ganz folgerichtig von Roithamer verübt wird. Sogar einem
Menschen wie Roithamer, der doch alle Möglichkeiten zu haben scheint,
so resigniert der Erzähler, gelingt es nicht, „mit der Tatsache fertig zu
werden, in einen ständig deprimierenden Geistes- und Körperzustand
hineingeboren zu sein, gerade in einem solchen vervollständige sich das
allgemeine Unglück in der konzentriertesten Weise auf das entsetzlichste
[. . .]" (147)

Da alle Wahrnehmungen vom Subjekt ausgehen, ist für den Menschen
die Wahrheit nicht erfaßbar. Erreichbar ist nur eine für das erkennende
Individuum gültige Wahrheit, die logischerweise nur eine Wahrscheinlichkeit sein kann. Diesen ihre Entsprechung in der modernen Wahrneh-
mungstheorie und der phänomenologischen Philosophie findenden Er-
kenntnissen Roithamers auf der Ebene der Fiktion entspricht auf der
Ebene der Darstellung eine deutlich wahrnehmbare Skepsis gegen die
Ausdrucksfähigkeit und Treffsicherheit der Sprache, die sich in diesem
Roman in zahlreichen sprachlichen Oppositionsbeziehungen manifestiert. Rekurrente Wendungen, wie „einerseits/andererseits" und „umgekehrt" finden sich nicht nur in den einzelnen Erzählpartien, sondern im
Gesamtwerk. Unschlüssig, die in Frage stehenden Sachen und Sachverhalte auch wirklich mitzuteilen, kreist die Sprache in *Korrektur* nur noch
um das, was sie zum Ausdruck bringen will. Sie deutet nur Möglichkeiten an, ohne sich zu entscheiden. Wenn die Wirklichkeit nur annähernd
beschrieben werden kann, wenn also Sprache und Wirklichkeit sich
nicht mehr decken, vermag auch der Erzähler kein geschlossenes, objektiv gültiges Bild mehr von ihr zu vermitteln. Er kann nur noch Bruch-
stücke mitteilen, die der Leser nach eigenem Gutdünken zusammenset-
zen muß. Der hiermit korrespondierenden Verweigerung einer kohären-
ten Geschichte und der gewohnten Techniken ihrer Gestaltung stehen in
Korrektur andere narrative Strukturen gegenüber, die die Kommunikativität dieses Textes sichern. In diesem Roman bildet sich eine fiktionale
Welt, deren Komponenten im Ansatz schon durch die Wahl eben dieser
Komponenten thematisiert sind. Bezeichnenderweise handelt es sich um
Elemente realistischer Natur, wie Angst- und Einsamkeitserlebnisse,
Brutalität, Zerfall, Selbstmord, um beängstigende Landschaften, ge-
scheiterte Kommunikationsversuche, gesellschaftliche Unfreiheit und ei-

nen mißlungenen Versuch, sich zu bewähren, um Sachverhalte also, die
dem heutigen Leser aus seiner Lebenswelt nicht unbekannt sind. Weil
aber eine Geschichte, die traditionsgemäß solche Themen gestaltet und
miteinander verknüpft, nicht zustande kommt, bleibt dies weitgehend
der Komposition überlassen.

Seit Jan Mukařovský den Begriff Struktur als ein Ganzes, dessen
Ganzheit in einer Art „Wechselbeziehung der Komponenten"[6] besteht,
in die Literaturwissenschaft eingeführt hat, hat sich die Idee der Struktur
als eines Systems textueller Relationen auf der Ausdrucksebene in der
modernen Poetik durchgesetzt. Notwendig wird die Betrachtung solcher
Wechselbeziehungen zwischen den einzelnen Textkomponenten in dem
Moment, wo die traditionellen kausalen Beziehungen zwischen den narrativen Elementen zugunsten textueller Beziehungen, die vom Leser erst
konkretisiert werden müssen, aufgehoben sind. In dieser Situation befindet sich der Leser von *Korrektur*. Gewiß werden in diesem Roman durch
die ausgeklügelte Wiederkehr bestimmter Themen und Motive und
durch sprachliche Analogien und Variationen jene Textstellen, die prag-
matisch-logisch auf der Ebene des Erzählten unverbunden sind, miteinander in Beziehung gebracht. Eine ähnliche Integration leistet die auffallende Häufung von pejorativen Wortbildungen (wie zum Beispiel
„Absterbeexistenz", „Absterbensverwirklichung", „Vernichtungsent-
schluß", „geistesvernichtend", „ehevernichtend", „Gefühls- und Kör-
pervernichtung", „Selbstmörderprozentsatz", „Nachlaß- und Aufgabetendenz", „Abwärtsentwicklung", „Entsetzensfolge", „Menschenun-
rat", „Verbalmißgeburten", „Geisteskerkerhaft", „Kindheitskerker",
„Überverzweiflung", „Marterzukunft", „Peinigungsbereitschaft",
„kopfaushöhlend", „Erschöpfungshöhepunkt", „Wortgewalttätigkei-
ten", „Fleischhauerlebensinhalt" und „Menschenverunstaltungsanstal-
ten"). Die atmosphärische Wirkung solcher Neologismen vermag vielleicht sogar jene einer herkömmlichen Handlung zu übertreffen. In welchem Maße es freilich auf der Rezeptionsseite gelingt, die verschiedenen
Textkonstituenten, die traditionell auf der Handlungsebene, in der „Geschichte", miteinander verknüpft sind, in einen Zusammenhang zu bringen, bleibt letztlich den Fähigkeiten des jeweiligen Lesers überlassen.

Was in *Korrektur* handlungsimmanent problematisiert wird, gilt mutatis mutandis für den Leser, der bei der grundsätzlichen Offenheit des
literarischen Textes nur seine persönliche Lesart realisieren kann. Jedoch
sollte die mit dieser Offenheit verbundene Forderung nach einer aktiven
Lesehaltung nicht so aufgefaßt werden, als sei diese eine Verlegenheits-
lösung des modernen Autors, der, nicht mehr zu einer objektiven Dar-

stellung der Wirklichkeit imstande, die Verantwortung für sein Tun dem Leser zuschiebt.[7] Umberto Eco, der den Beziehungen zwischen dem offenen Kunstwerk und der heutigen Gesellschaft nachgegangen ist, meint hierzu: „Sehr nahe liegt es hier, diese Flucht vor der sicheren und festen Notwendigkeit und diese Tendenz zu Mehrdeutigkeit und Unbestimmtheit als Spiegelung einer Krise unserer Zeit aufzufassen; ebenso nahe aber auch die gegensätzliche Deutung, daß nämlich diese Poetiken, in Übereinstimmung mit der heutigen Wissenschaft, die positiven Möglichkeiten eines Menschentyps ausdrücken, der offen ist für eine ständige Erneuerung seiner Lebens- und Erkenntnisschemata, der produktiv an der Entwicklung seiner Fähigkeiten und der Erweiterung seiner Horizonte arbeitet."[8] Demnach ist die ästhetische Aktivität, welche die Offenheit des literarischen Textes vom Leser verlangt, als eine Reaktion auf und Gegenposition zu den Wahrnehmungsautomatismen in unserer Gesellschaft zu bewerten. So gesehen öffnen sich dem Leser von *Korrektur,* dessen Freiheit der Interpretation unbeschränkt ist, Möglichkeiten, die den fiktiven Personen in diesem Roman verschlossen bleiben. Auch in *Korrektur* regt die offene Konzeption des Textes den Leser zum aktiven Mitvollzug seiner möglichen Intention an. Durch wiederholte Lektüre und Herstellung von Querverbindungen im Text wird dieser versuchen, seine durch diese Offenheit ausgelöste Irritation aufzuheben. Daß dies letztlich aber nicht gelingt, hängt damit zusammen, daß Offenheit nicht nur ein Merkmal, sondern ausdrückliches Ziel dieses Romans ist. Für ein Werk wie *Korrektur* gilt, daß der Leser die diesem Text implizite Ästhetik der Verweigerung decodieren muß, bevor überhaupt an Sinngebung gedacht werden kann. Ob das ein Genuß oder eine Tortur ist, hängt wesentlich von der Einstellung ab, mit der dieser Text gelesen wird.

Anmerkungen

1 Ulrich Greiner: *Die Tortur, die Thomas Bernhard heißt: „Korrektur" und „Die Ursache".* In: U. G.: *Der Tod des Nachsommers. Aufsätze, Porträts, Kritiken zur österreichischen Gegenwartsliteratur.* München, Wien 1979, S. 65–81.

2 Thomas Bernhard: *Drei Tage.* In: Th. B.: *Der Italiener.* München 1978, S. 100.

3 Vgl. Gudrun Mauch: *Thomas Bernhards Roman „Korrektur": Die Spannung zwischen dem erzählenden und dem erlebenden Erzähler.* In: Öster-

reich in Geschichte und Literatur 23 (1979), S. 207–219.
4 Thomas Bernhard: *Korrektur*. Frankfurt/M. 1975, S. 5. Aus dieser Ausgabe
wird im folgenden im Text mit einfacher Seitenangabe zitiert.
5 Vgl. Bernhard Sorg: *Thomas Bernhard*. München 1977, S. 172.
6 Vgl. Jan Mukařovský: *Studien zur strukturalistischen Ästhetik und Poetik*.
München 1974, S. 24.
7 So führt zum Beispiel Norbert Weber die offene Konzeption von *Korrektur*
darauf zurück, daß Bernhard sich nicht entscheiden kann. „Die Entschei-
dungsunfähigkeit Bernhards führt dazu, daß er Extreme markiert, zwischen
denen die Möglichkeiten, für die man sich entscheiden kann, liegen. Diese
‚Wahlmöglichkeiten‘ ergeben sich jedoch erst durch die Selbstausklammerung. Statt sich selbst zu bestimmen und über die geeigneten Mittel zur
Befriedigung seiner Bedürfnisse zu entscheiden, stehen in der kapitalistischen
Gesellschaft viele Menschen den ‚unbegrenzten Möglichkeiten‘, der Vielfalt,
der Beliebigkeit der Angebote, hilflos gegenüber und sind aus Mangel eines
selbstgesetzten Bezugspunktes, eines Selbstbewußtseins, unfähig zu ‚wählen‘.
Viele sind so bereits weitgehend zur Aufgabe ihrer Persönlichkeit gebracht,
‚entmündigt‘. Das vermittelt sich auch in ‚Korrektur‘, wenn die Bestrebun-
gen, Roithamer zu entmündigen, angeführt werden. Auch für Thomas Bernhard ist diese Problematik akut. Er sucht weiter nach Werten, kann sich aber
ebensowenig wie viele andere entscheiden und tendiert – im Sprachgebrauch
und in der Thematik – zum Extrem und infolge der Selbstausklammerung
zur Abstraktion und Künstlichkeit. Seine Haltung ist durch Perspektivelosigkeit gekennzeichnet, d. h. er besitzt keinen eigenen Standpunkt, der erkennbar wäre". Vgl. Norbert Weber: *Das gesellschaftlich Vermittelte der Romane österreichischer Schriftsteller seit 1970*. Frankfurt/M. u. a. 1980,
S. 135.
8 Umberto Eco: *Das offene Kunstwerk*. Frankfurt/M. 1973, S. 52.

WENDELIN SCHMIDT-DENGLER

Verschleierte Authentizität. Zu Thomas Bernhards *Der Stimmenimitator*

1. Avant-Propos

Mit seinem *Stimmenimitator* (1978) hat Thomas Bernhard das Lesepublikum überrascht. Das waren, ganz im Gegensatz zu den sich in ihre Sprache mit Superlativen und Radikalismen einrollenden Monologen kranker Figuren, kurze, prägnante Geschichten, meist mit einer überraschenden Wendung am Schluß, Kurztexte, die ganz anders lesbar waren als die großen Romane, die aber auch in eine andere Sphäre führten als die bis zu diesem Zeitpunkt vorliegenden drei Bände der Autobiographie (*Die Ursache*, 1975; *Der Keller*, 1976; *Der Atem*, 1978). Ferner konnte alledem Schalkhaftigkeit und ein kaustischer Humor nicht abgesprochen werden. Als Kostprobe einen der 104 Texte mit dem Titel *Pisa und Venedig:*

> „Die Bürgermeister von Pisa und von Venedig waren übereingekommen, die Besucher ihrer Städte, die jahrhundertelang von Pisa wie von Venedig in gleicher Weise entzückt gewesen waren, urplötzlich vor den Kopf zu stoßen, indem sie heimlich und über Nacht den Turm von Pisa nach Venedig und den Kampanile von Venedig nach Pisa schaffen und aufstellen lassen wollten. Sie hatten aber ihr Vorhaben nicht geheimhalten können und waren, genau in der Nacht, in welcher sie den Turm von Pisa nach Venedig und den Kampanile von Venedig nach Pisa hatten transportieren lassen wollen, in das Irrenhaus eingeliefert worden, naturgemäß der Bürgermeister von Pisa in das Irrenhaus von Pisa und der Bürgermeister von Venedig in das Irrenhaus von Venedig. Die italienischen Behörden hatten ihre Sache vollkommen vertraulich behandeln können."[1]

Gewiß, solcherlei ist zumutbar; ein Rezensent konnte sogar mit Recht den Band „einen Thomas Bernhard ‚für Anfänger' " nennen (Hartung)[2]. Bedingt aber der Zuwachs an Ulk und Kauzigkeit nicht doch einen Substanzverlust, der durch die grotesken und absurden Elemente kaum verdeckt wird? Hat hier ein Autor nicht sich selbst verleugnet, bloß um eine Kost zu bieten, die besser mundet? Um der Wirkung dieser Kurztexte nachzuspüren und um sie in ihrer Eigenart zu qualifizieren, sei es gestattet, den Umweg über die Aufnahme durch die Berufskritiker zu gehen.

2. Zur Rezeption

Die Rezensionen zum *Stimmenimitator* bieten das bei Bernhard allemal gewohnte Bild der concordia discors. Es besteht zumeist Einigkeit darin, daß die gewählte Form der Texte atypisch für Bernhard wäre, die Themen jedoch allenthalben in den anderen Schriften anzutreffen wären. Otto F. Beer z. B. resümiert, es könne „endgültig kein Zweifel [. . .] aufkommen, daß wir es trotz der ungewöhnlichen Anlage dieses Buches mit einem echten Thomas Bernhard zu tun haben". Andrerseits waren doch einige Kritiker darauf aus, das Besondere an diesem Sammelband gerade in der Formgebung zu erblicken, und sehen, daß die pointierte Kürze weit weg von den monologischen Sequenzen der Romane, Erzählungen und Dramen führe. Hans Heinz Hahnl: „Aber eines ist klar, wer glaubt, seinen Thomas Bernhard ausgelesen zu haben, wird sich über diesen *Stimmenimitator* wundern. Das neue Buch ist nicht zuletzt ein Ausweg aus dem erzählerischen Labyrinth diagnostizierter, gemutmaßter und schließlich relativierter Geisteskrankheiten sowie eines davon angesteckten Wiederholungszwanges, [. . .]" Anders Kurt Kahl: „Kein neuer Thomas Bernhard [. . .] im Grunde. Aversionen und Aggressionen sind erhalten und erkennbar. Neu ist allenfalls die Knappheit der Sprache, der Telegrammstil." Daß Thomas Bernhard bereits mit dem schmalen Band *Ereignisse* im Jahre 1969 in formaler Hinsicht ähnliche Texte vorgelegt hatte, fiel nur einem Kritiker (Hermann Burger) auf. (Der Verweis auf die *Ereignisse* ist insofern nötig, als es nicht die Gemeinsamkeit mit diesen kurzen Texten ist, sondern gerade der Unterschied, durch den sich die Besonderheit des *Stimmenimitators* erweist. Doch davon später.) Die Irritation ging zunächst bei den meisten Rezensenten davon aus, daß diese kurzen, spitzen, mitunter handlungsstarken Erzählungen von Bernhard völlig ungewohnt waren.

Uneinigkeit besteht in der Wertung dieser Sammlung. In der Tat, wer die massive Monotonie der *Korrektur* so zu schätzen wußte wie George Steiner[3], den mußte ein Gebilde wie das mit *Post* überschriebene stören: „Noch Jahre, nachdem unsere Mutter gestorben war, hatte die Post an sie adressierte Briefe zugestellt. Die Post hatte ihren Tod nicht zur Kenntnis genommen." (57) Der Kommentar Steiners: „It would be a severe loss if Thomas Bernhard had no more than this to tell us." Noch schärfer urteilt Duglore Pizzini; sie unterstellt dem Verlag unlautere Motive: „Weil so gut wie alles, was Thomas Bernhard schreibt, die Beachtung seiner kopfstarken Lesergemeinde und der deutschsprachigen Literaturkritik auf sich konzentriert, muß so viel wie möglich veröffentlicht werden." Ein Vorwurf, der längst ein Gemeinplatz der Bernhard-Rezeption ist. Abschließend heißt es dann noch vernichtend: „Für eingefleischte Bernhard-Fans mag dieses Buch als Ergänzung zu den anderen Werken dieses Gestörten und Verstörten von Interesse sein. Als stilistisch kunstlose Abrundung seines Weltbilds. Als eigenständiges Buch indes ist *Der Stimmenimitator* eine glatte Enttäuschung."

Daß in den Texten unerhört viel Banalität geborgen ist, entging der Kritik nicht. Aber: „Bei Bernhard gefriert die Wirklichkeit zur Platitüde." (Karasek) Selbst Rüdiger Krohn, der in diesen Miniaturen „die Auffassung von der unheimlichen Abgründigkeit der menschlichen Natur, von der Ausweglosigkeit aller Existenz" zu wittern meint, muß zugeben: „In einigen Fällen freilich hat es den Anschein, als verberge sich hinter seiner ausgestellten Trivialität tatsächlich keine tiefere Bedeutung, und der vorgebliche Hintersinn entlarvt sich als banale Begebenheit." Dies jedoch sei der „alpenländische[n] Schlitzohrigkeit" des Autors zuzuschreiben, die da eine „zwielichtige Rolle spiele".

Aus diesen und ähnlichen Stellungnahmen erhellt, daß das Trivialitätskriterium in bezug auf diese Texte zu versagen scheint und nicht weiter führt. Selbst bei eingestandener Banalität dieser Kurztexte sind die Kritiker bemüht, ihnen eine respektable Ahnengalerie zu konzedieren: Kleist, Hebel, Kafka, Büchner. Das Buch sei ein „legitimer Nachfolger von Ingeborg Bachmanns ‚Todesarten'-Projekt" (Hieber). Doch diese mit spontaner Konvergenz hergestellte Affinität bei so vielen Kritikern gilt es mit einer Beobachtung auszusöhnen, die stellvertretend für andere Hellmuth Karasek so formuliert: „Man vermeint sie alle aus der Zeitung zu kennen: diese Geschichten von mildtätigen Damen, die Obdachlose in ihr Haus aufnehmen und von ihnen erwürgt werden, von ordentlichen Familienvätern, die auf einmal blutig unter ihrer Brut wüten, von der Post, die noch jahrelang nach dem Tod des Adressaten ihm unbeirrt seine Briefe zustellt." Worin nun der Reiz dieser „bis zum Wahnwitz flachen Geschichten" (Karasek) liegen könnte, ist schwer zu bestimmen. Offenbar ist es gerade das, was an die Zeitungsnotiz erinnert, und auch das, was sie davon radikal unterscheidet. Der häufige Vergleich mit Kleist und Hebel kommt nicht von ungefähr. Michael Skasa zitiert Kleists Anekdote von den zwei berühmten englischen Boxern, von denen der Unterlegene im Kampf stirbt, während der gefeierte Sieger tags darauf einem Blutsturz erliegt[4], und meint lapidar: „Die restlichen 100 Anekdoten dieser Art hat Thomas Bernhard geschrieben." So erhellend im einzelnen solche Vergleiche sind: auf das Ganze des *Stimmenimitators* übertragen, treffen sie nicht zu und sind zudem ein deutliches Zeichen der

Ratlosigkeit, mit der man solchen Texten begegnet. Der Vergleich mit den Traditionsmustern ist Indiz für die Lust am Rubrizieren von Phänomenen, mit denen man nicht oder kaum zurande kommt. Mit Recht kritisiert Joachim Hossfeld diese Tendenz, mit der die Härte und Schärfe der Texte neutralisiert werden kann: „So freilich könnte man den ‚Neuen' gleich in den stetig durch die Schulbücher dahinziehenden Dichterreigen abschieben: Stifter über Rosegger über Horváth plus Kafka und irgendwie Kleist, usw. . . ."

Die Zuordnung zu einem bestimmten Genus fällt schwer. Für den einen sind es sogar „Novellen" „im ursprünglichen italienischen Sinn" (Beer), für den anderen „short stories" (dree), die Mehrheit votiert eindeutig für den Terminus Anekdote. Das hat – über die Parallele zu Kleist hinaus – seine guten Gründe. Daß indes auch mit dieser Zuordnung nicht das ganze Textcorpus erfaßt ist, demonstriert Jochen Hiebers Revue von Begriffen, auch wenn sie eher der Lust an der Alliteration als der poetologischen Reflexion zu verdanken ist: „Anekdoten und Arabesken, Fabeln und Farcen, Kolportagen und Kalauer, Minutenstücke und Märchen, Parabeln und Pamphlete, short und shortest stories, Weisheitslehren und Witze . . ." Man könnte hinzufügen: Apophthegma, Memorabile, Glosse, Adagium.

Schon dem Wortsinne nach trifft am ehesten die Bezeichnung „Anekdote": „Anekdota", eigentlich das „Unveröffentlichte", stellt die Korrektur zur überlieferten Geschichte her. „Wahrscheinliches, Unwahrscheinliches" sollte der Band zunächst heißen und so schon aus dem Bereich der Künstlichkeit in den Bereich des Glaubbaren führen (Hieber). Ulrich Greiner, der wie Skasa auf die Boxer-Anekdote von Kleist verweist, meint, daß zum Unterschied von Kleist und Hebel sie jedoch „vermutlich allesamt erfunden" seien. Die Glaubbarkeit der grotesken Erfindungen werde durch die Sprache Bernhards erzeugt, „die wir aus Zeitungsmeldungen, amtlichen Verlautbarungen und Polizeiprotokollen zur Genüge kennen", durch das – wie es Peter Cossé nennt – „Kleinamtsdeutsch".

Diese Texte mit der Wirklichkeit zu verrechnen, geht so einfach nicht. Bernhard hat auch hier seine radikale Hyperbolik eingesetzt. „In den mehr als hundert kurzen Prosastückchen ereignen sich, grob gerechnet, etwa 5000 mehr oder weniger naturgemäße Todesfälle", meint abschätzig David Axmann und hofft: „Nekrophile Charaktere kommen jedenfalls auf ihre Kosten."

An keiner Stelle wird vom Erzähler die Authentizität durch eine exakte Quellenangabe beansprucht, doch insistiert er des öfteren unter

Berufung auf seine Autorität auf der Tatsächlichkeit des Vorfalls. Wie es aber bei Thomas Bernhard mit der Wahrheit bestellt ist, geht aus der Serie von Paradoxa hervor, in der in *Der Keller* Wahrheit und Lüge opponiert und dann in eins gesetzt werden. Eine stupende Einsicht – als Motto für den *Stimmenimitator* durchaus brauchbar – lautet: „Letzten Endes kommt es nur auf den Wahrheitsgehalt der Lüge an."[5] Daß Bernhard aber doch wieder sich auf die Fiktion einläßt, nachdem er mit den autobiographischen Bänden so viel Authentisches geliefert hatte, verwirrte auch die Kritik. Was hier als das Wahrscheinliche geboten wird, als das Unwahrscheinliche zu denunzieren, lag – wie etwa die Rezension von David Axmann beweist – nahe. „In meinen Büchern ist alles künstlich", lautet eine Äußerung Bernhards, die von der Literaturwissenschaft zum Fundamentalsatz der Ästhetik seiner Schriften gemacht wurde.[6] Daß jedoch deshalb den Texten dieses Autors die gesellschaftliche Triftigkeit abzusprechen wäre[7], braucht wohl niemandem in den Sinn zu kommen, doch wäre es verfehlt, die Realien unserer Lebenswelt in diesen Texten in einer Weise zu vermuten, die auf Erkennbarkeit hin angelegt ist.[8] Die autobiographischen Schriften nun benennen Örtlichkeiten und Personen und provozieren den Lokalaugenschein trotz der von Bernhard zugegebenen Ambiguität von Wahrheit und Lüge, trotz der nachhaltigen Problematisierung der Erinnerung.[9] Allein die Ortsnamen sind weniger in ihrer kartographischen Überprüfbarkeit relevant, sondern in der Realität durch ihre Präsenz in der Sprache, durch die Verstörung, auf die schon allein durch die Lautung oder den semantischen Hof der Assoziationen (z. B. „Kobernaußerwald", „Ungenach") abgezielt wird. In den „All- und Existenzsätzen" bei Bernhard werden die Requisiten denn auch austauschbar;[10] im Sog dieser von Negativem durchtränkten Sprache präsentiert sich die Alternative zu jeder Möglichkeit noch scheußlicher als diese.

Die Realia scheinen in die Künstlichkeit der Sprache zu verschwinden und damit ihre Relevanz zu verlieren. Doch die Rezeption der Texte belegt gerade das Gegenteil. Die extreme Künstlichkeit der Sprache machte selbst bei peripherer Nennung eines Namens betroffen, und selbst dort, wo sich Bernhard nur als Virtuose des Schimpfens bewährt und sich konkreter Bezugnahme zu enthalten scheint, verstört er am meisten. Bernhard hat mit solchen Reizworten nicht gespart, die im Leser sofort ganz bestimmte und sehr konkrete Assoziationen auslösen. Gerade der vergleichsweise wenig umfängliche *Stimmenimitator* nennt nun eine Unzahl von Personen und Lokalitäten, deren Existenz überprüft werden kann, sei es in Lexika oder auf Landkarten. Hermann Burger ist dieser Bezug aufgefallen, und sein Verweis trifft ins Zentrum unserer Fragestellung: „Es ist wichtig, daß die Selbstmordkanzel des Komikers über der Salzburger Pferdeschwemme liegt, daß der Stimmenimitator gerade im Palais Pallavicini auftritt. Befreit man die Anekdoten aus der Bernhardschen Topographie, bleibt oft nur ein Aha-Effekt übrig." Etwas verschwommener drückt sich Joachim Hossfeld aus, wenn er diese Anekdoten „authentisch" nennt, „weil sie knapp am Sein entlangformuliert" wären. Und: „Dieses Sein, wie es nachweislich Bernhard selbst im alpinen Oberösterreich umgibt, birgt eine Fülle geradezu phantastischer Unsozialitäten." Die Wahl der Figuren und Orte scheint also keinesfalls willkürlich zu sein, aber doch kaum dadurch bedingt, dem Leser verläßliche Informationen zukommen zu lassen.

3. Zamponi und Ferrari

Die Blumenkette der Skandale, welche Auftritte und Schriften Bernhards umwindet, rankt sich auch um den *Stimmenimitator*. Auch wenn im Vergleich zum Prozeß nach dem Erscheinen der *Ursache* sich dieses Ereignis harmlos ausnimmt, sei es hier doch behandelt, weil es für die Wirkungsmechanik Bernhardscher Texte und darüberhinaus für diese selbst sehr illustrativ ist. Stein des Anstoßes war der Text *Exempel:*

> „Der Gerichtssaalberichterstatter ist dem menschlichen Elend und seiner Absurdität am nächsten und er kann diese Erfahrung naturgemäß nur eine kurze Zeit, aber sicher nicht lebenslänglich machen, ohne verrückt zu werden. Das Wahrscheinliche, das Unwahrscheinliche, ja das Unglaubliche, das Unglaublichste wird ihm, der damit, daß er tatsächliche oder über nur angenommene, aber naturgemäß immer beschämende Verbrechen berichtet, sein Brot verdient, an jedem Tag im Gericht vorgeführt und er ist naturgemäß bald von überhaupt nichts mehr überrascht. Von einem einzigen Vorfall will ich jedoch Mitteilung machen, der mir doch nach wie vor als der bemerkenswerteste meiner Gerichtssaalberichterstatterlaufbahn erscheint. Der Oberlandesgerichtsrat Zamponi, die ganzen Jahre über die beherrschende Figur des Landesgerichtes Salzburg, aus welchem ich wie gesagt, viele Jahre über alles dort Mögliche berichtet habe, war, nachdem er einen, wie er in seinem Schlußwort ausgeführt hatte, ganz gemeinen Erpresser, wie ich mich genau erinnere, einen Rindfleischexporteur aus Murau, zu zwölf Jahren Kerker und zur Zahlung von acht Millionen Schilling verurteilt gehabt hatte, nach der Urteilsverkündung noch einmal aufgestanden und hatte gesagt, daß er jetzt ein Exempel statuieren werde. Nach dieser unüblichen Ankündigung griff er blitzartig unter seinen Talar und in seine Rocktasche und holte eine entsicherte

Pistole hervor und schoß sich zum Entsetzen aller im Gerichtssaal Anwesenden in die linke Schläfe. Er war augenblicklich tot gewesen." (29 f.)

Von Bernhards Tätigkeit als Gerichtsberichterstatter weiß man.[11] Der Fachmann für das „Wahrscheinliche, das Unwahrscheinliche, ja das Unglaubliche, das Unglaublichste" (man denke an den ursprünglichen Titel dieser Sammlung!) beansprucht, als authentischer Zeuge gehört zu werden. Wie sich herausstellte, gab es den Oberlandesgerichtspräsidenten Zamponi tatsächlich. Die Tochter wollte den Autor klagen, da ihr Vater nicht Selbstmord begangen hat, sondern 1977 eines natürlichen Todes gestorben ist. Die Meldung ging durch die Presse und produzierte Artikel, die wiederum im *Stimmenimitator* selbst hätten Platz finden können. Auch die Justiz geriet in Schwierigkeiten: „Trotz aller Bedenken gegen Erfindungen solcher Art sei der Tatbestand der Verunglimpfung des Andenkens Verstorbener nicht erfüllt, erklärte dazu der zuständige Staatsanwalt, Hofrat Dr. Karl Hanke. Ein Verfolgungsrecht stehe aber den Angehörigen des verunglimpften Toten zu, wobei vorrangig geprüft werden müßte, ob eine Identität zwischen der in dem Buch erwähnten Person und dem Richter einwandfrei zu erkennen ist."[12] Unschuldig ist hier die Justiz in eine Grundfrage der Interpretation geschlittert: inwieweit eine Kunstfigur mit einer Figur aus der historisch gegebenen Realität identisch ist. Rührend auch die Obsorge der Journalisten, ob sich nicht ein ähnlicher Fall einmal in Salzburg zugetragen habe: „Einen Selbstmord der von Bernhard geschilderten Art hat es nach Auskunft des früheren Gerichtspräsidenten Dr. Ernst Melzer im Salzburger Landesgerichtsgebäude niemals gegeben."[13] „Diese Schilderung ist unwahr", heißt es in einer Zeitungsnotiz über das *Exempel*, „Zamponi starb nach einem schweren Leiden eines natürlichen Todes in Linz."[14] Was für den Journalisten „unwahr" ist, das ist für Thomas Bernhard „Dichtung". In einem „offenen Brief" an die Tochter des toten Oberlandesgerichtspräsidenten entschuldigte sich Bernhard, aber klärte zugleich alle Betroffenen über das, was Fiktion ist, auf: „Ich habe also niemals behauptet, daß der Gerichtspräsident Zamponi sich tatsächlich umgebracht hat, ich habe über ihn als tatsächliche juristische Person oder Persönlichkeit niemals auch nur etwas behauptet, denn ich habe eine Dichtung verfaßt."[15] Doch so einfach kann das Problem nicht aus der Welt geschafft werden, denn selbst für Bernhard ist Zamponi offenkundig nicht nur Kunstfigur gewesen, da er — wie in diesem Brief nicht ohne bizarre Ironie — sich Zamponi zum Leser wünscht. Das *Exempel* wollte er als eine „philosophische Dichtung" zur Huldigung des Verstorbenen verstehen, die diesem „als Parabel [. . .] sicher wenigstens eine kleine Freude gemacht hätte"[16]. Hier leuchtet ein Paradox auf, das Dichtern, Juristen und Literaturwissenschaftlern zu denken geben sollte: Die Identität, die der Jurist nicht nachweisen kann, kann der Dichter nicht leugnen. Die Person Zamponis war doch präsent, und der Name wurde als Stimulans für eine Provokation gesetzt, auch wenn die „tatsächliche juristische Person" nicht ins Spiel kommen sollte. Denn der Text sollte nach Bernhards Worten dem „hochverehrten Staatsanwalt Dr. Zamponi ein [. . .] auf längere Dauer standfestes, wenn auch nur dichterisches Denkmal" setzen.[17] Doch dieses Denkmal ist abgetragen. Bernhard versprach in seinem „offenen Brief" auch, den Namen Zamponi zu ersetzen, was denn auch in der Edition in der ‚Bibliothek Suhrkamp' 1982 erfolgt ist. Aus Zamponi wurde Ferrari.

Daß sich die Familie Zamponi so aus der Literaturgeschichte selbst hinauskomplimentiert hat, beruht auf einer Idiosynkrasie: durch diese Geschichte wäre das Andenken eines Juristen „verunglimpft" worden, während Bernhard – und das ist im Kontext seines Oeuvres nur stringent – gerade in dem Dr. Zamponi angedichteten Selbstmord eine Ruhmestat erblickt. Ein untadeliger Richter, der über einen gemeinen Verbrecher eine verhältnismäßig kurze Gefängnisstrafe und ein wahrscheinlich tilgbares Pönale verhängt hat, richtet sich selbst. Das ist eine jähe Wendung, die unter souveräner Ausblendung jeglicher Kausalität das für die Anekdoten dieses Bandes konstitutive Paradox bildet. Doch vorerst soll dieser Aspekt nicht in das Blickfeld der Betrachtung kommen. Mit dem Verzicht auf den Namen Zamponi verliert dieser *eine* Text nur für jene seinen Reiz, die von der Tätigkeit dieses Staatsanwalts und Richters überhaupt wußten. Ob Ferrari oder Zamponi bleibt der Mehrzahl der Leser gewiß völlig gleichgültig. Nicht gleichgültig für Bernhards Verfahren ist aber, daß er den Namen einer realen Persönlichkeit genommen hat, um daran seine „freien Assoziationen und Denk-Erfindungen"[18] zu knüpfen. Diese Einsicht, die sich auf nahezu alle Texte im *Stimmenimitator* ausdehnen läßt, verdankt man dem Umstand, daß sich die Familie Zamponi zu Wort gemeldet hat. So wird sichtbar, daß Bernhard mit Personen und Örtlichkeiten etwas vorhat, allerdings belastet er alles Authentische durch Übertreibung, entstellt das Vertraute durch das Groteske, läßt kein Festes ohne ein Ver-Rücktes gelten und beschwört die Grauzone zwischen dem Glaublichen und Unglaublichen oder Wahrscheinlichen und Unwahrscheinlichen.

Entscheidend bei alledem ist, daß er im *Stimmenimitator* meist mit konkreten Örtlichkeiten und Personen arbeitet. Kennzeichnend der Einsatz, der – in der Art Hebelscher Kalendergeschichten – zunächst den Ort fixiert: „Nahe Oslo" (7), „In Montreux am Genfersee" (13), „In Lima" (25), „Nahe Großgmain" (34), „Auf dem Großglockner" (42), „In Linz" (50), „In Ebensee" (69), „Im Elsaß" (70) usw. Diese „Katastrophenlandkarte" (Hossfeld) läßt sich exakt nachzeichnen. Ein Überblick über die verwendeten Örtlichkeiten bei Bernhard zeigt zudem an, daß der *Stimmenimitator* zwar in verschiedene Länder führt, daß aber als eindeutiges Epizentrum Bernhards Wohngegend, also die Region zwischen Salzburg und Linz, auszumachen ist. Es hat den Anschein, als kehrte der Erzähler immer wieder von seinen Ausflügen in den Bereich seiner engeren Heimat zurück. Mit einer nahezu gleichmäßigen Entropie breiten sich die Geschichten über Europa aus, aber immer führt der Erzähler zurück nach Österreich. Dieser Fixierung auf einen verhältnismäßig engen Landstrich steht geradezu eine Neigung zum Antipodischen gegenüber. Das Verfahren des Ortswechsels in den Erzählungen ist implicite enthalten in *Ausgewandert,* deren Held stets zwischen der Steiermark und Australien pendelt und weiß, daß er dazu für immer verurteilt ist, wie sein Vater, der zwischen Kärnten und der Steiermark nicht zur Ruhe kam und schließlich Selbstmord beging (62 f.).

Der realen Geographie scheint ein unterirdisches Höhlensystem zu entsprechen. In Lima sucht ein Mann seine Frau, die er ein Jahr zuvor „wahrscheinlich in der Nähe des Tappenkars" verloren hat (25). In einer Höhle zwischen „Taxenbach und Schwarzach" verschwinden Höhlenforscher; aber nicht nur diese, sondern auch zwei *„Höhlenforscherrettungsmannschaften".* Offenkundig wird den Höhlen die Kraft des Verschlingens zugesprochen. Da auch die zweite Rettungsmannschaft nicht wieder auftaucht, „war von dem für Höhlenforschung zuständigen Amte der Salzburger Landesregierung an eine Pongauer Baufirma der Auftrag vergeben worden, die Höhle zwischen Taxenbach und Schwarzach zuzumauern, was noch vor dem neuen Jahr geschehen ist." (24) „Grandissimi fiumi corron sotto terra", lautet ein ohne Zusammenhang in *Amras* inseriertes Zitat[19], das sein Gewicht erst aus der Zusammenstellung mit den angeführten Stellen im *Stimmenimitator* erhält.

Diese Beziehung zwischen Oberflächengeographie und unterirdischer Geographie tritt sinnbildhaft ein für das Verhältnis von Authentizität und Fiktion. Es gibt etwas, das sich zeigt und auch benannt werden kann; dahinter oder darunter liegt etwas anderes, dessen Sosein und Wirksamkeit unerklärbar ist. In diesen kurzen Geschichten wandert Bernhard die Erdoberfläche ab; die biographischen Skizzen vermelden Reisen gerade in die Länder, die im *Stimmenimitator* eine Rolle spielen:

Jugoslawien (74, 155), Polen (78, 80, 88, 133, 135, 136) und Portugal (138, 139, 140)[20], Italien (17, 167) usw. Es ist oft ein Ensemble von Sehenswürdigkeiten, das Bernhard beschwört; manchmal sind es exponierte Stellen, auf die er seine Heroen plaziert: auf den Großglockner (42), in Salzburg über die Pferdeschwemme (48), auf die Humboldtterrasse in Salzburg (108), auf den Nowy Swiat in Warschau (135) und den Wawel in Krakau (138); in Portugal wird Coimbra (140) erwähnt. Diese Lokalitäten kontrastieren nicht nur der Grausigkeit der Ereignisse, sondern auch den anderen Schauplätzen in Österreich, die mitunter durch ihre Provinzialität stigmatisiert erscheinen und kaum bekannt und nur schwer auf den Landkarten zu finden sind.

Nicht zuletzt durch dieses subterrane Höhlensystem scheinen die Anekdoten im *Stimmenimitator* die ganze Welt mit einem feinmaschigen Netz zu umfassen. Durch die Wahl der Schauplätze wird selbst mit diesen filigranen Texten der Eindruck der Totalität erzielt: von dem heimatlichen Lokal aus wird die Welt in ihrer Gesamtheit unterirdisch zugänglich.

Dem Schicksal ihrer Rückkehr nach Österreich scheinen die Figuren nicht entrinnen zu können. Diese Bewegung läßt sich – wie oben gezeigt – in der ganzen Sammlung beobachten. Zusehends wird auch die Kritik an Österreich radikaler (vgl. 168, 174 f.). Am radikalsten wird die Negativität dieser Rückkehr in der letzten Geschichte mit dem Titel *Zurückgekehrt:* einem Freund in Newcastle in Australien[21], der wieder nach Österreich kommen will, rät der Ich-Erzähler telegraphisch davon ab, weil „diese seine Heimat in Wahrheit nurmehr noch eine gemeine Hölle sei, in welcher ununterbrochen der Geist verleumdet und die Wissenschaft und die Kunst vernichtet werden". Aber: „Er hat meinen Rat nicht befolgt. Er ist ein todkranker Mann, für welchen schon jahrelang die Irrenanstalt *Am Steinhof* der ordentliche, gleichzeitig entsetzliche Wohnsitz ist." (179)

Die Funktion der Schauplätze und die Plazierung dieser Geschichte an das Ende des Bandes beweisen, daß diese „freien Assoziationen und Denk-Erfindungen" doch von einem thematischen Zentrum her organisiert sind, das dem der anderen Schriften Bernhards entspricht.

Was für die Lokalitäten gilt, ist übertragbar auf die Personen. Auch hier läßt sich Bernhard Pflege der Prominenz angelegen sein. Es sind Berühmtheiten, ob nun namentlich genannt oder nicht. Genannt werden Tino Pattiera (74)[22], Knut Hamsun (7), Stanisław Jerzy Lec (135), Cunhal und Exkönig Umberto (138). Andere wiederum werden namentlich nicht angeführt, doch handelt es sich meist um renommierte Persönlichkeiten, hervorragende Einzelne, deren Schicksal die Vereinzelung ist. Sei es nun ein Künstler, sei es ein Stimmenimitator, seien es bekannte Professoren. Es interessiert das Denkwürdige, das im Gegensatz zu der Authentizität zu stehen scheint, die über diese Persönlichkeiten durch die offizielle Biographik und das öffentliche Bewußtsein hergestellt wird. Korrektur an der Geschichte ist eine der Aufgaben der Anekdotenschreibung, die sich um die großen Persönlichkeiten rankt. Parabolisch fängt dies der Text *Behauptung* ein. Ein Mann aus Augsburg versteift sich darauf, daß Goethes letzte Worte nicht „Mehr Licht!", sondern „Mehr nicht!" gelautet hätten. Und nun die Pointe: „Sechs Ärzte hätten sich geweigert, den Unglücklichen in die Irrenanstalt einzuweisen, der siebente habe eine solche Einweisung sofort veranlaßt. Dieser Arzt ist, wie ich aus der *Frankfurter Allgemeinen Zeitung* erfahren habe, dafür mit der Goetheplakette der Stadt Frankfurt ausgezeichnet worden." (58) So wird der Status quo ante mühelos restituiert. Korrektur an der Überlieferung ist unmöglich. Nun hat Bernhard selbst in dem Text *Goethe schtirbt* 1982 anläßlich des 150. Todestages nochmals die Variante „Mehr nicht!" behauptet. Er macht Goethe und Wittgenstein zu Zeitgenossen. Jener will diesen zu sich nach Weimar einladen, doch stirbt Wittgenstein, bevor ihn Goethes Bote Kräuter erreichen kann. Dem alten Goethe wird von Wittgensteins Tod keine Mitteilung gemacht. Den Ich-Erzähler dieser kuriosen Geschichte peinigt allerdings ein Selbstvorwurf: „Wir, Riemer, Kräuter und ich einigten uns darauf, der Welt mitzuteilen, Goethe habe *Mehr Licht* gesagt als Letztes und nicht *Mehr nicht!* An dieser Lüge als Verfälschung leide ich, nachdem Riemer und Kräuter längst daran gestorben sind, noch heute."[23] Das im *Stimmenimitator* zur Anwendung gelangende Verfahren wird in *Goethe schtirbt* noch deutlicher. Geschichte erscheint als Fälschung. Die Anekdoten sind notwendig, weil sie die entscheidende Gegen-Authentizität errichten. Scharf und unerbittlich desavouieren sie das offiziell Gesagte und Behauptete. Sie werden zum Richter über ein Verhalten, das sich bequem mit der Tradition arrangiert hat. Jene, die zu Kronzeugen für einen Bildungsbegriff aufgerufen werden, widerlegen – nach Bernhard – diesen durch ihre eigenen Worte. So soll – wiederum nach Bernhard – Goethe gesagt haben: „Die Deutschen verehren mich, obwohl ich ihnen wie kein zweiter so schädlich bin auf Jahrhunderte."[24] Wie aber die *Behauptung* exemplarisch zeigt, führt ein solcher Korrekturversuch in der Folge unweigerlich dazu, aus der Gesellschaft eliminiert zu werden und denjenigen, der diesen Störenfried beiseite schafft, auszuzeichnen. Bernhard ist mit *Goethe schtirbt* nun selbst in die Rolle des Verstörers geschlüpft, wobei es ihm jedoch darauf ankommt, nicht mit Goethe, sondern nur mit seinen Verehrern abzurechnen. In dieser „Denk-Erfindung" erscheint Wittgenstein als derjenige, der das Denken Goethes durch sein Denken überflüssig gemacht hat. Doch Goethe kann dies anerkennen und ersehnt sich den zum Gesprächspartner, der ihn gerettet und zugleich überwunden hat.

Dieser Prominenz steht die Fülle der Namenlosen, Erniedrigten und Beleidigten gegenüber, die nur durch das Unglück die zweifelhafte Ehre haben, in die Zeitung zu kommen. Da gibt es den Papierarbeiter Filzmoser (98) und den Zementvorarbeiter Irsiegler (96), markant wird aber dieser Kontrast von unbedeutend und bedeutend in der Erzählung *Fast,* worin ein Steinmetzgehilfe als Denkwürdigkeit aus seinem Leben die Besteigung des Kirchturms von Tamsweg zu berichten weiß: „*Fast* wäre ich tödlich abgestürzt, hat der Steinmetzgehilfe gesagt und er betonte darauf ausdrücklich, daß er dadurch *fast* in die Zeitung gekommen wäre." (27 f.) Indem Bernhard nun die Berühmten mit denen, die im Dunkel sind, konfrontiert, erreicht er durch diese polare Paarung wieder eine Perspektive, durch die ein gesellschaftliches Totale in den Blick kommen kann.

Da das Apokryphe und das Mißachtete als das Authentische inthronisiert wird, gelingt auch die Rechtfertigung der Banalität, die sich in den Wanderanekdoten spiegelt. In *Doppelgänger* wird das weidlich abgenutzte Motiv vom Double verwendet, das anstelle einer bedeutenden Persönlichkeit auftritt. Verwandt ist diesem Text ein Beispiel aus den *Ereignissen,* das hier zur Gänze zitiert sei, um die unterschiedliche Praxis des *Stimmenimitators* aufzuzeigen:

„DER DIKTATOR hat sich aus über hundert Bewerbern einen Schuhputzer ausgesucht. Er trägt ihm auf, nichts zu tun als seine Schuhe zu putzen. Das bekommt dem einfachen Manne vom Land, und er nimmt rasch an Gewicht zu und gleicht seinem Vorgesetzten – und nur dem Diktator ist er unterstellt – mit den Jahren um ein Haar. Vielleicht ist das auch zu einem Teil darauf zurückzuführen, daß der Schuhputzer dieselbe Kost ißt wie der Diktator. Er hat bald dieselbe dicke Nase und, nachdem er seine Haare verloren hat, auch denselben Schädel. Ein wulstiger Mund tritt heraus, und wenn er grinst, zeigt er die Zähne. Alle, selbst die Minister und die nächsten Vertrauten des Diktators fürchten sich vor dem Schuhputzer. Am Abend kreuzt er die Stiefel und spielt auf einem Instrument. Er schreibt lange Briefe an seine Familie, die seinen Ruhm im ganzen Lande verbreitet. „Wenn man der Schuhputzer des Diktators ist", sagen sie, „ist man dem Diktator am nächsten." Tatsächlich ist der Schuhputzer auch dem Diktator am nächsten; denn er hat immer vor seiner Türe zu sitzen und sogar dort zu schlafen. Auf keinen Fall darf er sich von seinem Platz entfernen. Eines Nachts jedoch, als er sich stark genug fühlt, betritt er unvermittelt das Zimmer, weckt den Diktator und schlägt ihn mit der Faust nieder, so daß der tot liegen bleibt. Rasch entledigt sich der Schuhputzer seiner Kleider, zieht sie dem toten Diktator an und wirft sich selbst in das Gewand des Diktators. Vor dem Spiegel des Diktators stellt er fest, daß er tatsächlich aussieht wie der Diktator. Kurz entschlossen stürzt er vor die Tür und schreit, sein Schuhputzer habe ihn überfallen. Aus Notwehr habe er ihn niedergeschlagen und getötet. Man solle ihn fortschaffen und seine hinterbliebene Familie benachrichtigen."[25]

Im *Stimmenimitator* ist es ein „Mann aus Trebinje" (bei Dubrovnik), der dem „jugoslawischen Präsidenten tatsächlich zum Verwechseln ähnlich gewesen war" (155). Zwar fällt der Name Tito nicht, doch kann vom Leser nur dieser als „Staatspräsident" identifiziert werden. Auch von der „Staatskanzlei in Belgrad" ist die Rede. Der augenfällige Unterschied besteht also in der realen Topographie und in der Bezugnahme auf eine historische Persönlichkeit, die, als der *Stimmenimitator* erschien, noch am Leben war. Was hier von Tito erzählt wird, war schon ähnlich über Augustus[26], Kaiser Franz Joseph, Mussolini, Stalin, Churchill, Franco, Mao und viele andere zu hören – eine beliebte Wanderanekdote und Stoff für die Regenbogenpresse. „Lebt Tito noch, oder regiert ein Doppelgänger?" fragt die Schlagzeile auf der Titelseite des „Wiener Samstag" vom 14. April 1979.[27] Thomas Bernhard hat in diesem Fall mit seiner Publikation die Realität des Zeitungsartikels vorweggenommen und gezeigt, wie die Fiktion bei einem erfundenen Ärmel hineinschlüpft und bei einem wirklichen herauskommen kann.[28]

Was in den *Ereignissen* berichtet wird, könnte nie und nimmer eine Zeitungsglosse abgeben. Die auf Typenhaftigkeit reduzierten Figuren (der Diktator, der Schuhputzer) unterstreichen die mehrschichtige Parabolik des Textes. Dieser ist auf Sinngebung angelegt, nicht aber darauf, nach einem realen Vorbild zu suchen.

Man mag darin eine Gleichniserzählung für die Ablösung einer Herrschaft durch eine andere erblicken, wobei die vormals unterdrückten und dann revolutionären Kräfte die Macht nur dadurch gewinnen, daß sie ihre Identität und damit ihre Ziele aufgeben und dem gestürzten „Herren" zum Verwechseln ähnlich werden. Diese Aussage steht ja auch am Ende von George Orwells *Animal Farm,* wo die Schweine als neue Herrscher sich von den Menschen auch ihrem Äußeren nach nicht mehr unterscheiden. Gleichgültig, ob man diese Auflösung der Parabel wählt oder eine andre: der Text in den *Ereignissen* drängt durch den hohen

Grad der Abstraktion zu einer Lektüre in dem angedeuteten Sinn, während der *Doppelgänger* sofort eine Rückkoppelung mit der – beim Erscheinen des Buches aktuellen – Situation in Jugoslawien möglich macht. Doch Bernhard bleibt im Unterschied zum Zeitungsartikel nicht bei der Sensationsmeldung stehen, sondern führt die Geschichte über in die Frage, die über allen Texten in diesem Buch steht: „Wieviel Wahrheit ist in der Lüge und wieviel Lüge in der Wahrheit?" „Da der Mann, der Belgrad schon vor drei Jahren das Angebot gemacht hat, von damals bis heute abgängig ist, glauben viele Leute nicht nur in Trebinje und Umgebung, sondern inzwischen in ganz Jugoslawien, daß er längst seinen Dienst in der jugoslawischen Hauptstadt angetreten hat. Die Leute, die ihre Vermutung äußern, werden als Verleumder bezeichnet. Jene, die wissen wollen, der Mann sei ins Gefängnis geworfen oder in eine Irrenanstalt eingeliefert oder längst liquidiert worden, werden genauso als Verleumder bezeichnet. Demnach sind alle Jugoslawen Verleumder." (155 f.) So mündet der Text in ein Paradox, das dem des Epimenides gleicht, der, selbst Kreter, alle Kreter Lügner nannte.[29]

Nicht um eine Kritik an den politischen Zuständen in Jugoslawien geht es in diesem Text. Viel eher wirkt seine Mechanik dahin, die Naht zwischen dem Wahrscheinlichen und dem Unwahrscheinlichen unkenntlich zu machen. Gerade auf diese Trennungslinie hatte ja die Tochter Dr. Zamponis den Finger gelegt.

Erkennbar ist an den Texten des *Stimmenimitators* viel aus der österreichischen Gesellschaft. Einmal wird ein Gerichtsmediziner erwähnt namens Breitenegger (94), der, allerdings „Breitenecker" geschrieben, in Wien an der Universität in dieser Funktion tätig war. Der Name Pittioni (111) ist aus der *Ursache* bekannt.[30] Einen Jan Potocki (1761–1815), Verfasser des *Manuscrit trouvé à Saragosse,* hat es tatsächlich gegeben (133). In den meisten Fällen ist das Erfundene mit hoher Wahrscheinlichkeit vom Authentischen zu trennen, doch Sicherheit wäre nur durch exakte Überprüfung der Anekdoten zu erlangen.

Das ist hier nicht zu leisten, doch wurde als ein Beispiel für viele der Fall Zamponi diskutiert. Kennzeichnend ist, daß der Leser gerne nach den Möglichkeiten der Identifikation fragt. So meint der Rezensent Heinz Beckmann, daß es viele „Anspielungen auf konkrete, namhaft bekannte Personen der gegenwärtigen Kunstszene" gäbe und der Text *Empfindung,* in dem das Bochumer Theater als „Bochumer Narrenhaus" bezeichnet wird, Peter Zadek gelte.

Einen aufschlußreichen Hinweis verdankt man einem unter dem Pseudonym „Pankraz" schreibenden Autor, der eine mögliche Quelle für die

Titelgeschichte angibt: „Im neuesten Erzählband des unermüdlichen Thomas Bernhard kommt ein Stimmenimitator vor, der alle Menschen- und Tierstimmen perfekt nachahmen kann – nur wenn er seine eigene Stimme imitieren soll, scheitert er kläglich. Bevor der Leser diese Story grinsend und achselzuckend als eine ‚typische Bernhardsche' Erfindung beiseite legt, mag er sich einmal an den großen Volksschauspieler Hans Moser erinnern, dessen Sprechweise so ‚unverwechselbar' war, daß sie immer wieder nachgeahmt wurde. Einmal, auf einem Maskenball, wurde sogar ein richtiger Moserstimme-Nachahmungs-Wettbewerb ver- anstaltet, zum Gaudium der Ballbesucher. Es gab einige schöne Preise zu gewinnen, und der wegen seines Geizes bekannte Moser nahm, maskiert wie alle anderen, selbst an der Konkurrenz teil. – Der Leser riecht den Braten schon: Moser gewann den Preis des besten Moser-Imitators nicht. Er wurde nur Dritter, worüber er, der entgangenen Geldprämie wegen, recht ärgerlich war. Wahrscheinlich kennt Thomas Bernhard die Geschichte, denn sie wurde seinerzeit in Österreich viel kolportiert." Und der Autor folgert als Moral der Geschichte: „Wenn ein geborener Schauspieler, ein Stimmenimitator Schwierigkeiten ausgerechnet mit der eigenen Stimme hat, so ist das ein untrüglicher Hinweis darauf, daß wir uns selber immer das größte Geheimnis bleiben, daß wir bei uns selber am wenigsten zu Hause sind. Daß also auch das schönste Kostüm stets nur Verkleidung sein kann."

Läßt man diese Interpretation gelten, so wäre daraus zu folgern, daß die Titelerzählung eine Hilfe für die Deutung der Eigenart des ganzen Buches zuläßt: Bernhard, in der Fortsetzung der eigenen Manier unsicher geworden, probiere nun in der Form der kurzen Erzählung aus, die Stim- men anderer nachzumachen. Das muß Hypothese bleiben, mag als sol- che aber zur Diskussion gestellt werden.

Der Zeitungsartikel zum Double Titos und die Hans-Moser-Anekdote beweisen, wie schnell in einigen Fällen der Kontakt zu unserer Lebens- welt hergestellt werden kann, wie sehr die konkrete Nachvollziehbar- keit, welche die Namen ermöglichen, diese Vermittlung fördert, oder wie sich dort, wo diese Beziehung fehlt, die Verwandtschaft zu einem breiten Strom überlieferten Erzählgutes herstellen läßt. So reizvoll die Suche nach Parallelen und Hintergründen sein mag und so sinnvoll auch der Kommentar zum Textganzen ist, so greift dies doch zu kurz, weil die Interaktionen zwischen Leser und Text und die hermeneutische Arbeit auf ein Versteck- und Suchspiel reduziert würden.

„In einem römischen Krankenhaus ist die intelligenteste und bedeu- tendste Dichterin, die unser Land in diesem Jahrhundert hervorgebracht hat, an den Folgen von Verbrühungen und Verbrennungen gestorben, die sie sich in ihrer Badewanne zugezogen haben muß, wie die Behörden festgestellt haben." Damit setzt der Text *In Rom* ein (167 f.), und der Leser weiß sofort, daß es sich nur um Ingeborg Bachmann handeln kann, auch wenn ihr Name nicht genannt wird. Das Ich, das hier spricht, erwähnt die Kongruenz seiner Ansichten mit denen der Bachmann. Sie sei immer „auf der Flucht gewesen". Doch nicht auf der Todesart und damit auch nicht auf dem Anekdotischen als Ergänzung zur Biographie liegt der Akzent. Dies erweist die Aussparung des Namens und vollends der Schluß des Textes: „Die Leute rätseln, ob ihr Tod nur ein Unglück oder tatsächlich Selbstmord gewesen war. Die an den Selbstmord der Dichterin glauben, sagen immer wieder, sie sei an sich selbst zerbrochen, während sie in Wirklichkeit naturgemäß nur an ihrer Umwelt und im Grunde an der Gemeinheit ihrer Heimat zerbrochen ist, von welcher sie auch im Ausland auf Schritt und Tritt verfolgt worden war wie so viele." (168) Nicht um Komplettierung oder Verifikation der Gerüchte geht es also, sondern um die Aufdeckung eines Sachverhalts, der in der praktizierten Geschichts- und Literaturgeschichtsschreibung nicht zur Geltung kommt. Immer wieder setzt Bernhard, um seine radikalen Verdikte zu bekräftigen, emphatisch ein „tatsächlich" oder „in Wirklichkeit" ein (z. B. 8, 11, 25, 31, 43, 46, 64, 68, 79, 83, 103, 115, 117, 136, 140, 143, 155, 162, 170, 173, 174). Damit errichtet er seine Gegen-Authentizität. So auch hier. Wieder engt sich die Perspektive ein auf dieses Österreich, das die Vernichtung des Einzelnen und zugleich Ausgezeichneten zu verantworten hat. Diesen Prozeß detailliert zu begründen ist Bernhards Sache nicht. Sein Urteil will universal gültig sein und kann keinen Widerruf zulassen. Sein Begriff von „Tatsächlichkeit" sperrt sich dem positivistischen Verständnis des „wie es gewesen ist". Die Vernichtung der Dichterin erfolgte durch ihre Umgebung und ihre Heimat – „naturgemäß".

4. Naturgemäß

„Die Natur ist das einzige, was ich euch versprechen kann – das einzig stichhaltige Versprechen. In ihr ist nichts ‚aus', wie in der bloßen Spielwelt, wo dann gefragt werden muß: ‚Und was jetzt?' Sie kann freilich weder Zufluchtsort noch Ausweg sein. Aber sie ist das Vorbild und gibt das Maß: dieses muß nur täglich genommen werden. Der gelbe Falter verherzlicht das Himmelsblau. Die Spitze des Baums ist die rechtmäßige Befreiungswaffe."[31] Diese Worte aus der feierlichen Rede der Nova in Peter Handkes *Über die Dörfer* markieren einen krassen Gegensatz zu der Position, die Bernhard einnimmt. Zwar scheint auch er das Maß an der Natur zu nehmen: „naturgemäß" und „natürlich" begegnen in etwa einem Drittel der Geschichten des *Stimmenimitators* an entscheidender Stelle, in manchen finden sich diese Worte sogar zwei- oder dreimal. Viele Rezensenten haben das Vorhandensein des Wortes notiert, aber kaum zu deuten versucht. Die Häufung dieses manchmal auch floskelhaft wirkenden Adverbs läßt den Schluß zu, daß sich daraus ein den ganzen *Stimmenimitator* umgreifender Kontext ergibt. Die Wirkung der Natur bei Bernhard ist tödlich, sie ist der Antagonist des Menschen.[32] „Naturgemäß" – das bedeutet im *Stimmenimitator:* Vereinzelung (11), Konfinierung im heimatlichen Irrenhaus (17), Verdächtigung der Beschuldigten (22), Abstumpfung (29), Mißlingen eines Versuchs (34), Negativität des Klimas (37), Narzißmus und Autismus (59), schlechtes Gewissen (79), entgegengesetzte Entwicklung von Brüdern (101), Angst und Scheu (136), Mord an einem Präsidenten (157), Weg in den Ruin (158), Mordpläne (159), Ausweitung eines Streites (160). Nahezu alle Geschichten enden mit der Liquidation der Helden: sie verschwinden, sie werden getötet oder begehen Selbstmord. Das ist alles naturgemäß. Naturgemäß ist auch die Maschinerie, die den Tod der „intelligentesten und bedeutendsten Dichterin" Österreichs in diesem Jahrhundert verursacht hat.

In den frühen Schriften Bernhards, vor allem in *Frost* und *Verstörung* erscheint die Natur denaturiert. Was der Mensch Natur nennt, ist nicht (mehr) Natur. Der Fürst in *Verstörung* sagt: „Was wir einatmen, ist auch nichts anderes als Ziffern und Zahlen, von welchen wir nur noch annehmen, daß sie die Natur sind."[33] Die Natur geht auf in der Geometrie: „Wir müßten alles immer auf das Geometrische hin, von dem alles abhängt, anschauen."[34] „Die Natur ist kein Beispiel", heißt es – ganz im Gegensatz zu Handke – bei Peter Rühmkorf.[35]

Was für die Stoiker die Maxime zum richtigen Leben war – „naturae convenienter vivere"[36] – ist zum Zwang geworden, dem nicht zu entkommen ist. Die Unnatur ist das Naturgemäße. *Natürlich* – so lautet auch der Titel eines Kurztextes, der von einem schweigsamen Holzfäller handelt. Am Abend vor seinem Tod – er begeht Selbstmord – hat er sich im Gasthaus offen und frei geäußert: „Seine Berichte zeigten uns auf einmal ein anderes Land und andere Menschen und sind jetzt die einzigen authentischen." Der Schuldirektor sagt in der Grabrede, der Holzfäller „sei ein *natürlicher* Mensch gewesen" (103 f.). Derjenige, der in seinen Berichten Authentisches gibt, ist ein natürlicher Mensch, doch dieses „Naturgemäße" treibt ihn in den Tod. Die seit dem vorigen Jahrhundert durch die Entwicklung der Technik erfolgte „Auflösung der Identität von Sein und Natur"[37], der Hans Blumenberg sogar eine positive Perspektive abgewinnen möchte, ist bei Bernhard nicht vollzogen. Daß aber die Nachahmung der Natur bei Bernhard nicht mehr „ästhetischer Gegenstand" oder moralische Devise sein kann, ist evident; Natur ist auch nicht mehr das „herstellbare Urbild alles Herstellbaren".[38] Aber die Menschen können der Natur nicht entfliehen. Obwohl im *Stimmenimitator* die Natur sinnlich kaum erfaßt wird, ist sie doch wirksam, präsent, präsent vor allem in dem Leitwort „naturgemäß". Jene Geometrisierung der Natur, die immanent auch ihre Abschaffung bedeuten würde, scheint aufgegeben.[39] Damit erfolgt auch der Verzicht auf jene so stark akzentuierte Künstlichkeit, wie sie Bücher bis zur *Korrektur* hin auszeichnet. Doch findet keine Restauration der Natur statt, sondern eine fatale Beschwörung ihrer Macht, die zugleich eine unheimliche Abschwörung des Natürlichen ist. „Wer die Natur als Kronzeuge anruft, ist nicht zu widerlegen." (Skasa) Das Naturgemäße wird in dem Buch – wie W. Martin Lüdke zurecht vermutet – so oft apostrophiert, damit es sich endlich selber aufhebt.

Der Beziehungskomplex, der durch das Wort „naturgemäß" hergestellt wird, gibt auch der von der Kritik bisweilen inkriminierten Trivialität eine andere Dimension. Es sind die „großen Katastrophen kleiner Leute" (Lüdke), an denen man „naturgemäß" vorbeisieht. Die sublime Leistung des *Stimmenimitators* besteht darin, in die Bagatelle das Gewichtige zu schmuggeln, das sonst die Pathos-Last größerer Texte ausmacht. Das Leid wird gespeichert in der Zeitungsnotiz. „Die Zeitungen sind, gemessen an der Übelkeit, die sie vielen verursachen, nicht ohne Grund und mit vollem Recht, die einzigen großen Menschentröster", sagt der Maler Strauch in *Frost*.[40] So gesehen erscheinen auch die Texte des *Stimmenimitators* in ihrer Verwandtschaft in Form und Stil mit Zeitungsmeldungen in einem neuen Licht. In den Zeitungsglossen steckt das Authentische; der Vorwurf der Trivialität braucht nicht zu verfangen: „Es gibt auch eine triviale Finsternis." (Burger) Was der einfache Holzfäller zu sagen hat, gilt; was von den Großen vermeldet wird, gilt nicht. Was sich uns als klischierte Sehenswürdigkeit eingeprägt hat, muß verrückt werden, doch diejenigen, die dies bewerkstelligen wollen, sind selbst Verrückte: die Bürgermeister von Pisa und Venedig wandern „naturgemäß" in die Irrenhäuser ihrer Heimatstädte.

Auch die Umständlichkeit der Sprache mit dem steten Schwanken zwischen Überdetermination und Lakonismus, zwischen unnötiger Redundanz und schroffer Einsparung erklärt sich mit der Mimesis der Zeitungssprache. Das unbeholfen wirkende Plusquamperfekt erzeugt Distanz und eine Patina der Künstlichkeit, die das krude Material imprägniert. Doch dienen die Übertreibungen und die „Polypensätze" (Burger) nicht der Karikatur oder Parodie der Zeitungssprache. Sind die Zeitungen trotz ihrer Widerwärtigkeit „Menschentröster", so können es diese Texte Bernhards auch sein. Das angehäufte Material ist sowohl eine Chrestomathie von Zeitungsgeschichten als auch ein Kompendium Bernhardscher Figuren, Motive und Örtlichkeiten. „Man kann nachvollziehen, wie ein im Endprodukt zum hermetischen Kunstsystem abgedichteter Stoff angerissen wird." (Burger) Im Gegensatz zu Burger möchte ich im *Stimmenimitator* doch nicht nur diese Materialsammlung sehen: auch hier werden die Stoffe zu einem „hermetischen Kunstsystem" abgedichtet. Doch gibt es deutlich erkennbar und in größerer Anzahl als sonst bei Bernhard jene Punkte, die eine Rückkoppelung mit unserem Alltag oder mit der Geschichte möglich machen. Die Übertreibung ist dabei nicht rhetorisch-didaktisches Mittel, sondern dient der Genauigkeit. Der *Stimmenimitator* löst das ein, was Ingeborg Bachmann 1969 vor allem aus Anlaß von *Amras* und *Watten* schrieb: „Wie sehr diese Bücher die Zeit zeigen, was sie gar nicht beabsichtigen, wird eine spätre erkennen, wie eine spätre Zeit Kafka begriffen hat. In diesen Büchern ist alles genau, von der schlimmsten Genauigkeit, wir kennen nur die Sache noch nicht, die hier so genau beschrieben wird, also uns selber nicht."[42] Womit wir beim Stimmenimitator wären, dem seine eigene Stimme nicht vertraut und bekannt ist.

Im *Stimmenimitator* werden durch die Übertreibung die Realitätspartikel zur Kenntlichkeit entstellt. Evident wird dadurch die paradoxale Struktur des poetischen Prozesses: das Authentische enthüllt sich just dadurch, daß es verschleiert wird.

Anmerkungen

1 Zitiert wird nach der Erstausgabe: *Der Stimmenimitator*. Frankfurt/M.: Suhrkamp 1978. Die Zahlen im Text beziehen sich auf diese Edition.
2 Um die Anzahl der Fußnoten nicht zu erhöhen, werden die Rezensionen, auf die in diesem Aufsatz mehrfach Bezug genommen wird, hier alphabetisch zusammengestellt und im Text nur mit den Namen des Verfassers angeführt. Die Übersicht konnte nur auf Grund der Sammlung in der ‚Dokumentationsstelle für neuere österreichische Literatur', 1060 Wien, Gumpendorferstr. 15, und der Bibliographie in: *Thomas Bernhard. Werkgeschichte*. Hrsg. von

Jens Dittmar. Frankfurt/M. 1981, erstellt werden:

Anonym: *Eine saubere Lösung?* In: Bauwelt (Berlin), Sept. 1979.

Axmann, David: *5000 Tote.* In: Die Furche (Wien), 27. 10. 1978.

Barz, Paul: *Bernhards hundert Stimmen.* In: Westermanns Monatshefte (1979), H. 5, S. 118 f.

Beckmann, Heinz: *Der enthauptete Chorknabe.* In: Rheinischer Merkur, 1. 12. 1978.

Beer, Otto F.: *Sprachgirlande aus der Botanisiertrommel. Thomas Bernhard geht jetzt zur Post und trägt Briefe aus, um nicht wahnsinnig zu werden.* In: Die Welt (Hamburg), 21. 10. 1978.

Bortenschlager, Wilhelm: *Warum Bernhard lesen?* In: Welser Zeitung, 16. 11. 1978.

Burger, Hermann: *Finstere Anekdoten.* In: Weltwoche (Zürich), 18. 10. 1978.

Cossé, Peter: *Über den Tod ganz lapidar.* In: Salzburger Nachrichten, 4. 11. 1978.

Draw.: *Bitterböse Worte.* In: Südost Tagespost (Graz), 7. 3. 1979.

dree.: *Appelle an unsere Phantasie und Nachdenklichkeit. Der Bremer Literaturpreisträger Bernhard schrieb ,Der Stimmenimitator' – Geschichten vom heutigen Leben.* In: Bremer Nachrichten, 2. 12. 1978.

Dreykorn, Paul: *Immer das Schlimmstmögliche. ,Der Stimmenimitator' – Die Absurdität bezeichnend.* In: Nürnberger Zeitung, 6. 11. 1979.

Frankfurter, Johannes: *Th. Bernhard in Kürzestform.* In: Neue Zeit (Graz), 7. 11. 1978.

Greiner, Ulrich: *Thomas Bernhards gewöhnlicher Schrecken.* In: Frankfurter Allgemeine Zeitung, 21. 11. 1978; auch in Ulrich Greiner: *Der Tod des Nachsommers.* München: Hanser 1979, S. 72–81.

Hahnl, Hans Heinz: *Ein Abgrund von Absurdität.* In: Arbeiter Zeitung (Wien), 8. 10. 1978.

Hartung, Harald: *Die eigene Stimme des Stimmenimitators.* In: Der Tagesspiegel (Berlin), 25. 3. 1979.

Heinisch, Eduard C.: *Druckerschwärze.* In: Neue Kronen Zeitung (Linzer Ausgabe), 19. 1. 1979.

Hell, Bodo: *Thomas Bernhard: ,Der Stimmenimitator'.* In: Norddeutscher Rundfunk (Hannover), 1. 4. 1979.

Hieber, Jochen: *Ohlsdorfer Miniaturen.* In: Süddeutsche Zeitung, 21. 10. 1978.

Hossfeld, Joachim: *Thomas Bernhard: ,Der Stimmenimitator'.* In: Literatur und Kritik 14 (1979), H. 136/137, S. 435 f.

Jooß, [. . .]: *Thomas Bernhard: ,Der Stimmenimitator'.* In: Das Neue Buch 1979/2.

Kahl, Kurt: *Das Seltsame am Rande des Abgrunds.* In: Kurier (Wien), 26. 11. 1978.

Karasek, Hellmuth: *Generalanzeiger aus den Alpen.* In: Der Spiegel,

30. 10. 1978.

Kathrein, Karin: *Hilferuf und Verweigerung*. In: Die Presse (Wien), 18. 10. 1978.

Krohn, Rüdiger: *Momente alltäglichen Grauens*. In: Stuttgarter Zeitung, 15. 9. 1979.

Lämmle, Micaela: *Man fühlt sich ertappt. Prosastücke von Thomas Bernhard: Aufgehäuftes Unheil*. In: Vorwärts (Bonn-Bad Godesberg), 25. 1. 1979.

Lüdke, Martin W.: *Der tägliche Schrecken*. In: Frankfurter Rundschau, 17. 10. 1978.

Pankraz: *Pankraz, Hans Moser und der Stimmenimitator*. In: Die Welt (Hamburg), 16. 10. 1978.

piz (= Duglore Pizzini): *Abschnitzel*. In: Wochenpresse (Wien), 7. 3. 1979.

Rühle, Arnd: *Goethes letzte Worte vielleicht: „Mehr nicht". Thomas Bernhard liest morgen in München*. In: Münchner Merkur, 22. 11. 1978.

Schmidt, Hans Dieter: *Das Schreckliche hinter dem Alltag*. In: Main-Echo, 22. 5. 1979.

Schorno, Paul: *Thomas Bernhard wird nicht müde*. In: Basler Zeitung, 11. 11. 1978.

Skasa, Michael: *Sprachtänze über dem Abgrund*. In: Die Zeit, 22. 12. 1978.

Steiner, George: *Asking for an apocalypse*. In: Times Literary Supplement, 29. 2. 1980.

Warnes, Alfred: *Aus der Werkstatt heimischer Autoren*. In: Wiener Zeitung, 8. 12. 1978.

(Angeführt wurden nur durch Autopsie überprüfte Rezensionen.)

3 George Steiner: *Conic Sections*. In: Times Literary Supplement, 13. 2. 1976.

4 Heinrich von Kleist: *Sämtliche Werke und Briefe*. Auf Grund der Erstdrucke und Handschriften hrsg. von Helmut Sembdner. 2. Bd. 3. Aufl. München: Hanser 1964, S. 270.

5 Thomas Bernhard: *Der Keller. Eine Entziehung*. Salzburg: Residenz 1976, S. 45.

6 Thomas Bernhard: *Der Italiener*. Salzburg: Residenz 1971, S. 150.

7 Vgl. dazu Herbert Gamper: *Thomas Bernhard*. München: dtv 1977, S. 51.

8 Die gesellschaftliche Relevanz des Satzes „In meinen Büchern ist alles künstlich" leuchtet Hans Höller in einem Essay aus: *„Es darf nichts Ganzes geben", und „In meinen Büchern ist alles künstlich". Eine Rekonstruktion des Gesellschaftsbilds von Thomas Bernhard aus der Form seiner Sprache*. In: *Bernhard. Annäherungen*. Hrsg. von Manfred Jurgensen. Bern und München: Francke 1981, S. 45–64. Prägnant und damit alle oberflächlichen Urteile über den Gesellschaftsbezug bei Bernhard weit hinter sich lassend formuliert Höller: „So führen die abgelegenen Welten und die verstiegenen Mo-

nologe der Zentralgestalten Thomas Bernhards mitten hinein in das Grund-
thema bürgerlicher Philosophie und Dichtung. Sowohl was die Überheblich-
keit und den Zynismus des freigesetzten Ichs ohne gesellschaftliche Bindun-
gen angeht, die elitäre Philosophie des Einzigen und seines Eigentums [. . .],
als auch im Hinblick auf die leidvolle Vereinzelung, die selbstzerstörerischen
Qualen der gesellschaftlichen Existenz." (S. 58 f.)

9 Vgl. dazu Thomas Bernhard: *Der Atem. Eine Entscheidung.* Salzburg: Residenz 1978, S. 87: „Die Vollkommenheit ist für nichts möglich, geschweige
denn für Geschriebenes und schon gar nicht für Notizen wie diese, die aus
Tausenden und Abertausenden von Möglichkeitsfetzen von Erinnerung zu-
sammengesetzt sind."

10 Vgl. dazu Wendelin Schmidt-Dengler: „*Der Tod als Naturwissenschaft neben dem Leben, Leben*", In: *Über Thomas Bernhard.* Hrsg. von Anneliese
Botond. Frankfurt/M.: Suhrkamp 1970, S. 35.

11 Vgl. dazu Jens Dittmar: *Thomas Bernhard als Journalist beim ‚Demokratischen Volksblatt'.* In: *Bernhard. Annäherungen,* S. 15–35, bes. S. 16.

12 Salzburger Volksblatt, 13. 1. 1979.

13 Ebda.

14 Salzburger Nachrichten, 20. 1. 1979.

15 Salzburger Nachrichten, 8. 2. 1979.

16 Ebda.

17 Ebda.

18 So Bernhard in seinem Brief über den *Stimmenimitator,* zitiert nach den
Salzburger Nachrichten vom 8. 2. 1979.

19 Thomas Bernhard: *Amras.* Frankfurt/M.: Suhrkamp 1965, S. 78. Vgl. auch
Thomas Bernhard: *Verstörung.* Frankfurt/M.: Suhrkamp 1967, S. 228, die
Worte des Fürsten Saurau: „Mich beschäftigt schon längere Zeit nicht der
Gedanke, wer morgen auf dem Mond sein, der aber, wer als erster *die Erde
durchqueren* wird."

20 Die Geschichte *Widerspruch* hat ihren realen Hintergrund offenkundig in
einem Portugal-Aufenthalt Bernhards im Jahre 1976. In einem „offenen
Brief" an den Bundeskanzler, der in der ‚Presse' vom 2. 6. 1976 abgedruckt
ist, attackiert er den österreichischen Botschafter und berichtet, er sei vom
deutschen Botschafter eingeladen worden und habe an einer Gesprächsrunde
mit Cunhal, Soares und dem Exkönig Umberto teilgenommen, und nennt
dies den „merkwürdigsten Zusammenhang, den man sich denken kann",
und zwar aus dem Kontrast zur Mißachtung durch die österreichische Aus-
landsvertretung.

21 Anregung dafür könnte die von Newcastle an Bernhard ergangene Einladung
für ein Gastsemester an der Universität sein, die der am German Department
lehrende Germanist Alfred Barthofer übermittelte.

22 Tino Pattiera (1890–1966) lehrte ab 1950 an der Wiener Musikakademie, womit ein weiterer Anknüpfungspunkt an die Biographie Bernhards gegeben
wäre.

23 Thomas Bernhard: *Goethe schtirbt*. In: Die Zeit, 19. 3. 1982.

24 Ebda.

25 Thomas Bernhard: *Ereignisse*. Berlin: Literarisches Colloquium 1969, S. 35.

26 Vgl. Tacitus, Annalen I 5.

27 Der Artikel beruft sich – wie Bernhard – auf Gerüchte, die unter der jugoslawischen Bevölkerung kursieren, wobei aber keine Quelle exakt zitiert wird: „Unglaublich, unfaßbar, unheimlich, was der Reisende zu hören bekommt, der in diesen Tagen in Kroatien und Slowenien unterwegs ist. In den feinen Restaurants ebenso wie in den einfachèn Kneipen, wo das Volk sich drängt, gibt's nur einen Gesprächsstoff, nur ein Thema: Tito soll längst nicht mehr Tito sein! Der Mann, der in Belgrad auftritt, sei ein anderer als der, der in seinem Schloß auf der Insel Brioni sitzt, alt und hoffnungslos krank vor sich hindämmernd. In der Öffentlichkeit, so raunt man, agiere ein Doppelgänger, der immer dann gezielt eingesetzt werde, wenn es gilt vor der Parteiprominez oder im Brennpunkt politischer Auseinandersetzungen spektakulös aufzutreten. Andere Gerüchte wollen sogar wissen, daß Tito bereits nicht mehr unter den Lebenden weilt."

28 Die Formulierung in Anlehnung an Heimito von Doderer in der Schrift *Grundlagen und Funktion des Romans,* enthalten in: H. v. D.: *Die Wiederkehr der Drachen.* Aufsätze, Traktate, Reden. Vorwort von Wolfgang H. Fleischer. Hrsg. von Wendelin Schmidt-Dengler. München: Biederstein 1970, S. 169.

29 Das Paradox ist überliefert im Paulusbrief an Titus 1,12.

30 Vgl. Thomas Bernhard: *Die Ursache. Eine Andeutung.* Salzburg: Residenz 1975, S. 147–154.

31 Peter Handke: *Über die Dörfer.* Dramatisches Gedicht. Frankfurt/M.: Suhrkamp 1981, S. 97 f.

32 Vgl. Wendelin Schmidt-Dengler: *Die antagonistische Natur. Zum Konzept der Anti-Idylle in der neueren österreichischen Prosa.* In: Literatur und Kritik 4 (1969), H. 40, S. 577–585.

33 Bernhard, *Verstörung*, S. 203.

34 Ebda, S. 211.

35 Peter Rühmkorf: *Haltbar bis Ende 1999.* Gedichte. Reinbek bei Hamburg: Rowohlt 1979, S. 67.

36 Horaz, Episteln 1,10,12.

37 Hans Blumenberg: *Nachahmung der Natur.* In: H.B.: *Wirklichkeiten in denen wir leben.* Stuttgart: Reclam 1981, S. 92.

38 Ebda, S. 91 f.

39 Diese Thematik wäre in bezug auf die österreichische Literatur im Zusammenhang zu untersuchen. Exemplarisch ist Jonkes *Geometrischer Heimatroman* (1969). Als Exponent dieser die Künstlichkeit gegen die Natürlichkeit nicht ohne Ironie preisenden Tendenz sei verwiesen auf Hermann Painitz: *Die Gegensätze Kunst und Natur oder konstruktive Vorschläge zur Abschaf-*

fung der Natur. In: manuskripte 8 (1968), H. 23/24, S. 47–49. Painitz schlägt u. a. die Einebnung der Alpen, die Verwandlung der Erdoberfläche in ein Rollfeld und die Bedeckung des Himmels mit einer gelben Plastikfolie vor.

40 Thomas Bernhard: *Frost.* München, Zürich: Droemer-Knaur 1965, S. 69.

41 Vgl. die Rezensionen von Peter Cossé, Hans Dieter Schmidt und „dree", der sogar fürchtet, daß die gewagten Plusquamperfektkonstruktionen Eingang in die Schulgrammatik finden könnten. Burger sieht vor allem die Verwandtschaft mit den autobiographischen Schriften. Detail am Rande: Im Zusammenhang mit der Affäre Zamponi sah sich ein Leserbriefschreiber in Linz zum Protest genötigt: Ob Bernhard den Landesgerichtspräsidenten „verunglimpft" hat, wisse er nicht, sicher aber, so der Briefschreiber, hat Bernhard die deutsche Sprache „verunglimpft". Es handle sich um „Vernachlässigung und wohl Verachtung der einfachsten handwerklichen Qualitäten". (In: Oberösterreichische Nachrichten, 17. 2. 1979). Über die „Schönheit" des Plusquamperfekts kann man geteilter Meinung sein; daß es indes in der Strategie des Autors seinen Platz hat und nicht ohne Kalkül eingesetzt wird, steht außer Zweifel.

42 Ingeborg Bachmann: *Thomas Bernhard. Ein Versuch* (Entwurf). In: I.B.: *Werke.* 4. Bd. München: Piper 1978, S. 361 f.

BERNHARD SORG

Das Leben als Falle und Traktat. Zu Thomas Bernhards *Der Weltverbesserer*

I.

Zwanzig Jahre nach der Veröffentlichung von *Frost* erscheint es nur mäßig spekulativ, den Versuch einer Nachzeichnung der schriftstellerischen Entwicklung Thomas Bernhards zu wagen, um auch von einer solchen Seite her Zugang zu den jüngsten Theaterstücken zu gewinnen. Die Regelmäßigkeit, mit der sie produziert, distribuiert und inszeniert werden, erweckt nachgerade schon bei treuen Bernhard-Fans mancherlei Unbehagen und den Verdacht, die quantitative Zunahme der Bühnenwerke sei kausal verantwortlich für ihre qualitative Stagnation. Ihr literarischer Rang bleibe momentan ausgeklammert; gefragt werden soll nach Funktion und Form, nach ihrem Platz in der ästhetischen Entfaltung Bernhards oder, um es pointierter zu formulieren, nach Genese und Verfahren. Paradigmatisch wird dazu der *Weltverbesserer* (1979) herangezogen.

Die ersten Prosawerke Bernhards sind geprägt von inhaltlicher Ausweglosigkeit und sprachlichem Ineinander von äußerster Verdichtung und uferloser Aufschwemmung. Die Einsamen und Verzweifelten befreien sich für Momente vom Druck ihrer Leiderfahrungen durch lustvolles Verbalisieren, oft in kaum noch latentem Sadismus gegen andere, über die sie so ein letztes Rudiment von Macht ausüben. Der Kampf mit sich und der Welt ist ohne Hoffnung, das Ende in Wahnsinn oder Tod wird ersehnt. Die ungeheuren Anstrengungen von Körper und Geist werden mit kontrolliertem Pathos nachgezeichnet, sind aber durchaus frei von Groteske oder Komik (daß manche Sätze unfreiwillig dazu tendieren, gelegentlich die Verzweiflung hohl tönt, gehört in einen anderen Zusammenhang). Am hohen Stilideal besteht kein Zweifel: man lese die Gedichte Bernhards und wird einen bruchlosen Übergang zur frühen Prosa konstatieren können. Nun ergeben sich ungewollt Kollisionen zwischen dieser Form und dem materiellen Inhalt manchen Bernhardschen Szenarios. Von einem bestimmten Punkt der Düsternis sind alle Katzen schwarz und alle Probleme die allerentsetzlichsten. Die Monotonie fängt an, wirklich monoton zu werden; die Totalverdammnis gegen alles und jedes produziert erst Abwehr, schließlich Langeweile beim Leser. Vielleicht sogar beim Schreibenden. Sackgassen können sehr lang sein, aber irgendwann gerät man zwangsläufig an ihr Ende. Als Ausweg bietet sich das Gelächter, eine mehr oder minder sublime Variante des Galgenhumors, verführerisch an. Zum erstenmal im *Kalkwerk* (1970) führt Bernhard diese virtuose Mischung aus Komik und Tragik, Komödie und Tragödie (die Begriffe tauchen von da an in jedem Text auf) vor. Komik dient dabei sowohl der Entlastung vom Zwang des Unaufhebbaren als auch einer effektiveren Herausarbeitung der letztlich tragischen conditio humana. Was zuvor *nur* Tragödie war, wird jetzt Tragödie und Komödie zugleich. Das groteske Detail, die groteske sprachliche Wendung sprengen scheinbar den Ring von Verzweiflung und Wahnsinn, initiieren aber in Wahrheit eine neue Auseinandersetzung mit den alten Themen. Sie gestatten es dem Autor, durch Erweiterung seiner Mittel, Vergrößerung seines Instrumentariums die ewige Wiederkehr des Gleichen zu gestalten, ohne durch ewige Wiederkehr der gleichen Formen den Leser in jene Verzweiflung zu stürzen, von der sie künden. An diesem Punkt seiner Entwicklung beginnt Bernhard erneut mit dem Schreiben von Theaterstücken (die frühen, aus den 50er Jahren stammenden Texte sind unveröffentlicht). In ihnen geschieht, vielleicht vom ersten, *Ein Fest für Boris,* abgesehen, folgendes: sie nehmen, mutatis mutandis, Themen, Konstellationen, Sätze des Prosawerkes auf – als Spielmaterial. Kein anderer deutschsprachiger Autor der Gegenwart begreift Theaterstücke so viel- und mehrdeutig als Spiele (im Ausland wäre an Samuel Beckett zu denken, mit dem Bernhard früher gern und zu Unrecht verglichen wurde; komparabel sind beide nur auf dieser Metaebene), Spiele der zu lebenslänglichem Sterben Verurteilten, Spiele der Sprache, Spiele der Parodie und Selbstparodie. Alles, was an „hohen" Problemen und Worten die Prosa konstituierte, taucht auf der Bühne wieder auf und ist doch ganz anders. Indem er die Schraube seiner Sätze um ein winziges überdreht, die Leiden der Menschen stets changieren läßt zwischen dem Unerträglichen und dem Abstrusen, die Probleme der Außerordentlichen so trivial wirken, leistet er eine immanente Travestie des eigenen Prosawerks: er entblößt sein Verfahren, im Jargon der russischen Formalisten gesagt. Inhaltlich wie formal führen die Bühnenwerke ihren eigenen Autor vor; nicht als Selbstkritik, sondern als sich verselbständigender Teil seines ästhetischen Kosmos. Dies scheint mir das zentrale Manko zu sein, das ihren literarischen Wert mindert: sie sind *als Ganzes* nur vor dem Hintergrund der Prosa verständlich und in ihrem Mechanismus verstehbar, als eine Art Capriccio, Moment der Erholung, iocose Erleichterung vom Prosaschreiben. Kein Wunder deshalb, daß der einzige Roman dieser Theater-Jahre, *Korrektur* (1975), völlig frei ist von grotesken oder komischen Zügen und in seiner bohrenden Ernsthaftigkeit an *Frost* erinnert (die autobiographischen Bücher unterliegen gattungsbedingt anderen Gesetzen, die kurzen Prosatexte, etwa *Der Stimmenimitator* oder *Die Billigesser*, regredieren, aus welchen Gründen auch immer, auf frühere Formstufen, vielleicht mit der Ausnahme von *Ja*). Untereinander präsentieren sich die Komödien, die so genannten und die nicht so genannten, als Einheit in der Vielfalt und vielfältige Variation des immer Einen.

II.

Der Zentralbegriff des Bernhardschen Denkens und Schreibens ist der der Wiederholung. Der psychische Apparat aller Protagonisten produziert und reproduziert seine Obsessionen mit unermüdlicher Energie. Gefangen in der Vergangenheit, vor einer verschlossenen Zukunft, versammelt sich die Gegenwart um den Schatten des Nicht-mehr und des Immer-noch. Die realen Dinge und Ereignisse werden zu Paradigmen eines heillosen Kontinuums, einzig die Realitäten des eigenen Kopfes, die Pläne, Studien, Traktate etc., halten die Menschen Bernhards aufrecht. Aber weil sie sich von ihnen nicht lösen können (oder, was identisch ist, ihnen, wie Roithamer in *Korrektur,* eine äußerliche Verwirklichung gelingt), sind sie unfähig, von ihnen zu abstrahieren und die vielberedete Nichtigkeit der Welt auf die eigene Existenz zu übertragen. Wie lächerlich auch immer sie sein mögen: sie sind Auserwählte. Gerade die Theaterstücke in ihrem selbstparodistischen Gestus perpetuieren die Imago vom Leiden und der Größe des Geistesmenschen. Insofern gewinnt die Wiederholung eine heroische Dimension: wo alle vergessen, bewahrt der Wiederholende seine Geschichte und Identität. Freilich um den Preis der Entwicklung. Die frühe Erzählung *Der Italiener* (1963), ein Meisterstück deutscher Prosa, entfaltet diesen Gedanken in der Geschichte von der ununterbrochenen Präsenz des Grauens und des Todes. Eben weil die Welt der Boden des Unglücks ist, kann Teilnahme an ihr nur heißen, das Furchtbare als Kontinuum zu erfahren. Das bricht zwar den Zirkel von Wiederholung und Erinnerung auf, aber lediglich hin auf ein noch Schrecklicheres: Die Vernichtung der Vergangenheit als Raum abgeschlossener Erfahrungen bedingt das Eingeständnis der Unmöglichkeit zeitlicher Ordnung und emotionaler Bewältigung des Erlebten und Erdachten. Der Einzelne verliert, was er durch seine Insistenz vorher gewonnen zu haben meinte: Selbst-Bewußtsein. Je schattenhafter er alles

um sich erfährt, desto herrschender werden die Vorstellungen seines
Kopfes. Die zunehmende Isolation von der empirischen Welt verhindert
letztlich die Bewältigung dieser Welt; die Konzentration auf sich selbst
führt in immer schnelleren Spiralen hinab in Wahnsinn oder Tod. Bernhard beschreibt das klarsichtig, hält aber an seiner Idee von der Unmöglichkeit eines Auswegs fest. Die Wiederholung nimmt so mehr und mehr
neurotische Züge an; die Zwangshandlungen der Helden gleichen sich
zunehmend denen der Welt an, gegen die sie programmatisch sich gestellt hatten. In den Theaterstücken erscheint das karikiert, kein Zweifel,
aber auch die Karikatur ist Geist vom Geiste des Karikierten.

Man mißverstehe die Kritik nicht als Frage nach dem Positiven. Damit
hat es die Kunst nicht zu tun. Es ist aber sehr wohl die Frage nach der
ästhetischen Produktivität bestimmter nicht-ästhetischer Vorstellungs-
formen. Und das leitet über zur zweiten und trivialeren Bedeutungsebene
von „Wiederholung", den austauschbaren sprachlichen und figuralen
Konstellationen. Der philosophisch verstandene Begriff der Wiederholung gerinnt bei der Umsetzung in Wort und Szene zur Variation. Das
kann nicht anders sein und verändert doch die Inhalte ganz erheblich.
Bernhards stupendes Vermögen, für eine höchst limitierte Zahl von Vorstellungen und Konflikten eine fast unbegrenzte Menge an Bildern zur
Verfügung zu haben, kehrt sich schließlich gegen ihn und seine künstlerische Absicht. Die Beliebigkeit der Sätze, ihr Versatzstück-Charakter,
müßte theoretisch die adäquate Realisation seiner Ideologeme sein, wird
aber von Text zu Text (und vor allem: von Theaterstück zu Theaterstück) nicht ohne innere Logik zum Beweis der tendenziellen Überflüs-
sigkeit jedes neuen Satzes. Die Statik der Welt (selbst ihr Zusammenbre-
chen bekommt bei Bernhard etwas nirwanahaft Statisches) könnte in
einem Satz beschreibbar sein, und in der Tat heißt es in der Erzählung
Die Mütze, daß alles in einem Satz zu sagen sei, aber niemand alles in
einem Satz zu sagen vermöge; das Ergebnis der Anstrengung führt dann
nicht ins Schweigen, sondern in die Geschwätzigkeit. Je heftiger die Büh-
nenfiguren sich redend zu retten hoffen, desto klarer wird das Chimäri-
sche dieser Sehnsucht. Das entspricht sicher Bernhards Intention. Gleichzeitig jedoch, und das dürfte nicht so intentional sein, fragt sich der
Hörer oder Leser, warum nicht schon *ein* Mißlingen Beweis genug ist.
Kaleidoskopartig verschieben die Stücke Konfigurationen und Sätze bis
hin zur Ununterscheidbarkeit. Die Differenzierungen, deren die Prosa
von *Frost* bis *Korrektur* fähig war, gehen den Bühnenwerken nahezu
vollständig ab. Sie ähneln eher Rangierbahnhöfen, in denen eine festste-
hende Zahl von Waggons durch ständig neue Zusammenstellungen die

Illusion von Fülle erwecken soll. Eine ästhetisch befriedigende Realisation der Idee der Wiederholung erweist sich auf der Bühne als offensichtlich unmöglich; den Autor darob zu schelten wäre absurd angesichts der Tatsache, daß seiner Prosa der 60er Jahre just dies gelang und sein Scheitern an und mit den Theaterstücken sich auf einer gedanklichen und sprachlichen Ebene abspielt, die dem Gelingen anderer Autoren immer noch weit überlegen ist.

III.

Ein alter Mann, Ende Sechzig, glatzköpfig, schwerhörig, halb gelähmt, hockt in seiner Wohnung „auf einem hohen Sessel"[1] und wartet auf die für elf Uhr angesetzte Verleihung des Ehrendoktors einer nicht genannten Universität. Er bekommt ihn für einen in der ganzen Welt verbreiteten, übersetzten, diskutierten Traktat, der sich „Traktat zur Verbesserung der Welt" nennt. Er ist also ein Weltverbesserer. Nur: Womit und wodurch und zu welchem Ende kann die Welt verbessert werden? Genaueres erfahren wir nie; die wenigen Andeutungen sollen am Ende und mit gebührender Vorsicht interpretiert werden. Naturgemäß weiß jeder Bernhard-Leser, daß die Welt nicht zu verbessern ist und das ganze schon deshalb ein Scherz sein muß. Immerhin hat der Alte, verbissen und egomanisch wie alle seine Brüder im Geiste, sein Leben an den Traktat geopfert, freilich nicht ganz seine Eitelkeit, denn weite Strecken des Monologs dienen der Vergegenwärtigung zweier Ehrungen, der kurz bevorstehenden durch die Universität und einer wohl nicht lange zurückliegenden, der Verleihung einer Ehrenkette der Stadt Frankfurt, die außer ihm nur dem Erzbischof von Paris umgehängt wurde und die der Weltverbesserer von der Mitte der ersten Szene an ziemlich häufig symbolträchtig zur Hand nimmt. Er lebt mit einer Frau zusammen, die er weidlich schikaniert, wie sich das für einen rechten Bernhard-Helden gehört, und von der er so abhängig ist wie sie von ihm – die alten Quälgeschichten im kultivierten Sado-Maso-Ton (daß Bernhard selbst das alles komisch findet, zeigt eine kurze Episode am Anfang von Szene 3, als der Weltverbesserer, Konrad redivivus, eine Hörübung anstellt: „Willig wie Wildgänse" läßt er die Frau nachsprechen (60), aber die Wut und Verzweiflung wie im *Kalkwerk* will sich nicht einstellen, und der Weltverbesserer beläßt es bei der Erkenntnis, daß er jetzt schon um halbneun „beinahe nichts" mehr hört, was ihn aber um elf, bei der Verleihungszeremonie, nicht weiter stört). In vier der fünf Szenen und im Nachspiel monologisiert der Weltverbesserer sich selbst oder die Frau an, ein raunzender Beschwörer des Imperfekten, besonders echauffiert durch Erinnerungen an einen mit Gelächter und Unverständnis aufgenommenen Vortrag in Trier, wo „die Intelligenz/ nicht zuhause" (48 f.) ist (er mag sich trösten: in Lübeck und Augsburg ist es genauso). In der fünften Szene erscheinen die Zelebritäten von Universität und Stadt, der äußere Höhepunkt des Stücks. Danach ist er wieder allein, spricht vom Reisen, von Umzugsplänen und läßt eine gefangene Maus aus der Mausefalle entkommen, nicht ohne von Pathos in Komik umkippendes Zitables zu äußern: „Siehst du sie/ sie hat Angst/ Ausgerechnet der Mensch/ ist unmenschlich/ Sie weiß nichts/ von Interlaken" (118).

Soweit ist alles bekannt und klar. Da sitzt, steht, redet einer aus der unerschöpflichen Reihe der Einsiedler, Philosophen, Künstler, der kranken Hellsichtigen, machtlosen Mächtigen, gequälten Quälenden. Ihm sind pointierte, witzige, todtraurige Sätze zugeteilt – ein Virtuosenstück für einen Schauspieler (an wen Bernhard dachte, zeigt die Widmung: „Für Minetti"; im Vorabdruck in „Theater heute" lautet sie: „Für Minetti, wen sonst?"). Damit könnte die Diskussion ihr Bewenden haben; ich will jedoch im folgenden versuchen, anhand des „Traktat"-Motivs und der Verwendung der oft angesprochenen „Falle" und „Kette" einige werkkonstitutive Züge zu entfalten, die zwar nicht den literarischen Rang des Textes ändern, wohl aber zum Verständnis des Bernhardschen Verfahrens beitragen sollen.

Für seinen unverstandenen und näher zu betrachtenden Traktat hat der Weltverbesserer also bereits eine andere Ehrung verliehen bekommen: die Ehrenkette der Stadt Frankfurt (eine hübsche Erfindung Bernhards – ob wenigstens in Frankfurt der Geist gelegentlich zuhaus ist?). „Die Kette/ gibt mir mehr Würde" (13) hofft er eingangs und rekapituliert dann die Geschichte von Traktat und Kette (22 ff.). Schon hier wird die metaphorische Bedeutung der „Ehrenkette" deutlich: sie fesselt ihn, wie vermittelt auch immer, an die seinen Traktat auszeichnende Welt, die ebendieser Traktat vernichten will, und verpflichtet ihn gleichzeitig zu intellektueller Kompromißlosigkeit: „Die Kette bindet mich natürlich/ moralisch/ moralisch bin ich an diese Kette gebunden" (24). Dann wird von ihr nur noch zweimal gesprochen (52 f. und 110), die restlichen Erwähnungen sind Regieanweisungen. Kaum hat die Frau ihm nämlich die Kette umgehängt, „betastet [er] von oben nach unten die Kette" (24, 29, 52, 66). So in den Szenen 1–3. Mit der vierten Szene ändert sich sein Verhältnis zur Kette: nicht mehr betastet er sie gleichsam wohlwollend-zärtlich, jetzt, im Fortgang des Tages und seiner das Ehrendoktorat antizipierenden Monologe „zieht [er] an der Kette" (82, 99, 103, 110).

Dieser Wechsel in der Beziehung zur Kette erscheint so planmäßig und genau konstruiert, die Handbewegung taucht so kontinuierlich im ganzen Stück auf, daß ihr leitmotivische Funktion nicht abgesprochen werden kann. „Betasten" und „ziehen", in kühner Übertragung: Zärtlichkeit und Grausamkeit, Einverständnis und Widerwille, Verpflichtung und Fesselung, Lust und Last bestimmen deutlich alle seine Gedanken, Reden und Taten. Die Ambivalenz der außerordentlichen Existenz tendiert, hier wie stets, zu einer immer radikaleren, d. h. bei Bernhard: ausweglosseren, Weltsicht; in der ersten Hälfte der Komödie „betastet" er die Kette, in der zweiten „zieht" er nur noch an ihr. Die Umschlagstelle ist die Vorbereitung zum Empfang der Delegation, die näherrükkende sogenannte Ehrung. Spannung und zunehmende Nervosität lassen den Weltverbesserer ein dunkles Fazit seines Lebens formulieren – eines, das jeder der Bernhardschen Protagonisten als Substrat seines Leidens und seiner Produktivität akzeptieren würde: „Ich habe mein Leben nie geliebt/ Ich habe es immer gehaßt/ alles gehaßt/ das damit zu tun hat/ Und den Selbsthaß bis zum Äußersten/ ausgenützt" (80). Unentscheidbar bleibt, ob die Abfolge dieses besonderen Tages die aller anderen widerspiegelt (vom Ehrendoktorat natürlich abgesehen), also repräsentativ wäre oder situationsbedingt einmalig ist. An der prinzipiellen Entscheidung des Jas zur Wissenschaft durch das Nein zum Leben ändert das nichts.

Von Falle und Fallen ist an zentralen Stellen die Rede: zu Beginn, ziemlich genau in der Mitte und am Schluß. Auch hier gehen reale und metaphorische Bedeutung rasch ineinander über, wobei zusätzlich erstere bis zum Ende beibehalten wird. Im Haus des Weltverbesserers gibt es Ratten und Mäuse; die Frau ist gehalten, die notwendigen Maßnahmen zu treffen: „Mir ist wieder eine Maus/ über das Gesicht gelaufen in der Nacht/ Man muß mehr Fallen aufstellen/ Kein Gift/ *schreit*/ Kein Gift/ Unterstehe dich" (9). Kurze Zeit später nennt er die Frau „verlogene Ratte" (20), sie, die er verdächtigt, sich seiner entledigen zu wollen – sicher ebensosehr Wahrheit wie Projektion seiner Wunschphantasien, zumindest des sadistischen Teils. Das „Nachspiel" hat nun fast ausschließlich die Konfrontation des Weltverbesserers mit einer in der Falle gefangenen Maus zum Inhalt. Zwar spart er nicht mit sinistren Drohungen, zieht eine Parallele von den Ratten und Mäusen zur Frau („In diesen Häusern herrschen/ nur Ratten und Mäuse/ Eines Tages fressen sie uns auf/ wenn wir nicht weggehen", 116), aber läßt schließlich die Maus frei, wenn nicht anderswo, dann doch wenigstens da Herr über Leben und Tod. Die Vermischung von Themen und Bildebenen, konkreter Bedeutung und metaphorischer Überhöhung charakterisiert einen großen Teil der Spielschlüsse Bernhards; beispielsweise das Fällen der Bäume in der *Jagdgesellschaft,* die aus dem Radio erklingenden Anfangstakte des Forellenquintetts in der *Macht der Gewohnheit,* der Tod des Titelhelden im *Präsidenten.* Die Falle ist kein sehr subtiles Symbol, falls überhaupt; sie gewinnt allerdings Gewicht einmal durch die Parallele zum Traktat-Thema (dazu später mehr) und durch die Verknüpfung mit der Kette, die der Weltverbesserer in der dritten Szene vornimmt. Der Wissenschaftler/Künstler als Ausnahmemensch (und vice versa), ja vielleicht jeder Mensch, existiert nur durch den Willen zur Vernichtung des oder der Anderen in der Ahnung, dadurch selbst von dem oder den Anderen vernichtet zu werden: „Die Leute ketten sich an uns/ sie ketten sich an uns/ und deshalb peinigen wir sie/ sie trachten danach/ uns zu vernichten/ wir sind ihr Opfer/ Wir stellen eine Falle/ und locken unser Opfer hinein/ und bezeichnen diesen Vorgang als Vergnügen/ Aber wer sagt daß nicht wir/ den Kürzeren ziehen" (68). Das existentielle Credo aller Bernhard-Figuren. Gleichzeitig die technisch geschickte Verbindung von Kette- und Falle-Bildlichkeit in ihrer knappest möglichen paradoxalen Zuspitzung: Täter und Opfer, Peiniger und Gepeinigter erweisen sich als identisch, auf tödliche Weise aufeinander angewiesen; die auszeichnende Kette ist eine fesselnde, die Mausefalle ein Abbild der Welt als Stätte der Vernichtung. So auf den Begriff gebracht erinnert der Gedankengang stark an Schopenhauers Erkenntnistheorie und Ethik. Bernhards Schopenhauer-Lektüre ist von ihm selbst mehrfach bezeugt und läßt sich auch an vielen Texten nachweisen. Der Weltverbesserer mahnt glücklicherweise zur Vorsicht bei allzu kühnen Kombinationen: „Einmal habe ich Montaigne vertraut/ zuviel/ dann Pascal/ zuviel/ dann Voltaire/ dann Schopenhauer/ Wir hängen uns solange an diese philosophischen Mauerhaken/ bis sie locker sind/ und wenn wir lebenslänglich daran zerren/ reißen wir alles nieder" (99).

Die strukturelle Achse des Stücks bildet des Weltverbesserers Traktat, der „Traktat zur Verbesserung der Welt". Es wird viel über ihn geredet, aber er bleibt eine Leerstelle – wie alle die Studien, wissenschaftlichen Abhandlungen, intellektuellen Lebenswerke in Bernhards fiktiver Welt. Wir erfahren, daß er in 38 Sprachen übersetzt wurde (27 f.) und besonders in Asien Furore gemacht hat (71 f.), gleichwohl oder gerade deshalb von niemandem verstanden wurde. Immerhin verhilft er dem Weltverbesserer zu den beiden Ehrungen: ein willkommenes Mißverständnis, wie sich herausstellt. Denn eigentlich ist die Welt nicht zu verbessern, nur abzuschaffen; das wäre die einzig mögliche Verbesserung. „Mein Traktat will nichts anderes/ als die totale Abschaffung/ nur hat das niemand begriffen" (98). Der lebenslänglich Scheiternde muß hier zur Abwechslung die Komödie des Erfolgs über sich ergehen lassen, der radikal Machtlose steigert sich in Allmachtsphantasien vor dem kläglichen Hintergrund des eigenen körperlichen Verfalls und der Abhängigkeit von der Frau: „Die Opfer verhelfen ihrem Mörder zum Ehrendoktor" (98). Daß realiter die Dinge sich eher umgekehrt verhalten, weiß er wohl, trotzdem gönnt er sich die verbale Berauschung an seinem großen, wahrscheinlich einzigen Erfolg, der Abrechnung mit der unverbesserlichen Welt. Auf dem Papier ist ihm das gelungen, hat er sich über sie erhoben, das trügerische Glücksgefühl des Denkenden erfahren. Aber sie bleibt und bleibt unverändert und zeichnet ihn deshalb als „Denkkapazität" und „Weltdenker" (106 f.) aus. Durchaus klar ist sich der Weltverbesserer über die unauflösliche Antinomie seines letztlich auf Aktion drängenden Reflektierens: „Die Welt ist eine Kloake/ aus welcher es einem entgegenstinkt/ Diese Kloake gehört ausgeräumt/ Das ist ja auch der Inhalt meines Traktats/ Aber wenn wir die Kloake vollkommen ausräumen/ ist sie leer/ *Die Frau geht hinaus*/ Dann bleibt uns nichts anderes übrig/ als daß wir uns kopfüber hineinstürzen" (81 f.). Die Verbesserung der Welt stellt sich dar als unaufschiebbares Postulat, bloß: eine verbesserte Welt enthielte nicht mehr jenen Widerstand, den Bernhards Helden zur Existenz benötigen. Man solle Sisyphos als glücklichen Menschen begreifen, hat Camus vorgeschlagen. Vom Glück ist zwar der Weltverbesserer weit entfernt, aber er zieht aus allem die Befriedigung einer zerebalen Überlegenheit und die Kraft zum Weiterleben.

In der fünften Szene treten die Würdenträger auf: Rektor, Dekan, Professor und Bürgermeister. Mäßig witzige Dialoge versanden in Pointenlosigkeit, bis das Gespräch den Traktat scheinbar verläßt, in Wahrheit jedoch das Thema auf den Höhepunkt führt, in formaler Analogie zum Falle-Motiv, das sich erst im „Nachspiel" in voller Bedeutung zeigt. Daß der Staat den Traktat als Beispiel radikalen Denkens nicht verstehen darf, haben wir gelernt, aber auch die Wissenschaft schreckt instinktiv davor zurück. Somit verschärft sich die Frage nach dem möglichen Rezipienten. Das Stück insinuiert, daß es logischerweise keinen geben kann, daß das Denken jenseits des Glücks dessen, der denkt, sinnlos, ja gefährlich ist. Es bleibt die Dignität des Einzelnen, der die heroische Aufgabe der absurden Helden der Mythologie stets von neuem auf sich nimmt: „Wenn wir aus dem Hause gehen/ müssen wir zuerst den Unrat wegräumen/ der sich in der Nacht davor angesammelt hat/ Wenn wir das das ganze Leben lang jeden Morgen tun/ erschöpfen wir uns schließlich"

(111). Gleichzeitig mit der Tragödie erfahren wir die Komödie einer so verstandenen Verbesserung der Welt. Ihr Hohn macht nicht vor dem Geistesprodukt der Außerordentlichkeit halt; offenbar nur, weil es noch zu sehr mit dem Unrat der empirischen Welt verbunden, noch zu wenig autonom ist. Tendenziell wäre der Traktat, der nicht zufällig an Wittgensteins Hauptwerk gemahnt, ein Ausweg aus der Welt als Kette und Falle, so wie in Schopenhauers Philosophie die Vorstellung, also die Gesamtheit des intelligiblen Vermögens des Menschen, einen Ausweg aus der Welt als Wille dem zeigt, der ihn sucht. Als Tat des Geistes steht der Traktat über den Taten des Willens; in seiner Distanz zu leichter Rezipierbarkeit gesellt er sich an die Seite des kompromißlosen Kunstwerks. Dadurch erreicht er sein Ziel der Weltverbesserung, freilich anders, als der Inhalt vermuten läßt: als geschlossenes, stringentes Gedankensystem opponiert er der unvollkommenen Welt durch seine Form, durch seine Existenz beweist er die Möglichkeit eines Besseren. Als Artefakt korrigiert er die Unvollkommenheit, verbessert er die Welt. – Aber wir kennen den Traktat doch gar nicht? Dahinter scheint sich mir der geheime Sinn aller Bernhard-Texte über gelungene oder noch zu schreibende Werke zu verbergen: sie selbst sind das oder wollen das sein, wovon sie, als Andeutung, handeln. In ihnen hält der Autor zwar Gericht über andere Autoren (Künstler, Wissenschaftler, Denker), karikiert und ridikülisiert sie (und damit sich), aber jeder dieser Texte strebt nach künstlerischer Perfektion und damit Verbesserung der Welt. Thomas Bernhard dürfte nach dem Tod Arno Schmidts der einzige bedeutende deutschsprachige Autor sein, der, trotz aller prätendierten Nonchalance, so emphatisch an die Kunst als letzte Sinngebung des Sinnlosen glaubt.

Anmerkung

1 Thomas Bernhard: *Der Weltverbesserer.* Frankfurt/M. 1979, S. 9. Im folgenden im Text mit einfacher Seitenangabe zitiert.

FRANZ NORBERT MENNEMEIER

Poetische Reflexion und Ironie. Zu Thomas Bernhards Prosawerk *Die Billigesser*

Die scheinbar phrenetische Schreibweise, Thomas Bernhards Spezialität, ist kennzeichnend auch für das kleine Werk *Die Billigesser* (1980)[1], mit dem dieser verwegene österreichische Autor gleichsam nebenher eine klassische moderne Erzählung, eine wahrhafte Anti-Novelle übrigens, geschaffen hat. Der künstlerische Rang der *Billigesser* beruht unter anderem darauf, daß Bernhard die düstere Aggressivität, den destruierenden, zornigen Impuls, der ihn inspiriert und der ihn paradoxerweise schöpferisch werden läßt, hier in besonderem Maße mit dem gegenläufigen Prinzip der Ironie und Selbstironie verklammert hat. Wer je der Meinung gewesen sein sollte, Bernhard sei nichts als ein Bekenntnis-Schreiber, seine sogenannten Wahnsinns-Monologe seien unmittelbare Widerspiegelung einer zerrütteten Subjektivität, sähe sich durch die *Billigesser* endgültig veranlaßt, seine Ansicht zu revidieren.

Die vorliegende Geschichte, die auf der Fabelebene freilich sehr wohl – wie alle Werke Bernhards – einen Fall von „Wahnsinn", von Verrücktsein behandelt, ist ganz in die Atmosphäre der Reflexion eingetaucht, einer durch und durch poetischen Reflexion allerdings, d. h. einer solchen, die nicht beim Gedanklichen stehengeblieben ist, vielmehr sich in die Form versenkt und in Gestalten, Szenerie, im Gestischen, vor allem aber in der furios komischen und zugleich immer etwas unheimlichen Sprache niedergeschlagen hat. Mehr noch: Wir haben es bei Bernhards *Billigessern* mit einem entschieden „kritischen" Werk zu tun – das Wort „kritisch" im Sinne der deutschen philosophischen Tradition genommen, wo dieses Wort die Besinnung auf das „Transzendentale", auf die grundlegende „Bedingung der Möglichkeit von..." meint. Aus Gründen, die mit dem Wesen neuerer Poesie seit deren Konstitution in der Frühromantik ebenso zusammenhängen wie mit den gesellschaftlichen und geistigen Voraussetzungen eines modernen Zeitalters im Zeichen des „Verlusts der klassischen Metaphysik", hat dabei jene „kritische", „transzendentale" Reflexion Bernhards die ästhetische Gestalt einer fundamentalen Ironie, das heißt unter anderem: einer schöpferischen, positiven Zweideutigkeit angenommen.

Als derart ironisch verfaßte Dichtung sind Thomas Bernhards *Billigesser* ein Werk, das von dem schriftstellerischen „Wahnsinn", heutzutage

allein aus sich heraus ein universell bedeutsames, „transzendental" rele-
vantes Opus zu schaffen, auf selber transzendental reflektierende Weise
handelt, und zwar so davon handelt, daß jener Wahnsinn nicht einfach
vom Standpunkt gewöhnlicher Vernünftigkeit denunziert wird, daß vielmehr zwischen dieser, der gewöhnlichen Vernünftigkeit, und jenem
Wahnsinn eine spannungsvolle, bewußt nicht aufgelöste Beziehung hergestellt wird. Bei aller Komik, die aus dem Kontrast der einander entge-
gengesetzten Sphären erwächst, wird das Bewußtsein für die Tatsache
geschärft, daß hier ein Dilemma von geistes- und literaturgeschichtli-
chem Rang vorliegt, eines, das also nicht dadurch leicht bewältigt werden kann – auch und gerade von dem reflektierenden Autor selbst
nicht –, daß man der einen Seite recht gibt und der anderen nicht.

Nicht unentschieden, sehr entschieden vielmehr erhebt sich der Autor
Thomas Bernhard über den von ihm poetisch abgebildeten bzw. reflek-
tierten Streit der Parteien; oder auch: er „schwebt" in der „Mitte" – um
die berühmte einschlägige Wendung aus Friedrich Schlegels Athenäum-
Fragment 116 zu gebrauchen – und er öffnet damit einen intellektuellen
Freiraum, der es dem Leser seinerseits ermöglicht, nicht mit einer These
und bündigen Meinung, sondern mit einem komplexeren Verständnis
des Problems aus der Lektüre aufzutauchen. Davon abgesehen, ist zu
konstatieren, daß die in den Billigessern geleistete Reflexion sich ganz als
Spiel darstellt. Bei allem Ernst, ja aller partiellen „Unerträglichkeit" (eine
wirkungsästhetische Zentralkategorie Bernhards) sieht man sich durchaus erheitert; das Ästhetische tritt als solches dezidiert hervor; der Autor
scheint sein schriftstellerisches Verfahren zum Spaß des Lesers immer
wieder entblößen zu wollen, auch wenn er ihn andererseits durch seinen
Furor stets aufs neue zu bedrohen scheint. Kritiker aus der neodidakti-
schen Zunft, denen solche urbanen Kombinationen scheinbar einander
widersprechender Empfindungsweisen unanständig vorkommen, werden zweifellos nicht verfehlen, dem österreichischen Autor arroganten
Leichtsinn vorzuwerfen. Überhaupt gelten Verzweiflungsspiele – und
Bernhard versteht sich, bis in die Extravaganzen seiner empirischen Existenz hinein, auf solche Spiele wie kein anderer – als ziemlich anstößig,
anstößiger als die vielzitierten Strategien des Schocks und der Provokation, die man sich inzwischen gern gefallen läßt.

Thomas Bernhard, der sich selbst einmal als einen „Geschichtenzerstörer" bezeichnet hat („ich bin der typische Geschichtenzerstörer",
schreibt er in Drei Tage), erzählt in seinen Billigessern also keine Geschichte, in welcher der Akzent auf einem kontinuierlich sich entwik-
kelnden Vorgang oder der Beschreibung eines oder mehrerer Charaktere

läge. Das Werk ist „kritisch" (in der erläuterten Bedeutung) auch insofern, als es nicht die Billigesser, d. i. eine Anzahl von Männern, die sich regelmäßig an dem Mittagstisch einer Gaststätte der WÖK, der „Wiener Öffentlichen Küche", treffen, zum Gegenstand hat, sondern vielmehr die „Billigesser", d. i. die Schrift dieses Titels, die Koller, die Hauptfigur des Buchs, ein verkrüppelter, am Rand des Existenzminimums lebender „philosophischer" Autor, über jene Billigesser zu verfassen sich vornimmt. Um diese Schrift, dieses Projekt, angebliches Kernstück der unvollendeten Kollerschen „Physiognomik", geht es.

Bernhards *Billigesser* sind eine Schrift über eine Schrift, nämlich über Kollers „Billigesser", die ihrerseits von den tatsächlichen Billigessern handeln sollen, von ihnen freilich wiederum auf eine höchst ungewöhnliche Art: Die Bedeutung der anzustellenden Untersuchungen (ihr „transzendentaler" Charakter) für den exaltierten Sonderling geht daraus hervor, daß – „so Koller" in seinem wunderlich übertreibenden Stil – die Abfassung einer Schrift bezweckt ist, „von deren Zustandekommen letztenendes eine weitere Schrift und von deren Zustandekommen tatsächlich wieder eine weitere Schrift und von deren Zustandekommen eine auf diesen drei unbedingt zu schreibenden Schriften beruhende vierte Schrift über die Physiognomik abhänge und von welcher tatsächlich seine zukünftige wissenschaftliche Arbeit und in der Folge überhaupt seine zukünftige Existenz abhänge (. . .)" (11).

Das hier zitierte ekstatische Selbstverständnis des Schöpfers der „Physiognomik" – die, wie gesagt, nur erst im Kopf ihres Verfassers existiert (wenn überhaupt) – findet man im allerersten Satz des Werks, einem syntaktisch monströsen Gebilde, mitgeteilt.

Auf dem seit Wochen gegen Abend, seit drei Tagen regelmäßig auch in der Frühe gegen sechs Uhr zu Studienzwecken unternommenen Weg in den Wertheimsteinpark, in welchem er in Anbetracht der gerade im Wertheimsteinpark herrschenden *idealen* Naturverhältnisse nach langer Zeit wieder aus einem vollkommen wertlosen, seine *Physiognomik* betreffenden Denken zu einem brauchbaren, ja schließlich ungemein nützlichen habe zurückkehren können und also zur Wiederaufnahme seiner schon die längste Zeit in dem Zustand der Konzentrationsunfähigkeit liegengelassenen Schrift, von deren Zustandekommen letztenendes eine weitere Schrift und von deren Zustandekommen tatsächlich wieder eine weitere Schrift und von deren Zustandekommen eine auf diesen drei unbedingt zu schreibenden Schriften beruhende vierte Schrift über die Physiognomik abhänge und von welcher tatsächlich seine zukünftige wissenschaftliche Arbeit und in der Folge überhaupt seine zukünftige Existenz abhänge, sei er aufeinmal und urplötzlich anstatt wie schon gewohnheitsmäßig zur alten Esche, zur alten Eiche gegangen und dadurch auf die von ihm so genannten Billigesser gekommen, mit welchen er viele Jahre an den Wochentagen und also von Montag bis Freitag in der Wiener öffentlichen Küche und also in der sogenannten WÖK, und zwar in der WÖK in der Döblinger Haupstraße, billig gegessen habe.

Stilistisch ist dieser Satz, der Thematik und wesentliche Struktur der gesamten Anti-Novelle „musikalisch" exponiert, die Parodie einer traditionellen Periode. Deren angestammte Ausgewogenheit wird der Lächerlichkeit preisgegeben, indem die semantischen und syntaktischen Gewichte normwidrig verlagert worden sind. Der Satz bringt seinen Gehalt nicht in schöner, stetiger Bewegung ins Ziel. Vielmehr preßt er, seinerseits verrenkt, wie ein Joch (Zeugma) disparate Inhalte in einen widernatürlichen Zusammenhang. Die formelle Rationalität des hypotaktischen Gerüsts stellt die anstößige Unverhältnismäßigkeit der einzelnen Inhalte bloß, wie umgekehrt diese Inhalte die vom Satz vorgespiegelte Vernunft denunzieren.

Dieser Eingangssatz, eine würdige Introduktion für ein komisches Virtuosenstück der höheren Art, kann auch als sogen. Antiklimax gelesen werden, d. i. als rhetorische Figur, für welche die absteigende Stufenfolge der semantischen Glieder charakteristisch ist: Ein Erwartung erzeugender riesenhafter Spannungsbogen endet mit der – überdies nachklappernden – Mitteilung einer Trivialität, der ernüchternden Formulierung, daß Koller in der WÖK „billig gegessen habe". – Keine Frage, daß die Kategorien Groß und Klein, Pathos und Gewöhnlichkeit im ersten Satz der *Billigesser* wie im ganzen Werk in ein Verhältnis treten, das ein – nicht unbedingt behagliches – Lachen erzeugt. Auch deutet sich die Charaktermixtur des „Helden" aus wahnwitziger Selbstbezogenheit, gelehrtenhaftem Gehaben und rasender Pedanterie sprachgestisch mit schöner Peinlichkeit an.

Zugleich verweist der Ausdruck des Selbstverständnisses Kollers als Schriftsteller und Philosoph, das sich in dem – oben aus jener Unperiode zitierten – Relativsatz komisch-pathetisch reflektiert, nachdrücklich auf eine Perspektive hoffnungslosen Scheiterns, einer offenbar totalen Sterilität und Unproduktivität aller geistigen Aktivitäten und damit auf ein zentrales Thema moderner Literatur im allgemeinen und der Dichtung Bernhards im besonderen. Eine Fluchtlinie negativer Unendlichkeit, ein infinites, ergebnisloses Kontinuum der Reflexion zeichnet sich ab, Karikatur eines großen geschichtlichen Vor- und Gegenbilds: der frühromantischen Utopie einer „progressiven Universalpoesie" bzw. „Transzendentalpoesie".

Wie also der erste Satz der *Billigesser* die harmonisch geordnete klassisch-romantische Periode parodiert, so parodiert der in dem zitierten

Relativsatz versteckte Ausblick auf den schriftstellerischen Lebenslauf Kollers offenbar die Idee einer modernen Poesie, die – mit Friedrich Schlegel, einem ihrer ersten Theoretiker, zu reden – „das als ihr erstes Gesetz anerkennt, daß die Willkür des Dichters kein Gesetz über sich leide". – Nicht als ob es sich hier um unbewußte Implikationen des Textes handelte. Bernhard gibt hier gleich eingangs mit der Souveränität, die der moderne ironische Autor auch dort noch bekundet, wo er auf das Ende eben der modernen dichterischen Souveränität ausdrücklich reflektiert, absichtsvoll kritische Signale, die der aufmerksame Leser schwerlich überhören kann.

Allerdings – wer überhaupt spricht hier am Anfang (wie auch im übrigen Werk)? – Die scheinbar unvermittelte Aussageform – und eine solche halten viele Kritiker für die Signatur der notorischen schriftstellerischen „Rücksichtslosigkeit" Thomas Bernhards – gibt sich in Wahrheit als durchaus vermittelt zu erkennen. Auch mit dieser Beobachtung bestätigt sich die Legitimität einer Lektüre wie der hier vorgeschlagenen, die die *Billigesser* wesentlich als Ironie-Werk versteht.

Nicht Bernhard spricht nämlich, auch Koller nicht, vielmehr ein – zunächst anonym bleibender – fiktiver Erzähler (erst auf Seite 40 tritt dieser als Ich-Erzähler deutlich in Erscheinung). Dieser Erzähler erzählt, was Koller von sich erzählt; er berichtet also nicht eigentlich von Koller; das wäre etwas Anderes, Distanzierteres, in höherem Maße Vergegenständlichtes; ja es ist zuzugeben, daß das Erzählen dieses Erzählers partiell die monomanische Redeweise Kollers „mimisch" reproduziert. Psychologisch wäre diese Annäherung des Ich-Erzählers an die Hauptfigur, wenn man überhaupt derart mit Hilfe der Wahrscheinlichkeitskategorie argumentieren möchte, aus der Tatsache erklärbar, daß der Ich-Erzähler seinem „Objekt" Koller eng verbunden, zum Teil ihm sogar hörig ist; jener hegt bisweilen selbst den Wunsch, diesem, Koller, ähnlich zu sein (was keineswegs auf Gegenseitigkeit beruht: Koller seinerseits will, so sagt er, stets nur so sein, wie er ist, bzw. er ist stets so, wie er sein will). Der fiktive Erzähler vermag also über große Strecken hin als „Stimmenimitator" Kollers zu fungieren, so wie beide – kann man mutmaßen – als „Stimmenimitatoren" Thomas Bernhards tätig werden, der seinerseits viele „mehr oder minder berühmte Stimmen" nachahmen kann, nur – versteht sich – „seine eigene [. . .] nicht" (vgl. das Prosastück *Der Stimmenimitator*).

Man rührt bei diesem scheinbar etwas unfruchtbaren Grübeln über die Frage „Wer spricht im Text?" an nichts Geringeres als das Paradox poetischer Vermittlung von Subjektivität – eine der zentralen poetischen

Bemühungen Bernhards. Gerade angesichts dieses prekären, schwierigen Vermittlungsproblems bewährt sich durchweg Bernhards Fähigkeit zur Ironie. Die kleine, aber starke und spürbare Spannung zwischen dem Ich-Erzähler und der erzählten Figur, in diesem Fall Koller, ist ein wesentliches Reizmittel der Bernhardschen Prosa. Die „empirische" und die „transzendentale", kritisch-distanzierende Selbstreflexion schlagen bei diesem Autor in raschem, elektrisierendem Wechsel ständig ineinander um; auch die Monomanie und die Langeweile, die als „Stoff" in Bernhards Büchern durchaus dominieren, sind durch dieses Formprinzip, das jenen Stoff reflektiert, „aufgehoben" und gewinnen eine neue, Vergnügen bereitende Qualität (in der Regel jedenfalls, wenn auch – es ist wahr – nicht immer).

Ein wichtiges Mittel, diese Art von Dialektik zu bewerkstelligen, ist auch der exzessive Gebrauch der indirekten, konjunktivischen Rede. Vielleicht ist der fiktive Erzähler nur deshalb vorgeschoben worden, um die Anwendung des Konjunktivs zu ermöglichen. Wie dem auch sei: Bernhard beweist wieder einmal, daß er einer unserer größten Konjunktiv-Schreiber ist. Konjunktiv plus hypotaktischer Satzbau, der ein Prinzip der Inkonzinnität zur Anwendung bringt, dazu Pleonasmen und Parallelismen in Hülle und Fülle – das ist es, was hier wie anderswo Bernhards poetische „Manier" ausmacht. Hitze und Kälte, Irrationalität und Rationalität treten da als Stilphänomen suggestiv in Erscheinung. Das Ergebnis der Synthese einander widersprechender Elemente ist ein Spontanausdruck, der dennoch alles andere als ein solcher ist und der sich ständig über sich selbst lustig zu machen scheint. Friedrich Schlegel, der solche Phänomene mit Vorliebe beobachtet hat, sprach in dem Zusammenhang geistreich von „transzendentaler Buffonerie", und er hielt diese für eine wesentliche Qualität des ironischen Stils.

Die Ironie als poetisches Reflexionsmedium arbeitet in den *Billigessern* auch auf anderen als stilistischen Ebenen. So findet man mehr oder weniger versteckte Widersprüche, z. B. zwischen emphatischer Beteuerung und sachlichen Unstimmigkeiten, zwischen hochfliegender, autoritärer Redeweise und verklemmten, hilflosen Gebärden, zwischen radikalem Anspruch und reduzierter Körperlichkeit. Der Hauptwiderspruch, auf den im Text ironisch (also verhüllt, nicht direkt) verwiesen wird, ist der zwischen dem „Geistesmenschen" Koller (84 u. ö.), der sich von jeglicher Gesellschaft, ja der Geschichte selbst losreißen möchte, und *dem* Koller, der auf eben diese Gesellschaft angewiesen bleibt, ohne daß ihm, dem „großen" Denker, dieser Widerspruch je zu Bewußtsein käme. So braucht Koller offenkundig jemanden, dem er von seiner Arbeit erzählen kann. So ist unverkennbar, daß er, der Krüppel, der ständiger „Beschämungstortur" (27) ausgesetzt ist, beim Billigesser-Tisch der anscheinend mehr oder minder banalen Herren Weninger, Goldschmidt, Grill und Einzig regelrecht seine Zuflucht nehmen muß – wie auch nicht zu übersehen ist, daß die scheinbar ganz gewöhnlichen Lebensläufe dieser vier Wiener Typen geradezu strotzen vor lauter Dasein und Wirklichkeit, vergleicht man sie mit Kollers armseliger Existenz und seiner auf Nichts hinauslaufenden schriftstellerischen Karriere.

Es deutet auf das extreme Ausmaß der Entfremdung Kollers, daß er sich seiner Beziehung zu den Billigessern erst nach vielen Jahren des Verkehrs mit ihnen, in einem Augenblick skurriler, imgrunde eingebildeter „Erleuchtung" bewußt wird – mit diesem Moment einer Pseudo-Offenbarung, einem Erlebnis unzweifelhaft nichtigster Art, das Kollers egozentrischem Beziehungswahn gleichwohl Anlaß ist, sich aufs neue Kontingenz in Schicksal zu verklären, setzt die Geschichte Bernhards komisch-kritisch ein. Was angeblich Neuanfang zur Wahrheitsforschung ist, verfällt sogleich wieder der alten Perversion des von Koller vorgegebenen Idealismus: Auch jetzt kann er sich das Verhältnis zu den Anderen, den Mitmenschen wieder nur als ein „theoretisches" Subjekt-Objekt-Verhältnis vergegenständlichen, das wahre Gemeinschaft verhindert und den herrischen Philosophen tiefer in die selbstgewählte Isolierung treibt. Sie, die Billigesser, sind Kollerschem Hochmut wieder „letztenendes doch nur Denk*material* und also Philosophie*material* und keine Partner" (93). Bernhard hat den Wortbestandteil „Material" an dieser Stelle kursiv setzen lassen, um zu signalisieren, daß Koller, der sich meist eines ebenso hochtrabenden wie rudimentären „idealistischen" Vokabulars bedient, bei Gelegenheit verräterischer Weise auf das „Wörterbuch des Unmenschen" aus der unseligen Nazi-Vergangenheit deutsch-österreichischer Geschichte rekurriert.

Es widerspräche allerdings der ironischen Anlage des Werks, wollte man die Deutung nahelegen, Koller und jener Gestus des die Epoche in die Schranken fordernden „Geistes-Menschen", den er lächerlicher Weise noch einmal demonstriert, würden in satirischer Absicht vom Autor völlig demoliert. Koller bleibt, trotz aller Fehler, ein partielles Recht erhalten. In seinem substanzlosen, ohnmächtigen „Philosophieren" dauert, formell, doch etwas von der Dignität eines Denkens „im Auge Gottes" fort, auch wenn in Bernhards Geschichte dieses Auge Gottes nur mehr ein Speiselokal ist und auch wenn Koller, nicht ganz überzeugend, behauptet, dieses Auge sei ihm ganz besonders verhaßt (vgl. 64–74). Auch muß man – das ist ein mehr formalistisches Literaturhistoriker-

Argument – berücksichtigen, daß Koller, als Figur, noch Teil hat an dem – freilich auch schon beschädigten – Pathos seiner literaturgeschichtlichen Vorläufer, der Rat Krespel, Musiker Kreisler, Armer Spielmann, Karl Hetmann der Zwergriese, Adrian Leverkühn und all der anderen unglücklichen Geistesverwandten aus der letztenendes der Romantik entstammenden literarischen „Genie-Reihe". Bernhard, der den Topos erneut aufgegriffen und verarbeitet hat, weiß die nostalgischen Reize der Koller-Figur samt denen des Kontextes, in dem dieser Typus traditionellerweise sich bewegt (Stichwort: Philister-Welt), voll auszuspielen. Die ästhetische Virtuosität und Ironie-Kunst der *Billigesser* sind zum Teil durch den Anschluß des Autors an einen literaturgeschichtlichen Automatismus ermöglicht; dessen Schwungkraft hat den Spiel-Elan der vorliegenden Geschichte nicht unerheblich verstärkt. Was alles selbstverständlich nicht heißen soll, in den *Billigessern* würde kein aktuelles Thema mehr zur Debatte gestellt.

Wenn der hybrid-idealistischen Gestalt des permanent Übererregten (Kollers fragwürdiger Zorn ist durch die satirische Namengebung schon angedeutet) Züge der Positivität belassen sind, wenn der gegenwärtige negative Weltzustand den hier sich austobenden abstrakten Radikalismus der Verneinung nicht nur als komisch, sondern durchaus auch als ernst erscheinen lassen kann, dann bleibt doch, andererseits, bestehen, daß Bernhard zugleich mit Schärfe die Tatsache des radikalen Scheiterns der Gestalt und aller ihrer Pläne und Bemühungen ins Licht gerückt hat. Koller kann bezeichnenderweise nur noch ein Werk ankündigen, schaffen kann er es nicht. Er spannt, wie Bernhards Erzählung, in exzessiver Art auf einen substantiellen Zweck und ein wirkliches „Ende"; doch werden diese nie erreicht. Die Anti-Novelle enthält dem Leser die immer wieder prophezeite „unerhörte Begebenheit", den Vortrag über die „*Physiognomik*", Kollers „Lebenswerk", absichtsvoll vor. Dort, wo der Höhepunkt der Handlung schließlich erwartet wird, kippt die Geschichte unversehens ab, da wird in wenigen Sätzen der alles Weitere abschneidende Zufallstod des Sonderlings vermeldet, und der Erzähler kommentiert das höchst gewöhnliche Ende der Geschichte sentenzhaftlapidar: „Die *Billigesser* waren verloren gewesen wie so viele Geistesprodukte, von welchen uns ihre Erfinder gesprochen haben" (150).

Wenn die Geschichte derart kläglich mit einer Enttäuschung gemäß der Struktur der Antiklimax ausgeht – bleibt dann, hier am Ende, nichts übrig außer dem Nichts? – Thomas Bernhard hat es verhindert, daß auf diese Frage eine eindeutige Antwort gegeben werden kann. Insbesondere das wichtige Fabel-Element der Billigesser, das vor das erwartete „eigentliche" Ende plaziert ist und das – da dieses nicht kommt – das „uneigentliche", dafür aber wirkliche Ende darstellt, ist vom Autor mit delikater Ironie behandelt worden, die über die Frage der positiven oder negativen Bedeutung der Billigesser-Figuren rätseln läßt.

War nicht Koller, wenn er sich bei seinen Bemühungen um die „Physiognomik", um die Fundamental-Philosophie schließlich, statt „den Sprung in den Wissenschaftsabgrund [zu] springen" (117), den keineswegs abgründigen Billigessern zuwandte als zukünftigem Hauptgegenstand seiner Untersuchungen – war Koller da nicht doch vielleicht prinzipiell auf dem richtigen Weg? Auf dem Weg fort von anachronistischer idealistischer Verstiegenheit hin zu einer neuen Anthropologie oder Ontologie, die bei der einfachen sozialen Wirklichkeit nicht als „Material", sondern als „Materie" und Basis des Gedankens ansetzt und die eine neue Nüchternheit der Betrachtung, zu der Koller selbst nicht mehr fähig war, ermöglicht? Ist also die von Bernhard überraschend realistisch durchgeführte epische Vergegenwärtigung der Billigesser-Runde, die statt des erwarteten glorreichen Novellenendes den schlichten Beschluß des Ganzen macht, das in der Unauffälligkeit seines Erscheinens ironisch versteckte bedeutungsvolle Ende, das geheime substantielle Ziel der Geschichte? Solche Fragen laufen allzu leicht auf ein verdeutlichendes Übertreiben von Akzenten hinaus, die der Ironiker Bernhard so deutlich zu setzen gerade vermieden hat. Es kommt auch in der Betrachtung des Endes darauf an, das In-der-Mitte-Schweben des Autors in seinem Sinn nachzuvollziehen. Die Billigesser in ihrem tatsächlich oder scheinbar trivialen An-Sich-Sein sind ebensowenig des „Rätsels Lösung", wie der vehement egozentrische Sonderling Koller es ist.

Es verhält sich, andererseits, allerdings so, daß in Bernhards Schilderung die Billigesser vom Philister-Odium der Tradition weitgehend befreit scheinen. Das ist eine nicht unwichtige Änderung des überlieferten „Musters". So viel dürfte jedenfalls klar sein – gegenteiligen Vorurteilen über die Denkweise des Autors zum Trotz: Bernhard setzt nicht mehr auf den „Subjektivismus"; die satirische Charakteristik Kollers, die Parodie von dessen spezifischer Suada mit ihren Restbeständen eines existentiellmetaphysischen „Jargons der Eigentlichkeit" sprechen eine deutliche Sprache; und die Darstellung der Billigesser in ihrer überwältigend konkreten, materiellen Banalität geben in die gleiche Richtung ein kritisches Signal. Koller und die Billigesser treten in eine Relation, in der konträre Positionen kraft dichterischer Ironie gegeneinander ausgewogen sind. So stark, immerhin, ist das Billigesser-„Motiv" gemacht, daß es diese Rolle übernehmen kann.

Man muß, in der Auseinandersetzung mit dem Ende, auch die poeto-
logischen Implikationen wahrnehmen. Indem sich Bernhards Erzählung
am Schluß von der literarisch-ironischen Nachahmung einer hektischen
„transzendentalen" Selbstreflexion pointiert absenkt zu einer stilistisch
ganz anders gearteten, quasi objektiven, ausgeruhten Schilderung des
WÖK-Milieus und der Billigesser-Porträts, scheinen, durch diese Juxta-
position, radikal unterschiedliche geschichtliche Möglichkeiten des Erzählens in Erinnerung gerufen: Möglichkeiten, die inzwischen zu Un-
möglichkeiten geworden sind. Der Kollersche „Stil", der auf dem Anspruch gründet, aus der Tiefe der isolierten Subjektivität die wahre
„Wissenschaft" und Literatur ans Licht zu heben, enthüllt sich am Ende
als ebenso zweifelhaft wie ein wesentlich von der sozialen Oberfläche her
kommender „Realismus", den Bernhard ebenfalls mit Ironie traktiert.
Mit Pokerface-Miene, die den Leser über die wahre Absicht des Autors
nicht täuschen darf, führt er diesen Realismus als eine Manier unter
anderen und quasi literarische Antiquität, ein bißchen als ein Gemälde
im eingedunkelten Leibl-Stil vor. – Zwei poetologische und nicht nur
poetologische Positionen also. Aus gutem Grund hat Bernhard für keine
der beiden Partei ergriffen. Auch der Leser sollte es nach Absicht des
Autors nicht: nämlich zu lediglich schon Vorhandenem sich entscheiden.
Etwas geschichtlich Neues, eine Synthese, möglicherweise, steht an. –
Die Kunst des Ironikers, auch sie, kann helfen, sie hervorzubringen.

Anmerkung

1 Thomas Bernhard: *Die Billigesser*. Frankfurt/M.: Suhrkamp 1980. (Im folgenden im Text mit einfacher Seitenzahl zitiert.)

HERMANN DOROWIN

Die mathematische Lösung des Lebens.
Überlegungen zur jüngsten Prosa Thomas Bernhards[1]

> „Die wahre Metaphysik besteht in dem Ge-
> danken, daß einmal Ruhe wird." (K. Kraus:
> *Pro domo et mundo*)

„Die Stadt ist, von zwei Menschenkategorien bevölkert, von Geschäfte-
machern und ihren Opfern, dem Lernenden und Studierenden nur auf
die schmerzhafte, eine jede Natur störende, mit der Zeit *ver*störende und
*zer*störende, sehr oft nur auf die heimtückisch-tödliche Weise bewohn-
bar." (U, 7) „Die Stadt" Salzburg ist das Subjekt dieses Satzes, mit dem
Thomas Bernhard 1975 die Reihe seiner autobiographischen Bücher eröffnet. Der Schreibende findet sich nur als anonymer „Lernender und
Studierender" in der dritten Person, als wehrloses Opfer fremder Determination, „nach dem Wunsche seiner Erziehungsberechtigten, aber gegen seinen eigenen Willen", „in die Mittel- und Hilflosigkeit seiner von
allen Seiten ungeschützten Kindheit und Jugend" (U, 8) eingeschlossen.
Sieben Jahre später liefert der Autor als fünften Band den bisher fehlenden Bericht über seine Kindheit nach. Er beginnt in der ersten Person mit
der gewagtesten Tat des Achtjährigen, der verbotenerweise das Fahrrad
seines Vormunds aus dem Schuppen holt, seine erste Runde darauf dreht
und, auf den Geschmack gekommen, gleich beschließt, in das 36 Kilo-
meter entfernte Salzburg zu fahren. „Es wäre ganz gegen meine Natur
gewesen, nach einigen Runden wieder abzusteigen." (Ki, 8) Im Hochge-
fühl der neu für sich eroberten „mechanischen Fortbewegung auf Rä-
dern" (Ki, 10) erreicht sein Selbstbewußtsein ungeahnte Dimensionen:
„Wenn die Meinigen wüßten, was ich, durch einen durch nichts vorher
angekündigten Entschluß, schon erreicht habe, dachte ich, wenn sie mich
sehen und naturgemäß gleichzeitig, weil sie keine andere Wahl haben,
bewundern könnten!" (Ki, 8 f.) Zwar scheitert das Vorhaben, und er
muß sich, schuldbewußt und voller Angst, mit dem kaputten Fahrrad
von fremden Bauernburschen nach Hause bringen lassen, doch der
Großvater, der das Kind wie immer liebevoll in Schutz nimmt, erkennt
den Wert des Ereignisses: „Wenn man alles in allem in Betracht zieht,
eine ganz außerordentliche Leistung [. . .] Wenn wir es den Eltern schwer
machen, wird etwas aus uns, sagte er." (Ki, 54)

Das Fahrraderlebnis bildet das Zentrum des gesamten Bandes; es ist zugleich erstes Glied einer Reihe von Befreiungsakten, in denen erst das Kind, dann der Halbwüchsige der todbringenden Determination durch Armut, Krankheit und gesellschaftliche Zwänge seinen Lebenswillen entgegensetzt. Der Gymnasiast unternimmt heimlich verbotene Gänge über die Landesgrenze, der Sechzehnjährige beschließt gegen den Willen der Eltern, das verhaßte Gymnasium gegen eine Lehre als Lebensmittelhändler einzutauschen – mitten auf dem Schulweg macht er kehrt und geht in die „entgegengesetzte Richtung" (Ke, 9) –, und der Achtzehnjährige, schwer Lungenkranke, den man schon mit der letzten Ölung versehen und ins Badezimmer des Spitals zum Sterben abgeschoben hat, entscheidet sich für das Weiterleben, trotz allem und gegen das bessere Wissen der Ärzte: „Ich wollte *leben*, alles andere bedeutete nichts. Leben, und zwar *mein* Leben leben, *wie und solange ich es will.*" (A, 20) Das unüberhörbare Pathos, das die Schilderung solcher Momente von Eigensinn und Befreiung kennzeichnet, muß als Protest gegen die Sinnlosigkeit verstanden werden, die doch über allem zu walten scheint. Es wäre allzu simpel, den neuen Beginn der Autobiographie gegen den alten auszuspielen und einen Prozeß im Laufe des Schreibens zu unterstellen, der die Emphase des Ichs an die Stelle absurder Determination setzte. »Alles ist unregelmäßige und ständige Bewegung, ohne Führung und ohne Ziel." (Ke, 5) Dieses Motto aus Montaignes *Essais* ist dem Band *Der Keller* vorangestellt, in dessen Mittelpunkt der Abschied vom Gymnasium und der Antritt der Lehre stehen:

„Ich *war* frei, und *ich fühlte mich frei.* Alles hatte ich *frei*willig getan und tat ich *frei*willig. Hatte ich vorher alles nur widerwillig getan, aus freien Stücken machte ich jetzt alles widerstandslos und zu meiner Freude. Nicht daß ich glaubte, den oder wenigstens meinen eigenen Sinn des Lebens entdeckt zu haben, aber ich wußte, mein Entschluß war der richtige." (Ke, 75)

Bernhards gesamtes Prosawerk – und die Autobiographie steht darin an zentraler Stelle – kann als ein nie abreißender Roman gelesen werden, der von der Befreiung und vom Scheitern, von Selbstverwirklichung und Determination handelt. Einer umfassenden Typologie des Ausbrechens, der Revolte und der Flucht steht spiegelbildlich diejenige zerstörter Hoffnungen und ruinierter Existenzen gegenüber. Die Helden dieses Romans werden von der Enge und Kälte ihres Milieus – sei es proletarisches Elend, kleinbürgerlicher Krämergeist oder der Standesdünkel der Oberschicht – in die Flucht getrieben. Sie brechen mit ihrer Familie, ihrer Klasse, ihrem Staat, dem „sogenannten Heimatland" (Ko, 31), sie schenken ihr Erbe weg und irren durch die Welt; doch ob sie in Lima oder in Cambridge ihr Glück versuchen, ob sie nach Australien emigrieren oder einem Wanderzirkus nach Mazedonien folgen, die eherne Mechanik des Schicksals holt sie ein. Sie finden das Ende, das der Logik ihrer sozialen Herkunft immanent ist.[2] Während die Proletarier aus der Scherzhauser- feldsiedlung, dem Salzburger Elendsviertel, als Künstler oder Schauspie- ler oder in anderen Berufen im Ausland scheitern und in den Salzburger Gefängnissen und Krankenhäusern enden, für die sie von Anfang an bestimmt waren[3], wählen die Ausbrecher aus der Oberschicht den Weg in die geistige Isolation eines radikalen philosophischen Denkens. Die wahnhaften Monologe Bernhardscher „Geistesmenschen" sind Ent- würfe einer Gegenwelt, die sich radikal von der bestehenden Gesellschaft abzutrennen und nur den Gesetzen ihrer immanenten Logik zu folgen versucht. Doch ihr Denken steht unter dem Bann der Herkunft, mit der abzurechnen ihr ganzes geistiges Potential in Anspruch nimmt.

Das philosophische Hauptwerk Roithamers, des nach dem Vorbild Wittgensteins gestalteten Biologen im Roman *Korrektur,* die Summa eines Forscherlebens, welche sein Freund nach seinem Selbstmord aus dem Nachlaß zu rekonstruieren versucht, trägt den Titel „Über Altensam und alles, das mit Altensam zusammenhängt, unter besonderer Be- rücksichtigung des Kegels". Was von einem 800 Seiten dicken Manu- skript nach wiederholten Streichungen, Verdichtungen und Korrekturen übriggeblieben ist und was Roithamer als sein „Geisteshauptprodukt" (Ko, 179) ansieht, ist nichts anderes als der verzweifelte Versuch, seine Kindheit und sein Verhältnis zu den Eltern analytisch-schreibend zu be- wältigen. „Philosophie", sagt Novalis, „muß nur die Fehler unsrer Er- ziehung gutmachen – sonst hätten wir sie nicht nötig."[4] Isoliert von den Kindern niedriger Herkunft, zu denen sich der Aristokratensohn hinge- zogen fühlt, wird Roithamer für die Zwecke der Eltern nicht als Sohn, sondern als Erbe erzogen[5], zur „Körper- und Geistesattrappe ihrer selbst" (Ko, 76). Die autoritären Erziehungsmethoden, die gewaltsam eine fassadenhafte Harmonie herstellen sollen, lassen ihn seine Kindheit als Kerkerhaft erleben:

„Zeugen meiner Unschuld waren natürlich nur meine Eltern gewesen, aber meine Eltern waren ja gleichzeitig meine Ankläger gewesen, sie hatten mich sofort in den Kerker *hineingezeugt und hineingeboren* gehabt, hineingezeugt und hineingeboren unterstrichen." (Ko, 234)

Eine Flucht aus diesem Kerker konnte nur noch als radikale Absage an das gesamte Gesellschaftssystem erfolgen, das über die Institution der

Familie dem Kind als drückende Macht vermittelt worden war. Gänzlich vereinzelt, sieht sich Roithamer einer bedrohlichen Masse gegenübergestellt. Er, der den hohlen Standesdünkel seiner Familie immer verabscheut und sich in der Einfachheit der Dorfbewohner viel geborgener gefühlt hat, verfällt doch in der Polemik gegen seine, aus kleinbürgerlichem Milieu aufgestiegene Mutter dem elitären Gestus des Aristokraten.[6] Der Haß gegen die gefühlsdumpfe „Eferdingerin" mit ihrer „Fleischhauerphysiognomie" und ihrem „Fleischhauerlebensinhalt" (Ko, 259) artikuliert sich in denselben Worten, die schon der Vater gegen sie benutzt hat. Der Ekel des Sohnes vor der Mutter reproduziert, worauf Ria Endres in ihrer Analyse verweist[7], die patriarchalische Repression der Frau durch den Mann. Von der Sprache wird der Schreibende in seinem Versuch der Loslösung wieder eingeholt und durch die unbewußte Identifikation mit dem Vater an die Norm der Herkunft gebunden.

Wenn Roithamers Denken auf paradoxe Weise reproduziert, wogegen es gerichtet ist, so ist der Kegel steingewordene Allegorie dieses wahnhaften Scheiterns. Sechzehn Jahre hat der Wissenschaftler darauf verwandt, seiner über alles geliebten Schwester dieses, ihrer Seele und ihrem Charakter ideal entsprechende Bauwerk zu errichten und ihr damit allerhöchstes Glück zu bringen. Doch er, der dem Kerker seiner Herkunft zu entkommen strebt, errichtet ihr als Verwirklichung seiner mathematischen Philosophie mitten im Wald einen neuen Kerker, in welchem die Schwester nach kurzer Zeit elend zugrundegeht. Anders als die Geschäftemacher, die als sogenannte Baufachleute und Architekten die gesamte Erdoberfläche gedankenlos mit ihrem „perversen Geistesunrat" (Ko, 131) bedecken, hat Roithamer die höchste Harmonie von Mensch und umgebender Natur in seinem Bau anzustreben versucht. Doch das Ergebnis ist genauso tödlich wie jenes Haus, das der banal-kleinbürgerliche Schweizer Ingenieur in der Erzählung *Ja* seiner Lebensgefährtin in unbewohnbares Sumpfland hineinbaut, ohne Kenntnis des Ortes lieblos und zynisch geplant, um sie loszuwerden und zu vernichten (E, 590). Die entgegengesetzte Intention führt zum gleichen Ergebnis.

„Einfachheit, Klarheit, Durchschaubarkeit der Beziehungen", die „einfach klare Nachsommerwelt des sanften Gesetzes" – so charakterisiert Hans Höller mit Verweis auf Stifters Spätstil die „verborgene Utopie bei Thomas Bernhard".[8] Die chaotischen Widersprüche der Existenz und des Kosmos streben nach einem Zustand der Ruhe. Die Erkenntnis des Universums, vermittelt durch Wissenschaften und Künste und durch das Leid historischer Erfahrung, kann nur in einer höheren Mathematik aufgehoben werden. Nur in ihr kann der tiefe Bruch zwischen individuellem Schicksal und der verlorenen Totalität, das Schaudern vor dem Schweigen der „unendlichen Räume" faßbar und erträglich gemacht werden.[9] Als Form, in der menschlicher Geist und „Harmonie der Sphären" zur Identität gelangen können, ist die Mathematik Medium frühromantischer Utopie: „Poetik der Mathematik. Grammatik der Mathematik. Physik der Mathematik. Philosophie der Mathematik. Geschichte der Mathematik. Mathematik der Philosophie. Mathematik der Natur. Mathematik der Poesie. Mathematik der Geschichte. Mathematik der Mathematik."[10] Was Novalis hier Mathematik nennt, ist nichts anderes als frühromantische Philosophie schlechthin: „Die höhere Philosophie behandelt die Ehe von Natur und Geist."[11] Diese „Ehe" entsteht durch die spontane Anziehung und Vereinigung der widerstrebenden Elemente, die aus der chaotischen Spannung in den Zustand der Harmonie übergehen. Die Ordnung des Kristalls gehorcht einzig dem Gesetz der Wahlverwandtschaft; weder gute Absicht, noch äußere Gewalt können sie herbeiführen. Was bei Bernhard als verborgene Utopie Schicksale und Denken trotz der unendlichen Entfremdung in ständiger Bewegung hält, ist die Schlegelsche Vorstellung, daß auf das „chemische Zeitalter" einst ein „organisches" folgen müsse[12]: „Aber die höchste Schönheit, ja die höchste Ordnung ist denn doch nur die des Chaos, nämlich eines solchen, welches nur auf die Berührung der Liebe wartet, um sich zu einer harmonischen Welt zu entfalten . . ."[13] Chaos ist der Zustand der produktiven Verwirrung; die tödliche „Ordnung" der gesellschaftlichen Normalität muß radikal zerstört werden, um der Herausbildung wahrer Harmonie eine Chance zu geben. „Anarchie ist alles in einem Geisteskopf", heißt es in der Erzählung *Ja* (E, 598). Als unendliches Chaos tausender Zettel stellt sich der Roithamersche Nachlaß dar, den sein Freund, der Erzähler, in einem Anfall von Verzweiflung aus dem alten Rucksack auf den Diwan stülpt (Ko, 181). Seine Rekonstruktion ergibt, daß das ganze Denken des Wissenschaftlers dem Kraftakt gegolten hat, dieses produktive Chaos zu einer geometrisch geordneten Form zu zwingen. Das tödliche Resultat ist der Kegel: nicht spontane Ruhe der Gegensätze in kristalliner Gestalt, sondern ihr tragisch-perverses Zerrbild. Die scheinbare Identität erweist sich als radikale Differenz.

    Mathematik, von Novalis als „Seelenkraft des Verstandes", „höchstes Leben" und „eigentliches Element des Magiers" verstanden, ist in ihre gesellschaftliche Funktion als Medium technokratisch-patriarchalischer Wirklichkeitsbewältigung gebannt: „Im Morgenlande ist die echte Mathematik zu Hause. In Europa ist sie zur bloßen Technik ausgeartet."[14]

Die Ideologie der „Fachleute", seien es Ärzte, Architekten, Juristen oder Bürokraten, die in ihrem technisierten Denken die menschliche Ganzheit zerstückeln und in ihr jeweiliges starres System zwängen, wird von Bernhard in seinem gesamten Werk scharf angegriffen: „Der Grund, sich mit Fachleuten nicht einzulassen, weil diese unsere Idee vernichten, nichts im Sinn haben, als unsere Idee schwankend zu machen, sie zu vernichten." (Ko, 211) Doch die Überwindung der von ihnen beherrschten gesellschaftlichen Realität bleibt in Bernhards Erzählwelt Utopie, sie hat ihren Ort nur im Tod, dem Fluchtpunkt seines Universums: „Die Ruhe ist nicht das Leben, so Roithamer, die Ruhe und die vollkommene Ruhe ist der Tod . . ." (Ko, 197) Roithamers Versuch einer Antizipation wird mit dem Scheitern bestraft. Erst nach der Vernichtung seiner Schwester durch den Kegel, in der allerletzten Sequenz des Romans, in der sein Selbstmordentschluß sich herausbildet, nähert sich der Wahn des Wissenschaftlers jener „äußersten Grenze" (Ko, 362), die ihn von der Klarheit trennt. In einem Kristallisationsprozeß vereinfacht sich die Struktur seines Sprechens, die manischen Wiederholungen weichen klaren, kurzen Sätzen. Der Schluß wird als vollkommene Ruhe erfahrbar:

„Wir sind immer auf den *bestimmten Zeitpunkt* bezogen, bestimmten Zeitpunkt unterstrichen. Ist der Zeitpunkt da, wissen wir nicht, daß der Zeitpunkt da ist, aber es ist der richtige Zeitpunkt. Wir können solange in der höchsten Intensität existieren, als wir sind, so Roithamer (7. Juni). Das Ende ist kein Vorgang. Lichtung." (Ko, 363)

Auf einer Lichtung findet man Roithamer erhängt auf. Aus dem verwirrenden Dunkel des Waldes ans Licht getreten, nimmt er sich das Leben. In ähnlichem Sinne findet sich das Bild der Lichtung als Allegorie in der romantischen Dichtung.

Roithamers letztes Wort steht auch in blasphemischem Bezug zu den angeblich letzten Worten Goethes: „mehr Licht". Denn wenn diese das unendliche Streben über den Tod hinaus bezeichnen, so nimmt jenes als Ausdruck des Zur-Ruhe-Kommens aller Bewegung eine Korrektur an ihnen vor.

„Ein Mann aus Augsburg ist allein deshalb in die Augsburger Irrenanstalt eingeliefert worden, weil er sein ganzes Leben bei jeder Gelegenheit behauptet hatte, Goethe habe als Letztes *mehr nicht!* und nicht *mehr Licht!* gesagt" (St, 58),

heißt es im *Stimmenimitator.* Die Korrektur an Goethe wird von der bildungsbeflissenen Umwelt als Tabuverletzung geahndet, denn ein Titan kann nicht zur Ruhe kommen. In dem Text *Goethe schtirbt,* veröffentlicht zum 150. Todestag des Dichters, beharrt Thomas Bernhard auf

seiner Version.[15] Unverstanden von den ihn emsig umschwirrenden „Be-
lauerern des goetheschen Absterbens" verschließt sich der „Verehrungs-
würdige" in eine esoterisch-reduktive Sprache, die den Sekretär Riemer
befürchten läßt, der Dichter sei „nahe daran, wahnsinnig zu werden".
Goethes letzter Wunsch, der zu Streit und Bruch mit Eckermann führt,
besteht darin, Wittgenstein kennenzulernen, dessen *Tractatus logico-
philosophicus* er „über seinen Faust und über alles" stellt, „das er geschrieben und gedacht habe". Der aus Cambridge zurückgekehrte Bote
Kräuter verschweigt dem Sterbenden die Nachricht, daß der Philosoph
ihm bereits vorausgestorben ist. Goethes letzte Worte – „Mehr nicht!" –
werden von den Zeugen in der uns bekannten Verfälschung der Nach-
welt weitergegeben. Dieser Text läßt erkennen, daß sich die Modernität
Goethes für Bernhard indirekt proportional zu seiner bildungsbürgerli-
chen Repräsentativität verhält. Sein von den Zeitgenossen am meisten
mißverstandenes und abgelehntes Werk, die *Wahlverwandtschaften*, das
in seinem Sprachgestus und der allegorischen Statik des Geschehens sich
der Weltsicht der Frühromantik am stärksten annähert, bleibt in Bernhards Roman *Verstörung* dem Verständnis des in seinem Wahn verein-
samten Fürsten vorbehalten:

„Plötzlich habe er, am Vortag, das Bedürfnis gehabt, den Frauen ein Stück aus
den *Wahlverwandtschaften* vorzulesen, und habe sie zu dem Zweck alle in der
Bibliothek versammelt. Als sie aber alle in der Bibliothek versammelt gewesen
waren, hat er auf einmal das Gefühl gehabt, daß es sinnlos sei, ihnen aus den
Wahlverwandtschaften vorzulesen, und er habe ihnen ‚aus einer alten Times'
vorgelesen. ‚Ich habe den Frauen das Kapitel *Das Gerüste stand bereit* . . . vor-
lesen wollen', sagte er, ‚und ich habe ihnen vorgelesen, wie man in England
Kartoffeln einwintert." (V, 144)

Im autobiographischen Band *Der Atem* beschreibt Bernhard, was die
Lektüre der *Wahlverwandtschaften* bei ihm bewirkt hat: „Diese Entdek-
kung, daß die Literatur die mathematische Lösung des Lebens und in
jedem Augenblick auch der eigenen Existenz bewirken kann, wenn sie
als Mathematik in Gang gesetzt und betrieben wird, . . ." (A, 152) Die
chemisch-organische Deutung, die der späte Goethe den Wirren des
Schicksals seiner Personen gibt, wird dem lungenkranken Halbwüchsi-
gen zu einem Modell, sein eigenes Schicksal zu interpretieren.

Was die Glaubwürdigkeit der Goetheschen Deutung verbürgt, ist die
schlichte Klarheit der sprachlichen Form, die Freiheit von Pathos, Prä-
tention und Ornament, die zugleich ihre Modernität – ausgedrückt in
der Beziehung zwischen Goethe und Wittgenstein – ausmacht. Ein Blick
auf Bernhards literarische Vorlieben bestätigt diese Tendenz: Mon-

taigne, Pascal, Novalis, Stifter und Johann Peter Hebel[16] sind Schriftsteller, in denen sich Poesie mit Philosophie und die leidvolle Erfahrung des eigenen Ichs mit einer wissenschaftlichen Kosmologie verbinden. In ihnen findet, bei aller historischen Differenz, die antigenialische Ästhetik der Wittgenstein, Loos, Karl Kraus und Paul Valéry ihre Vorläufer, welche der herrschenden Modeströmung eines schöngeistigen Idealismus den Gestus handwerklicher Nüchternheit und wissenschaftlicher Klarheit entgegensetzten. „Je mehr die Poesie Wissenschaft wird, je mehr wird sie auch Kunst"[17], erklärt Friedrich Schlegel in einem seiner Fragmente. Die knappen Landschaftsbeschreibungen, in denen sich Roithamer neben seiner wissenschaftlichen Arbeit übt, werden als „unscheinbare und schmucklose Kunst" (Ko, 85) bezeichnet und dem „Verlotterungsmüll dieser durch und durch verlotterten [...] Weltgesellschaft", der alljährlich in „Hunderte[n] und Tausende[n] Tonnen von Stumpfsinn auf dem Papier auf den Markt geworfen" wird, entgegengesetzt (Ko, 84 f.):

„Mein Großvater wünschte die klare, die knappe Rede, er haßte die Ausschweifung, die Anläufe und Umwege, an welchen die ganze übrige Welt leidet, wenn sie etwas zum besten zu geben hat. [...] Die Halbgebildeten tischen nur immer wieder ihren abgestandenen schauerlichen Brei auf, sagte er. Er war nur von Halbgebildeten umgeben. Es ekelte ihn, wenn sie die Stimme erhoben. Bis an sein Lebensende haßte er ihren Artikulierungsdilettantismus. Wenn ein einfacher Mensch spricht, ist das eine Wohltat. Er redet, er schwätzt nicht. Je gebildeter die Leute werden, desto unerträglicher wird ihr Geschwätz." (Ki, 26 f.)

Höller meint, daß die „verborgene Utopie" der Klarheit und Einfachheit nur in dem „zeitenthobenen Reich der Wenigen, von deren ‚Herrenhäusern' und ‚Schlössern' die Masse schon immer ausgeschlossen war", zu finden sei.[18] Mitten in dem wahnhaften Reden todgeweihter Fürsten blitze gewissermaßen noch einmal eine letzte, illusionslose Klarheit auf. Die eben zitierte Stelle zeigt jedoch, daß ein Vorschein dieser Utopie auch am anderen Rande der Gesellschaft, bei den „einfachen Leuten", zu finden ist. Der herrschende Diskurs, dessen Norm bürgerliche Wohlanständigkeit ist, produziert die Leiden der Außenseiter, die sich an seinen Rändern ansiedeln. Die Ausgrenzung erzeugt unendliches Leid, Verzweiflung und Elend, doch sie bewahrt die Menschen vor der Integration in den Lügenmechanismus des herrschenden Diskurses.

Die Bewohner der Scherzhauserfeldsiedlung, die als Salzburger „Menschenausschuß" (Ke, 52) in sicherer Distanz vom Zentrum leben, eröffnen dem Lehrling im Lebensmittelladen diese Dimension eines ungekünstelten Sprechens. „Diese Leute hatten nie ein Blatt vor den Mund genommen. Ich hatte nur die kürzeste Zeit gebraucht, um mich an ihre *offene* Art zu gewöhnen, . . ." (Ke, 53) Die Klarheit, der sich Bernhards vereinsamte ‚Geistesmenschen' annähern, und die Klarheit der illusionslosen Proletarier haben ihren Berührungspunkt in der Herkunft aus dem Leiden am bestehenden System.

Es ist die Berührung der Extreme, wie sie Georges Bataille als kennzeichnend für die „heterogene" Existenz beschrieben hat.[19] Das Niedrige, Schmutzige, Kriminelle trifft sich mit dem Reinen und Sakralen in der gemeinsamen Ausgrenzung aus dem Bereich der „Homogenität", in welchem Staat und Institutionen die Erfüllung der Normen von Nützlichkeit und Produktion garantieren. Aus dem inneren Leben der hoffnungslos verarmten Proletarier und Kleinbauern, der Kriminellen, Kranken und Verkrüppelten konstituiert sich das Weltbild Bernhards ebenso wie aus demjenigen hochneurotischer Künstler und Wissenschaftler. Sein Abscheu hingegen gilt dem Kompromiß, der „gesunden Mittellage". Hochburgen dieser „Homogenität" sind bei Bernhard die kleinen und mittleren Städte wie Augsburg oder Salzburg. „Die in dieser Stadt wie in keiner zweiten herrschende Kleinbürgerlogik" (U, 11) ist Charakteristikum ihrer „schauerlichen Stupiditätsgröße" (Ke, 121):

„Der heutige Mensch kann sich nur noch auf dem hundertprozentigen Land oder in der hundertprozentigen Großstadt bewahren, nur auf dem hundertprozentigen Land, das es noch gibt, und in der hundertprozentigen Großstadt, die es auch noch gibt, in diesen gleichen Voraussetzungen gibt es noch die natürlichen Menschen, hinter dem Hausruck und in London beispielsweise und wahrscheinlich in Europa nurmehr noch in London und hinter dem Hausruck . . ." (Ke, 122)

Der „natürliche Mensch" kann nur in den Extremen existieren, die Mittellage tötet ihn ab und macht ihn zum „geschmacklosen Kunstgewerbemenschen" (Ke, 121).

Was Bernhard den „London- und Hausruckeffekt" nennt (Ke, 123), bezeichnet eine Grundstruktur seiner Prosa: die Sicht der Wirklichkeit von ihren Extremen, ihren Rändern aus. Individualgeschichtlich drückt sie sich in dem Paar Großvater – Enkel aus. Die Erfahrungs- und Leidensintensität des Kindes, auf welcher der Autor in seinem gesamten Werk insistiert, findet in dem aus der Welt der „Macher" und der „Produktiven" ausgeschiedenen Alten ihre Entsprechung, ähnlich wie der junge Heinrich von Ofterdingen sich von der Weisheit einsamer Greise und nicht von den Reden tüchtiger Kaufleute angezogen fühlt. Geschichtsphilosophisch entspricht dieser Struktur das triadische Modell der Frühromantik, demzufolge der Weg aus einem verlorenen Goldenen Zeitalter durch die Leiden und die Entfremdung der Gegenwart zu einer

neuen Harmonie führt. Was das Werk Thomas Bernhards hiervon erkennen läßt, ist das Leiden an der Gegenwart in seiner äußersten Radikalisierung. Seine Überwindung ist nicht mehr wie bei Schlegel und Novalis utopisch an den Horizont der Geschichte projiziert, sondern nur als
Negation, als Freisein von allem Leiden, als vollkommene Ruhe denkbar. Dies ist die „mathematische Lösung des Lebens". Ist solche Harmonie konstruierbar, oder bleibt jeder Versuch, das Glück aus dem Tod ins
Leben hereinzuholen, zu wahnhaftem Scheitern verurteilt? – Hierzu
sollte auch jener schweigsame Fremde befragt werden, der eines Tages
im Gasthaus ‚Zur Wies' im Aurachtal auftaucht und, da er offen gesteht,
auf der Suche nach einer Frau zu sein, von den angeheiterten Wirtshaus-
besuchern in den ‚Frauengraben' geschickt wird. Aus dieser düsteren
Schlucht, wo nur eine verkrüppelte alte Frau haust, kehrt der Fremde
zehn Jahre lang nicht mehr zurück „und nach zehn Jahren zum erstenmal
allein zu dem Zweck, die alte Verkrüppelte in der kleinen Kirche zu
Reindlmühle zu ehelichen. Nach ihrer Hochzeit sind die beiden auf weitere zehn Jahre im Frauengraben verschwunden. Es wird gesagt, daß sie
glücklich sind." (St, 87)

Anmerkungen

1 Die Werke von Thomas Bernhard werden mit folgenden Siglen im Text
   zitiert:
   A = *Der Atem. Eine Entscheidung.* Salzburg 1978.
   Bi = *Die Billigesser.* Frankfurt/M. 1980.
   E = *Die Erzählungen.* Frankfurt/M. 1979, darin: *Ja* (S. 495–601).
   Kä = *Die Kälte. Eine Isolation.* Salzburg 1981.
   Ke = *Der Keller. Eine Entziehung.* Salzburg 1976.
   Ki = *Ein Kind.* Salzburg 1982.
   Ko = *Korrektur.* Roman. Frankfurt/M. 1978.
   St = *Der Stimmenimitator.* Frankfurt/M. 1978.
   U = *Die Ursache. Eine Andeutung.* Salzburg 1975.
   V = *Verstörung.* Frankfurt/M. 1967.
2 Vgl. dazu bes. den Prosatext *Ausgewandert* (St, 62 f.).
3 Vgl. Ke, 49.
4 Novalis: *Werke und Briefe.* Hrsg. v. Alfred Kelletat. München 1962, S. 417
   (Neue Fragmente Nr. 57).
5 Vgl. Ko, 231.
6 Elitäre Abkapselung kennzeichnet auch den Physiognomiker Koller in den

Billigessern: „Er verachtete den Elternbegriff, haßte alles, das mit Familie zusammenhängt naturgemäß und es ekelte ihn tatsächlich immer vor dem Wort *Herkunft* [. . .] Er verachtete jedes sogenannte Zusammengehörigkeitsgefühl wie nichts sonst. Die Masse fürchtete er in jeder Beziehung." (Bi, 81) „Einmal geboren, habe er sich von den sogenannten Eltern und von der an diesen Eltern *klebenden* ganzen Menschheit zu lösen gehabt, . . ." (Bi, 83).

7 Ria Endres: *Am Ende angekommen. Dargestellt am wahnhaften Dunkel der Männerporträts des Thomas Bernhard.* Frankfurt/M. 1980, S. 64.

8 Hans Höller: *Kritik einer literarischen Form. Versuch über Thomas Bernhard.* Stuttgart 1979, S. 142.

9 Blaise Pascals Pensée Nr. 206 – „Das ewige Schweigen dieser unendlichen Räume macht mich schaudern" – hat Bernhard dem Roman *Verstörung* als Motto vorangesetzt. Zur Pascal-Rezeption des Autors vgl. Erich Jooß: *Aspekte der Beziehungslosigkeit. Drei Studien zum Monolog des Fürsten in Thomas Bernhards Roman ‚Verstörung‘.* München 1976, S. 51 und passim.

10 Novalis, a. a. O., S. 470 (Die Enzyklopädie Nr. 353).

11 Ebda., S. 478 (Nr. 349).

12 Vgl. Friedrich Schlegel: *Werke in zwei Bänden.* Berlin und Weimar 1980, Bd. 1, S. 253 (Fragmente, Nr. 426).

13 Friedrich Schlegel: *1794–1802. Seine prosaischen Jugendschriften.* Hrsg. v. J. Minor. 2 Bde, Wien 1906, Bd. 2, S. 358.

14 Novalis, a. a. O., S. 479 (aus Nr. 354). Diese radikale Differenz läßt Ria Endres (a. a. O., S. 66 f.) nicht gelten. Auch Novalis ist für sie nur einer der „geistigen Väter" des männlichen Vernichtungswahns.

15 Thomas Bernhard: *Goethe schtirbt.* In: Die Zeit, 19. 3. 1982.

16 Vgl. z. B. Ko, 64, 83; A, 116.

17 Friedrich Schlegel: *Werke in zwei Bänden.* Bd. 1, S. 224 (Fragmente, Nr. 25).

18 Höller, a. a. O., S. 143.

19 Vgl. Georges Bataille: *Die psychologische Struktur des Faschismus.* München 1978, S. 14 ff.

JOHANN STRUTZ

„Wir, das bin ich". – Folgerungen zum Autobiographienwerk von Thomas Bernhard

„Larvatus prodeo"
(Descartes)

1.

Für „Betrachter der literarischen Szene" gilt als ausgemacht, „daß ein dominierender Zug der bundesdeutschen Literatur der siebziger Jahre im Hang zum Autobiographischen besteht."[1] Diesen Hang und damit die Synchronie mit der Diskussion des Identitätsbegriffs bestätigen nicht nur Autoren, die bereits in den sechziger Jahren autobiographisch orientierte Werke schufen, wie Frisch, Handke, Kempowski, Struck oder Wohmann und andere, sondern vor allem die Tatsache, „daß seit der Mitte der siebziger Jahre verstärkt auch die ‚Linken' sich im Rahmen des Biographischen und Autobiographischen artikulieren."[2] Während die Autobiographien der Generation der Studentenbewegung weniger auf Fragen der Kindheit und Adoleszenz eingehen und eher resignative Rückschau auf die heroische Zeit des politischen und gesellschaftlichen Engagements halten, thematisieren die autobiographischen Darstellungen der älteren Autoren – mit Ausnahme der Prominenten- und Memoirenliteratur – gerade die Problematik der Sozialisation unter den Bedingungen des Faschismus.

Im Boom diverser Kinder- und Kindheitsgeschichten und ihrem sachliterarischen Pendant, den Geschichten aus dem „Alltag im Nationalsozialismus", heben sich meiner Ansicht nach zumindest die Bücher von Peter Brückner[3], Christa Wolf[4] und Thomas Bernhard wegen ihrer kritischen und differenzierten „subjektiven Authentizität" ab. Diese Autoren verbindet bei aller Verschiedenheit der historischen und sozialen Bedingungen die traumatisch erfahrene Kindheit und Jugend im Dritten Reich, andererseits ist die Position des jungen Bernhard ungleich extremer und fast ausschließlich auf negative Erfahrungen reduziert. Gerade diese Radikalisierung bietet indes über eine historische Lektüre hinaus auch Anhaltspunkte für eine an der neuen Jugendpsychologie orientierte Rezeption seiner Erinnerungsbücher.[5]

Bernhard beschreibt in seinen Autobiographien am Beispiel seines Sozialisationsschicksals einen Prozeß, der heute unter dem Schlagwort „Liquidierung von Kindheit"[6] in der neueren Kindheitsforschung diskutiert wird. Gemeint ist damit ein sozialer Mechanismus, der, gleich einer Zange, Kindheit von zwei Seiten in den Griff zu bekommen sucht. Einerseits besteht „eine Kontinuität der Kindheit auf der Ebene der Ausgrenzung und Exterritorialisierung der Kinder aus der Lebenswelt der Erwachsenen. Andererseits wird diese Kontinuität aufgehoben, weil die Kinderghettos immer mehr durch die bestimmenden gesellschaftlichen Tendenzen bis ins Detail strukturiert werden und sich deshalb immer weniger von anderen gesellschaftlichen Bereichen unterscheiden."[7]

In diesem Sinn lese ich Bernhards autobiographische Texte auf der Appellebene auch als Erinnerung an seine verzweifelten Versuche, sich als Kind und Jugendlicher den normalisierenden bzw. pädagogisierenden Zugriffen der institutionalisierten Machtstrukturen der Erwachsenenwelt zu entziehen.[8] In der Tat bauen ja die Disziplinierungsagenturen Familie und Schule, zu denen später noch die Heilanstalten kommen, eine nahezu lückenlose stabilisierende Instanzenkette auf, deren Aufgabe für Bernhard in sozialer Kontrolle, im Überwachen und Strafen des Störfalles Kind zu liegen scheint.[9]

2.

Ich beschränke mich im folgenden auf die fünf autobiographischen Bücher *(Die Ursache, Der Keller, Der Atem, Die Kälte, Ein Kind)* und ziehe von den verschiedenen selbstbiographischen Äußerungen Bernhards lediglich die beiden Kurztexte *Drei Tage* und *Notiz* aus dem Band *Der Italiener* heran.[10]

Die „analytische" Qualität der Aussagen im Monolog *Drei Tage* erhellt schon daraus, daß sie, wie Bernhard in der darauffolgenden *Notiz* berichtet, in einem „Zustand äußerster Irritation" (162) gemacht wurden und ihm schon damals und noch später „mehr oder weniger zufällig und zusammenhanglos erschienen sind", nachdem er „den Film [*Der Italiener*] gesehen und die ... Äußerungen gehört" hatte. Der Monolog folgt somit mehr oder weniger dem Gesetz der freien Assoziation und dürfte daher hinsichtlich der Person Bernhards hohen Informationswert haben. Dies geht schon aus dem Quantum der erwähnten Begebenheiten und Eindrücke aus Bernhards Kindheit und Jugend in diesem zweiseitigen Monolog hervor, von denen er längst nicht alle in die etwa 600 Seiten umfassenden fünf autobiographischen Bücher eingearbeitet hat. Dieses Verhältnis gibt somit einen ersten Aufschluß über die Stilisierungs- und

Literarisierungstendenz bei der Umformung bzw. Integration der „protopolitischen"[11] Erfahrungen innerhalb des autobiographischen Hauptwerkes. Darüber hinaus erscheint es mir notwendig, Bernhards Aussage aus den *Drei Tagen* in Erinnerung zu rufen, wonach in seinen Büchern alles künstlich sei (150); heuristischer Optimismus erscheint hier also keinesfalls angebracht, denn auch Handke gibt dem Leser des *Wunschlosen Unglücks* zu bedenken:

„(... aber ist nicht ohnehin jedes Formulieren, auch von etwas tatsächlich Passiertem, mehr oder weniger fiktiv? *Weniger*, wenn man sich begnügt, bloß Bericht zu erstatten; *mehr,* je genauer man zu formulieren versucht? Und je mehr man fingiert, desto eher wird vielleicht die Geschichte auch für jemand andern interessant werden, weil man sich eher mit Formulierungen identifizieren kann als mit bloß berichteten Tatsachen? – Deswegen das Bedürfnis nach Poesie? „Atemnot am Flußufer", heißt eine Formulierung bei Thomas Bernhard.)"[12]

*

Ist also die im Vergleich zu den „nackten Tatsachen" des Monologs geradezu hypertrophe Ausbreitung der Erlebnis- und Erfahrungs-„kerne" bereits als Indiz dafür zu werten, daß die Unterscheidung zwischen Gebrauchsform ,Autobiographie' und fiktionalem Text ,autobiographische Erzählung' problematisiert wird[13], so lassen vollends die ersten vier autobiographischen Bücher Bernhards deutliche Parallelen zum fiktionalen Werk erkennen; sie beruhen vorwiegend auf dem virtuosen Einsatz stilistischer Mittel wie Rekurrenz und Permutation, die auf sprachlicher und erzähltechnischer Ebene eingesetzt werden.[14] Da eine Differenzierung der Erzählmodi Fiktion und Autobiographie zwar in pragmatischer Hinsicht, kaum aber erzähllogisch vorzunehmen ist, bleibt trotz oder gerade wegen der von Bernhard immer wieder betonten und dann immer wieder zurückgenommenen Authentizität nichts übrig, als „die Verfälschung der Wahrheit durch den Akt der erinnernden Besinnung ... als notwendige Bedingung"[15] autobiographischen Schreibens hinzunehmen. Was immer also Ursache von Abweichungen gegenüber dem biographischen Faktum sein mag: Stilisierung, Erinnerungsschwächen, innerer Zensor oder Mechanismen der Traumarbeit, das bereits zitierte „Naturgesetz" der Fiktionalisierung durch Verbalisierung, vor allem aber Bernhards paradoxe Auffassung von Wahrheit erlauben keinesfalls eine kurzschlüssige Gleichsetzung von autobiographischem und historischem Faktum.[16] Bernhards radikale und zugleich unangreifbare Position läßt nur durch den Rekurs aufs biographische Do-

kument eine Unterscheidung zwischen fiktionalem und autobiographi-
schem Erzähler zu, der Autor im Erzähler entzieht sich allerdings jeder
Festlegung: „Letzten Endes kommt es nur auf den Wahrheitsgehalt der
Lüge an" (*Keller*, 45), denn „Die Wahrheit ist immer ein Irrtum, obwohl
sie hundertprozentig die Wahrheit ist, jeder Irrtum ist nichts als die
Wahrheit" (*Kälte*, 69).

3.

Die bisherigen Darstellungen zum Bernhardschen Autobiographienwerk
verfahren überwiegend synthetisch, ausgenommen diejenige Bugmanns,
der eine Kombination von systematischer und identitätsgeschichtlicher
Vorgangsweise versucht.[17] Bugmann lag allerdings der zuletzt erschienene Band, *Ein Kind,* der schon wegen des fehlenden Untertitels eine
Sonderstellung einnimmt, noch nicht vor. Da dieses Buch zeitlich vor der
Ursache einsetzt, ergibt sich das Problem, ob man der lebensgeschichtlichen oder der publikations- und damit identitätsgeschichtlichen Chronologie folgen soll. Da in meiner Themenstellung das Verhältnis von
erzählendem/erinnerndem/reflektierendem und erlebendem (Kindheits-)
Ich von erkenntnisleitender Bedeutung ist und ich der Auffassung zu-
neige, daß autobiographisches Schreiben Bewältigungs- und Orientie-
rungsfunktion für Autor und Leser hat, ziehe ich die publikationsge-
schichtliche Chronologie der lebensgeschichtlichen vor. Überdies nimmt
das letzte Buch stilistisch und erzähltechnisch eine Sonderstellung ein.
Meine Vorgangsweise wird auch durch die spezifische Selektion der Er-
innerungssegmente in den einzelnen Bänden bestärkt. In den ersten vier
Bänden – auch hier bildet *Ein Kind* die Ausnahme – steht selten mehr als
jeweils eine Episode im Mittelpunkt, lebensgeschichtlich immer von
traumatischer Natur, die im Verlauf der Erinnerungshandlung vom *„typischen Geschichtenzerstörer"* (*Drei Tage,* 152) in aller Kunstfertigkeit
zerstört, aufgelöst und in ihrer ganzen Perfidie entlarvt wird.
    Die für Bernhard typische Selektion der Wahrnehmung, die Fixierung
durch die Negationsperspektive, hängt unmittelbar mit seiner Schreib-
motivation zusammen:

„Und wahrscheinlich . . . warum bin ich eigentlich zum Schreiben gekommen,
warum schreibe ich Bücher? *Aus Opposition gegen mich selbst plötzlich,* und
gegen diesen Zustand – weil mir Widerstände, wie ich schon einmal gesagt habe,
alles bedeuten . . . Ich wollte eben diesen ungeheuren Widerstand, und dadurch
schreibe ich Prosa . . ." (*Drei Tage,* 155)

Die Ausschließlichkeit und Monomanie der Schreibintention führt soweit, daß Bernhard eine von ihm als „ereignisreichste" bezeichnete Zeit als nicht zum Thema gehörend außer acht läßt.

Erzähltechnisch lassen sich in den Autobiographien drei verschiedene Ebenen unterscheiden:

a) auf der Ebene des Geschehens[18] vermittelt Bernhard z. B. Kindheitserlebnisse, Erzählungen der Figuren und schließlich die Lebensgeschichten der Familienmitglieder, die Geschichte seiner Herkunft;

b) auf einem höheren Grad der Abstraktion stehen Erzählerkommentare, die sich auf Gefühle und Empfindungen des erinnerten Ichs beziehen; dabei wird natürlich die Situation des schreibenden Ichs thematisiert;

c) die Erzählerkommentare sind mehrschichtig, da sie andererseits auch Reflexionen über den Schreibprozeß enthalten, die Möglichkeiten des (autobiographischen) Schreibens problematisieren; außerdem erhalten Zitate, die sowohl kommentierend als auch gliedernd eingesetzt werden, auf dieser Ebene ihre Funktion.

Es ist für Bernhards Spielart der Autobiographie bezeichnend, daß bei ihm der Erzählerkommentar (in den verschiedenen Modalitäten) die Passagen linearer Sukzession auf der Ebene des erzählten Geschehens bei weitem überwiegt, daß, wie es Wendelin Schmidt-Dengler formuliert, das „Erzählkontinuum ... durch stationäre Passagen platzgreifend unterbrochen wird."[19] Diese „Reflexionslastigkeit", die aber deshalb nicht bereits Distanz zum lebensgeschichtlichen Stoff voraussetzt, führt zum Eindruck, daß lebensgeschichtliche Erfahrung im Beschreibungszusammenhang aufgehoben und Lebensgeschichte für die reflexive Erfahrung selbst nahezu bedeutungslos zu werden scheint, so daß der Erzähler zu der anti-autobiographischen Fomel kommt: „Hätte ich, was alles zusammen heute meine Existenz ist, nicht tatsächlich durchgemacht, ich hätte es wahrscheinlich für mich erfunden und wäre zu demselben Ergebnis gekommen." (*Keller*, 154) „Am Widerstand, über sich selbst zu sprechen, begänne in meinen Augen erst die analytische Arbeit des Schreibens."[20] Mit dieser Feststellung bezeichnet Ursula Krechel exakt auch den Ausgangspunkt Bernhards, dessen Texte sozusagen erst jenseits der Schwelle des Widerstands ihre Logik entfalten.

Die Zeit, die Bernhard in der *Ursache* beschreibt, ist die „Studierzeit" in Salzburg, zuerst im nationalsozialistischen Internat des „Grünkranz" und seiner „Gehilfen" (14), später im „streng katholischen Johanneum" (94), wobei kaum mehr als das Notwendigste verändert worden ist: „an der Stelle, wo jetzt das Kreuz hing, war noch der auf der grauen Wandfläche auffallend weiß gebliebene Fleck zu sehen, auf welchem jahrelang das Hitlerbild hing" (96). Unter diesen Vorzeichen und in diesem Unterdrückungszusammenhang verbringt er die Zeit zwischen „Herbst dreiundvierzig... und Herbst vierundvierzig" (19) in der Stadt, die ihm durch seine Eltern „gleichzeitig Mutter- und Vaterstadt ist" (10), in der „das (oder der) Schöpferische verkümmern und verkommen und absterben muß... auf diesem im Grunde durch und durch menschenfeindlichen architektonisch-erzbischöflich-stumpfsinnig-nationalsozialistisch-katholischen Todesboden" (11). Bernhard klagt auch seine „Erzeuger als Eltern" an, den „Zustand der Unbeholfenheit und totalen Hilflosigkeit *des Knaben,* die die Unbeholfenheit und totale Hilflosigkeit eines jeden Menschen in diesem ungeschützten Alter sind" (65), nicht wahrgenommen zu haben, mehr noch:

„Das Ausgeliefertsein im Internat und in der Schule und vor allem (in Unterdrückung) dem Grünkranz und seinen Gehilfen einerseits und die Kriegszustände sowie die auf deren Feindseligkeit beruhende Feindlichkeit meinen Verwandten gegenüber andererseits, die Tatsache, daß der junge Mensch überhaupt nirgends in dieser Stadt einen ihn schützenden Punkt hatte, machte ihn immer unglücklicher, und seine einzige Hoffnung ist bald nur mehr noch die Hoffnung auf die Schließung des Internats gewesen, von welcher schon nach dem zweiten Bombenangriff gesprochen, die aber erst lange nach dem vierten oder fünften Bombenangriff vollzogen worden ist." (66)

Zweierlei ist an einer Passage wie dieser zu sehen, in der Bernhard seinen „Erinnerungshorizont" (*Keller,* 55) abschreitet: ein thematisches und ein erzähltechnisches Faktum. Erstens sieht der Erzähler auch Eltern bzw. Erziehungsberechtigte schuldig, „mit ihrer ganzen Unsinnigkeit und Stumpfsinnigkeit gegen diese neuen von ihnen erzeugten Menschen" vorzugehen; er billigt ihnen zwar ,mildernde Umstände' zu: „in vollkommener *Unwissenheit und Gemeinheit* haben uns unsere Erzeuger und also unsere Eltern in die Welt gesetzt" (*Ursache,* 88), nichtsdestoweniger gehen sie „in diesem Verbrechertum" durchaus konform mit den Regierungen, „die an dem *aufgeklärten und also tatsächlich zeitentsprechenden Menschen,* weil der naturgemäß gegen ihre Zwecke ist, nicht interessiert sind" (90 f.). Der vom Kind über alles geliebte Großvater trägt wegen seines Bildungseifers ebenso Schuld daran:

„Daß er in das Internat hereingekommen ist zum Zweck seiner Zerstörung, ja Vernichtung, nicht zur behutsamen Geistes- und Empfindungs- und Gefühlsentwicklung, wie ihm beteuert und dann immer und immer wieder vorgemacht worden war..." (25 f.)

Der Vorwurf läßt sich dahingehend zusammenfassen, daß dem Erzähler Familie und Schule als Komplicen eines nahezu lückenlosen Systems erscheinen, als ineinandergreifende Hebel der alles bestimmenden „Kleinbürgerlogik" (11) der Stadt:

„Alles in dieser Stadt ist gegen das Schöpferische, und wird auch das Gegenteil immer mehr und mit immer größerer Vehemenz behauptet, die Heuchelei ist ihr Fundament, und ihre größte Leidenschaft ist die Geistlosigkeit, und wo sich in ihr Phantasie auch nur zeigt, wird sie ausgerottet. Salzburg ist eine perfide Fassade ... Meine Heimatstadt ist in Wirklichkeit eine Todeskrankheit ..." (11)

Auch die künstlerischen Übungen, die der Großvater in narzißtischer Weise[21] auf den Enkel überträgt, z. B. „das Geigen*lernen*", gegen das dieser „einen schon krankhaften Widerstand" (53) empfindet, werden vom Enkel ambivalent erlebt. Sie stellen zwar Freiräume, aber keine Selbstverwirklichung her; es ist dem Schüler hier nicht möglich, was Peter Brückner als die „anarchische Lust des ‚Abseits'" bezeichnet: „Die uns versprochene Freiheit der großen Stadt, die ein Zwölf- und Dreizehnjähriger sehr wohl als Quelle von Identität und Glück zu nutzen versteht, solange man ihn in Ruhe läßt."[22] Bernhard durchschaut den Charakter bürgerlicher Kunstausübung, deren Grundzug ihm einerseits als Repression, als „Disziplinierung" erscheint, andererseits aber auch als aktuelle Selbstkritik verstanden werden kann:

„denn hatte ich einerseits die größte Lust, Geige zu spielen, die größte, Musik zu machen, weil mir Musik das Schönste überhaupt auf der Welt gewesen war, so haßte ich jede Art von Theorie und Lernprozeß und also, durch fortwährendes aufmerksamstes Befolgen der Regeln des Geigenstudiums in diesem weiterzukommen, ich spielte nach meinem Empfinden das Virtuoseste und konnte nach Noten nicht das Einfachste einwandfrei, was meinen Lehrer Steiner naturgemäß gegen mich aufbringen mußte ... Die von mir auf meiner Geige produzierte Musik war dem Laien die außerordentlichste und meinen eigenen Ohren die gekonnteste und aufregendste, wenn sie auch eine vollkommen selbsterfundene gewesen war, die mit der Mathematik der Musik nicht das geringste zu tun gehabt hatte, nur mit meinem, so doch Steiner immer wieder, *hochmusikalischen Gehör*, das Ausdruck meines *hochmusikalischen Empfindens* gewesen war, ... Ausdruck meines *hochmusikalischen Talents*, aber diese von mir allein zur Selbstbefriedigung gespielte Geigenmusik war im Grunde keine andere als dilettantisch meine Melodien *untermalende* Musik ..." (*Ursache,* 53 f.)

An den vorher zitierten Passagen ist zweitens auch zu erkennen, daß Bernhard dort wo er zeigen will, in welchen Situationen der dreizehn- bis fünfzehnjährige Knabe der *Ursache* involviert war, zwischen Ich- und Er-Form schwankt. Ich frage mich, ob hier nicht eine Erfahrung zugrundeliegt, die Bernhard mit dem bekannten Diktum als ein Schreiben aus Opposition gegen sich selbst, als Anschreiben gegen einen Widerstand (vgl. *Drei Tage,* 155) bezeichnet hat. Gerade in den zitierten Stellen geht es ja darum, Schuldzuweisungen wegen der erlittenen Enttäuschungen vorzunehmen, die deshalb so existenzbedrohend trafen, weil die „*Vorliebe*" (8) und die „Vorauszuneigung" (9) von der „Stadt" zurückgewiesen worden waren. Der Vorwurf des Vertrauensbruchs gilt auch der Mutter und sogar dem Großvater. Die äußerlich so dezidiert vorgetragene existentiell begründete und poetologisch wirksame Positionsbestimmung im Monolog *Drei Tage* (146) verrät – im Kontext gelesen – eine Ursache:

„Zwei brauchbare Schulen natürlich: das Alleinsein, das Abgeschnittensein, das Nichtdabeisein einerseits, dann das fortgesetzte Mißtrauen andererseits, aus dem Alleinsein, Abgeschnittensein, Nichtdabeisein heraus. Und das schon als Kind . . .
Meine Mutter hat mich weggegeben. Ich bin in Holland, in Rotterdam, auf einem Fischkutter gelegen ein Jahr lang bei einer Frau. Meine Mutter hat mich alle drei, vier Wochen dort besucht. Ich glaub nicht, daß sie sehr viel für mich übriggehabt hat damals. Das hat sich allerdings dann geändert. Ich war ein Jahr alt, wir sind nach Wien, aber doch das Mißtrauen, das dann auch angehalten hat, wie ich zu meinem Großvater gekommen bin, der mich wirklich geliebt hat, umgekehrt."

Hier charakterisiert Bernhard eindeutig jene Situation, die nach Eriksons lebensgeschichtlichem Phasenmodell zur ersten psychosozialen Krise gegenüber der Bezugsperson, zum Verlust des Urvertrauens führt.[23] Erinnert sei in diesem Zusammenhang an das aufsteigende Mißtrauen des jungen Bernhard, als er merkt, daß er statt auf eine Erholungsreise nach Saalfelden in ein Heim für schwer erziehbare Kinder ins thüringische Saalfeld gebracht wird (*Kind,* 134).

Urs Bugmann hat darauf hingewiesen, in welch hohem Grad Bernhard eine ambivalente Kind-Mutter-Beziehung darstellt.[24] In einem Satz, der sich über mehr als eine Seite hinzieht, deutet der Ich-Erzähler seine „schwierige Beziehung" (127) an, da ihr „letzten Endes" seine „Existenz immer unbegreiflich gewesen ist" und sie sich mit dieser Existenz „niemals hatte abfinden können".[25] Zwar wird die Mutter als Opfer der Familie gesehen, doch hat der Erzähler mit ihr „zeitlebens immer nur in dem höchsten Schwierigkeitsgrad zusammengelebt" und „heute noch nicht die Fähigkeit . . ., immer nur die *Un*fähigkeit, auch nur ihr Wesen anzudeuten, ihr . . . Leben *auch nur annähernd zu begreifen,* ist mir bis heute nicht möglich, dieser wunderbaren Frau gerecht zu werden" (128).

Andeuten meint also in erster Linie die sprachliche Annäherung, wie es Handke ähnlich bereits im *Wunschlosen Unglück* formulierte, aber hier auch den Tatbestand eines Mangels, wie in den Parallelstellen (62, 112, 114, 116), wo allerdings noch der Aspekt des Aufzeigens von sozialen Mängeln und Mißständen dazukommt, wie im Fall der Scherzhauserfeldsiedlung, dem „Salzburger Schmutz- und Schandfleck" (*Keller*, 35).

Wenn der Erzähler behauptet, daß „heute . . . dieser Zustand von damals nurmehr schwer und nur unter den größten Widerständen überhaupt andeutbar" (*Kälte*, 37) sei, läßt sich darin aber auch ein Reflex von Bernhards Wittgenstein-Rezeption erkennen.[26] Auf Wittgenstein weisen in den Autobiographien mehrere wörtliche und gedankliche Anspielungen sowie natürlich Bernhards sprachphilosophisch bedingter Wahrheitsbegriff. In der *Ursache* bringt Bernhard jedoch ein Zitat (143), das weniger für die Rezeption Wittgensteins als vielmehr für Bernhards Kompositionsprinzip aufschlußreich ist. Der Erzähler spricht dort von der Vernichtung des Menschen in den „sogenannten höheren Schulen als Mittelschulen" (141) und entwickelt darauf ein Konzept zur grundlegenden Änderung des Unterrichtssystems, wobei er Gedanken des Großvaters (vgl. auch *Atem*, 107) übernimmt: „. . . die Welt wäre besser daran, wenn sie diese sogenannten Mittelschulen, Gymnasien, Oberschulen etcetera abschaffte und sich *nurmehr noch auf die Elementarschulen und auf die Hochschulen konzentrierte* . . . Die neue, die *erneuerte* Welt, wenn es sie geben sollte, kennt nurmehr noch die *Elementarschulen für die Massen* und die *Hochschule für einzelne* . . ." (*Ursache*, 142 f.). An dieses elitäre bildungspolitische Konzept, das seinen Funktionsspielraum historisch innerhalb der autobiographischen Fiktion entfaltet, schließt unmittelbar ein Satz an, der explizit als Zitat ausgewiesen ist: „Und wenn eine solche Asymmetrie vorhanden ist, so können wir diese als *Ursache* des Eintreffens des einen und Nicht-Eintreffens des anderen auffassen, so Wittgenstein." Möglicherweise übernimmt Bernhard diesen Satz aus Wittgensteins *Tractatus* wegen des Begriffs „Ursache", denn er steht bei Wittgenstein im Zusammenhang mit der Problematik des zeit- und raumsynchronen Beschreibens. Im Kontext der Autobiographie, also im Zusammenhang mit dem Bildungskonzept, ist das Zitat auf der Ebene des Erzählers nicht funktionalisierbar, sondern erst auf einer höheren Abstraktionsebene, im pragmatischen Bereich der Lektüre. Darauf weist der unmittelbar auf das Zitat folgende Satz, in dem Bernhard wieder von dem „immer gleich deprimierenden oder wenigstens irritierenden Geistes- oder Gefühlszustand oder Geistes- *und* Gefühlszustand" spricht, der den Erzähler „heute augenblicklich befällt, wenn ich in dieser Stadt ankomme, mit einer alles in mir verletzenden barometrischen Fallheftigkeit auch noch nach zwanzig Jahren, *frage ich mich nach der Ursache* dieses Geistes- oder Gefühlszustands, besser Geistes- und Gemütszustands" (*Ursache,* 143).

Scheint es also auf den ersten Blick, als hätte Bernhard Wittgenstein nur wegen des emphatisch gesetzten Wortes „Ursache" zitiert, so ergeben sich tiefenhermeneutisch doch überraschende Zusammenhänge zwischen den einzelnen Bänden; über die Leitwörter „Ursache" und „Geistes- und Gefühlszustand" (*Ursache,* 143) auf der einen Seite und „unter den größten Widerständen" und ebenfalls „Gefühlszustand" (*Kälte,* 37 f.) andererseits entwickelt sich ein konterdeterminierendes Bezugsfeld, das der Leser zwar erst bei wiederholter Lektüre erkennt, das aber eine Ahnung von der Komplexität der sprachlichen Strukturierung vermittelt. Über die Identifizierung der „Stadt" z. B. (*Ursache,* 144) mit dem besagten Gefühls- usw. -zustand schließt sich ein weiteres rekurrentes Sem an – man kann sich vorstellen, wie dicht die Bezüge, wie musikalisch verfugt die Themen sind, aber auch in welcher Künstlichkeit und damit „Deutlichkeit oder Überdeutlichkeit" (*Drei Tage,* 151) sich die Bernhardschen „Figuren, Ereignisse, Vorkommnisse . . . auf einer Bühne" abspielen: „und der *Bühnen*raum ist total finster." (150)

„Figuren, Vorkommnisse, Ereignisse" stehen im Zeichen eines doppelten Widerstands. Einerseits haben sie ja ein außerliterarisches Substrat; Schamlosigkeit ist daher die Voraussetzung, „Sätze anzupacken und auszupacken und ganz einfach hinzuwerfen, nur der Schamlose ist authentisch. Aber auch das ist natürlich so wie alles ein Trugschluß" (*Kälte,* 63). Der Widerstand liegt hier eher auf der Ebene, die Ursula Krechel meint. Andererseits weist aber der Schlußsatz des Zitats auf eine generelle Sprachproblematik hin und damit auf eine Kategorie von Resistenz, die Bernhard mit der doppeldeutigen Formel „Widerstand ist Material" meint (*Drei Tage,* 149).

Auf der Ebene des Erzählens manifestiert sich dieses Problem am „Zweifel an der Tragfähigkeit der Sprache"[28],

„Wahrheit zu sagen, Mitteilung zu machen, sie läßt dem Schreibenden nur die Annäherung, immer nur die verzweifelte und dadurch auch nur zweifelhafte Annäherung an den Gegenstand, die Sprache gibt nur ein gefälschtes Authentisches wider, das erschreckend Verzerrte, so sehr sich der Schreibende auch bemüht, die Wörter drücken alles zu Boden und verrücken alles und machen die totale Wahrheit auf dem Papier zur Lüge." (*Kälte,* 89)

Irritierend im Sinn Bernhards ist an dieser Stelle wieder der Kontext; es geht dem Ich-Erzähler darum, am Totenbett der Mutter endlich den Kontakt zu finden, den er sich immer gewünscht hatte. Zumindest hier läßt sich der Eindruck, es sei der Rekurs auf die Sprachreflexion u. a. ein Rationalisierungsversuch, nicht von der Hand weisen, womit sich zeigt, daß es Bernhard in der Autobiographie auch „um die Bewältigung der frühen Verletzungen und um den Schritt in die selbstbewußte Mündigkeit"[29] geht.

Wenngleich die Mutter-Beziehung und das letztlich auch ambivalente Verhältnis zum Großvater wesentliche Motive Bernhards sind, sich mit der Autographie als Trauerarbeit aus der Selbstentfremdung zu befreien, ist dies in der Problemgeschichte seiner Subjektivität dennoch nur ein Moment.

4.

Aus der Retrospektive erscheint dem Erzähler der Entschluß zum Aufbruch *„in die entgegengesetzte Richtung"*, wie Bernhard im *Keller* leitmotivisch wiederholt, zwar erklärbar als Ausbruch aus der „Lernfabrik", aber doch völlig „instinktiv" (123) in einem „entscheidenden lebensrettenden Augenblick der äußersten Nervenanspannung und größtmöglichen Geistesverletzung" (*Ursache,* 10) vollzogen. Die Welt, in die er jetzt gelangt, stellt in jeder Hinsicht einen Gegensatz zur Welt des Großvaters (*Keller,* 13) dar, „hier gab es *keine tödliche Institution* . . . Hier war ich nicht zur Lern- und Denkmaschine gemacht, hier konnte ich sein, wie ich war. Und alle andern konnten sein, wie sie waren . . . die Persönlichkeit war plötzlich nicht mehr von den Regeln des bürgerlichen Gesellschaftsapparates, der ein menschenverheerender Apparat ist, niedergemacht und zermalmt . . ." (120 f.). Dieser Weg wird (vielleicht apologetisch) stilisiert als „der Weg *zu mir*" (25). Retrospektiv verbindet sich damit für Bernhard auch ein sozialkritisches Moment, das ausschlaggebend für die Frage war, „warum jetzt die Lehrzeit und nicht später, zu einem Zeitpunkt, in welchem möglicherweise von mir mit nicht soviel Vorbehalt als Krampf zu berichten wäre" (45); die Stadtgemeinde hatte beschlossen, die Scherzhauserfeldsiedlung niederzureißen, diese Tatsache sei der Anlaß gewesen, den *Keller* zu schreiben. Ein Kurztext aus dem *Stimmenimitator* (169) und auch die insistenten Evokationen dieses „lebensrettenden Augenblicks" verraten deutlich, daß es sich bei der „Entziehung" um eine Ersatzhandlung handelt, „die Krise des Selbstwertgefühls war so akut geworden, daß es tatsächlich um Leben und Tod ging."[30] Aus der Perspektive der fortgeschrittenen Autobiogra-

190 JOHANN STRUTZ

phie Bernhards erscheint die Scherzhauserfeldepisode als konkrete, gelebte Utopie, als wichtigste Zeit seines Lebens, wie der Erzähler glaubt (*Keller,* 41), vor allem ab dem Zeitpunkt, als „der Keller als . . . *ureigentliches Lebensmittel*" (67), in dem er „nicht ausgeliefert, sondern geborgen gewesen" (129) war, durch die „Musik als Gegensatz" (133) und „sozusagen durch einen musikalischen Trick abgestützt" (136) wird.

Die Musikbegeisterung ist auch die geheime Verbindung seiner zwei Lehrerfiguren, des Großvaters, seines Lehrers in der Philosophie und im „Alleinsein und Fürsichsein" (67), und Podlahas, der ihn alles das lehrt, „was ich von meinem Großvater nicht erlernen konnte, die Gegenwart als Realität" (103).[31] In der Retrospektive der Retrospektive, im Band *Atem,* schreibt Bernhard darüber:

„Ich hatte einen Existenzrhythmus gefunden gehabt, der meinen Ansprüchen genügt und der mir tatsächlich entsprochen hatte. Ich hatte mir ein ideales Dreieck geschaffen gehabt, dessen Bezugspunkte, Kaufmannslehre, Musikstudium, Großvater und Familie, meiner Entwicklung auf höchstmögliche Weise nützlich gewesen waren." (28 f.)

Bernhard beschreibt in dieser Scherzhauserfeldepisode, ohne die negativen Aspekte zu verschweigen, nicht weniger als das klassische Bildungskonzept des künstlerisch und praktisch gebildeten Individuums, wobei „keine dieser todernsten Tatsachen gegeneinander" (*Keller,* 140) ausgespielt werden; das eine ist jeweils dem anderen nützlich: „ich befand mich im Gleichgewicht" (141). Dennoch zeigt sich eine Dominanz der Musik, die er entwickelte, „als wäre sie nichts als eine höhere Mathematik" (137). Bernhard studierte nicht nur Gesang, sondern auch Musikwissenschaft, was er als Disziplinierung im positiven Sinn auffaßt:

„Diese drei, Gesang, Musikwissenschaft und kaufmännische Lehre, hatten aus mir plötzlich einen ununterbrochen in größter Anspannung existierenden, tatsächlich völlig ausgelasteten Menschen gemacht und mir einen Idealzustand in Kopf und Körper ermöglicht." (139)

Dieser Zustand ist jedoch, wie bekannt, nicht von langer Dauer. Gerade als Bernhard die ersten öffentlichen Auftritte als Sänger in Festspielen, Messen und Oratorien feiert, erwischt ihn die Krankheit, die er sich im Keller „eingewirtschaftet" hat.

„Aber dahinein und dazwischen hatte sich urplötzlich eine andere Zeit geschoben. Im dritten Lehrjahr, an einem Oktobertag, ich war über siebzehn, fast achtzehn Jahre alt, hatte ich einen mit mehreren Tonnen Erdäpfeln angefüllten Lastwagen vor dem Geschäft abzuladen. In dem pausenlosen Schneetreiben hatte ich mich erkältet . . . Zurückgeworfen in eine Krankheit, die mich über vier Jahre lang an Krankenhäuser und Heilanstalten gefesselt hat, schwebte ich, wie man sagt, einmal mehr, einmal weniger besorgniserregend, zwischen Leben und Tod." (*Keller*, 148 f.)

Mit dieser nüchternen Schilderung, die sich wie ein anderer Text ins Buch schiebt, endet die Scherzhauserfeldepisode. Der nächste Satz behandelt schon etwas anderes; offenbar durch das Wort „Tod" assoziiert, geht der Erzähler zur Beschreibung seines sinnlosen und vergeblichen Schreibrituals über. Im weiteren Verlauf thematisiert er im Gegensatz zum ersten Teil die sich selbst und den Menschen entfremdete Existenz des Schriftstellers. Der Begriff des Gegensatzes, der den Text durchzieht, hat thematische Funktion auf beiden Zeitebenen, er definiert das Bildungskonzept und stellt auch den Bezug zwischen erinnertem und erinnerndem Ich her:

„Ich liebte den Gegensatz, wie ich auch heute vor allem den Gegensatz liebe, der Gegensatz von Scherzhauserfeldsiedlung und also Keller und Vorhölle als Hölle und Zuhause zu Musik und Pfeifergasse, der Gegensatz zwischen allen diesen salzburgischen Unvereinbarkeiten meiner Jugend hat mich gerettet, ihm verdanke ich alles." (139 f.)

Der Gang in die Scherzhauserfeldsiedlung symbolisiert zunächst einmal den Ausbruch aus dem Ausgeliefertsein an die Erziehungsmaschinerie, aus der Sphäre der „Leben, die gelebt werden", der „Existenzen, die existiert werden" (*Ursache*, 90), in die Freiheit der Selbstbestimmung: „Ich hatte mein Leben wieder. Und ich hatte es aufeinmal wieder vollkommen in der Hand" (*Keller*, 16); der Gang symbolisiert auch Abenteuer und sogar Anarchie. Anarchie und Chaos werden aber durch freiwillige Disziplinierungen und Ordnungsarbeit (vgl. 75) integriert. Daß Bernhard nur noch im Modus der Karikatur und Verfremdung Individualität beschreiben kann, spricht nicht gegen die Utopie der Scherzhauserfeldsiedlungsepisode, gibt ihr aber im Zusammenhang der Autobiographie doch nur die Funktion eines Denkbezirks, worauf schon die Metapher des Gehens hinweist, d. h., um genau zu sein, handelt es sich hier um einen Denkbezirk des Lebens, während etwa das Krankenhaus vom Großvater als „Denkbezirk des Bewußtseins" (*Atem*, 62) bezeichnet wird.

5.

Konzipiert Bernhard im *Keller* den Erzähler noch als virtuell ausbalancierte Identität, so setzt doch mit dem Einbruch der anderen Zeit eine Haltung ein, aus der die „Lebensgeschichte als ein Krisenzusammenhang"[32] beschrieben wird, in dessen Verlauf ein kontinuierlicher „Negations-Prozeß"[33] vor sich geht, der sich für Bernhard Sorg in den Motiven „Tod, Trauer, Kälte" manifestiert, die „zur Grundlage der Romane und Erzählungen weit über die subjektive Metaphysik hinaus"[34] werden. Aus dieser Sicht beschreiben die Bände *Der Atem. Eine Entscheidung* und *Die Kälte. Eine Isolation* in erster Linie Grenzerfahrungen, schwere Krankheit und Tod. Den Tod des Großvaters erlebt der Erzähler in *Atem* als „Abschluß einer Periode" (121) und reagiert mit dem Entschluß „zu einer zweiten Existenz" (130), in der die „Initiative ... von meinem Kopf" (151) ausgeht. Die Identifikation mit dem Großvater reicht über den Tod hinaus, denn so wie jener von einem „lebenslänglichen Kunstwillen" (120) geprägt war, stellt sich der Ich-Erzähler unter diese Forderung, indem er der „Sinnlosigkeit" sein diszipliniertes Arbeitsethos entgegenhält.[35]

„Gegen die Sinnlosigkeit aufstehen und anfangen, arbeiten und denken in nichts als in Sinnlosigkeit. Durfte ich seinen Gedanken jetzt weiterdenken? Durfte ich sein System übernehmen, zu dem meinigen machen? Aber es war ja von Anfang an auch mein System gewesen. Aufwachen, anfangen bis zur Erschöpfung, bis die Augen nichts mehr sehen können, nichts mehr sehen wollen, schlußmachen, das Licht ausdrehen, sich den Alpträumen ausliefern, sich ihnen hingeben wie einer Feierlichkeit ohnegleichen. Und am Morgen wieder das gleiche, mit der größten Genauigkeit, mit der größten Eindringlichkeit, *die vorgespiegelte Bedeutung*." (*Kälte*, 67)

Bernhard setzt den Erfahrungen der Entpersönlichung, Verdinglichung und Entfremdung im Krankenhaus distanzierte Beobachtung und Analyse entgegen, um sich von den Objekten seiner „Betrachtungen und Beobachtungen nicht mehr verletzen" (*Atem*, 44) zu lassen; indem er seinen Mechanismus der Wahrnehmung schärft und lernt, „immer eindringlicher zu beobachten", bekommt der „Analytiker ... die Oberhand" (114).

Gegenüber der *Ursache* und dem *Keller* hat seine Reaktion, wenn er in *Atem* die Kaufmannslehre als „Aktion" und „Revolution" (155) apostrophiert, eine neue Qualität erreicht. Dadurch, daß er hervorhebt, es handle sich bei der Wahrnehmungsmethode nicht um eine *an* sich, sondern noch viel mehr *in* sich logische Entwicklung (130), weist er ganz deutlich auf den Gesichtspunkt der Stimmigkeit seines Systems hin.[36] Was er damit meint, läßt sich unter der Prämisse verstehen, daß die Initiative des Handelns zu diesem Zeitpunkt „längst von meinem Kopf ausgegangen" war (151, vgl. auch *Kälte*, 138). Von diesem Punkt aus ist es möglich, gleichsam der jeweiligen mentalen/psychischen Position und Situation funktionale Variablen zuzuordnen, wie etwa in der Sequenz, in der der Großvater den Terminus „Denkbezirk" verwendet (*Atem*, 59–63), wobei die Verbindung „Denkbezirk des Bewußtseins" (62) sozusagen die noetische Einstellung bzw. Grundeinstellung meint, innerhalb deren eine Bestimmung wie „lebensrettender Denkbezirk" (63, analog zum „lebensrettenden Augenblick" auf der ‚Realitätsebene'), mit welcher der Aufenthalt im Krankenhaus gemeint ist, auf der Ebene des Bewußtseins eine zur ‚Realität' konträre ‚eigentliche' Bedeutung erhält. Damit erklärt sich auch die Feststellung des Großvaters, daß es nur innerhalb dieses Denkbezirks möglich sei, „das Selbstbewußtsein und das Bewußtsein alles dessen, das ist" (62), zu erreichen.

„Es könne sein, so mein Großvater, daß er seine Krankheit erfunden habe, um in den Denkbezirk des Bewußtseins, so seine Bezeichnung, zu kommen. Möglicherweise hätte auch ich zu demselben Zweck meine Krankheit erfunden. Es spiele aber keine Rolle, ob es sich um eine erfundene oder um eine tatsächliche Krankheit handle, wenn sie nur dieselbe Wirkung hervorrufe." (62)

Die Wirkung der Krankheit, und das ist der entscheidende „lebensrettende" Gedanke, besteht aber darin:

„Der Kranke ist der Hellsichtige, keinem anderen ist das Weltbild klarer ... Der Künstler, insbesondere der Schriftsteller, der nicht von Zeit zu Zeit ein Krankenhaus aufsuche, verliere sich mit der Zeit in die Wertlosigkeit, weil er sich in der Oberflächlichkeit verheddere." (60 f.)

Die isolierte Position des Denkens ist Ausdruck eines übersteigerten Versuchs der Selbstbehauptung angesichts der Absurdität und Sinnlosigkeit des täglichen Schreibrituals, das den Verlust der metaphysischen Ordnung durch die Ordnung im Bewußtsein kompensieren will. An den Nahtstellen der Textstruktur drängen die Widersprüche hervor und markieren so an der Form ihren Triumph. Das Ich, eingeschlossen in die Grenzen seiner Sprache, regrediert von der Spannung der erstrebten sozialen Identität in die autistische Immanenz des „Wir, das bin ich" (*Keller*, 158). Jenseits der subjektivistischen Trotzhaltung bleibt nur die Anonymität der Requisiten und Marionetten, unentscheidbar, ob es sich um eine Tragödie oder eine Komödie handelt (159). Einen Ausweg kann es geben:

„Diese Entdeckung, daß die Literatur die mathematische Lösung des Lebens und in jedem Augenblick auch der eigenen Existenz bewirken kann, wenn sie als Mathematik in Gang gesetzt und betrieben wird . . ." (*Atem,* 152)

Vorläufig allerdings scheint es noch keine Methode zu sein, den Einbruch der Rationalität aufzufangen. So lese ich Bernhards Erzählung *Beton,* die im hauchdünnen Rahmen der Fiktion den Ausweg aus der bloßen Subjektivität und Kontingenz und damit seine Suche nach der „Dimension des Anderen als eines notwendigen Mittlers"[37] darstellt; am Schluß, als die autobiographische Fiktion nicht mehr standhält, bleibt ihm, dem Grenzgänger schlechthin, nur noch die autistische Regression, bleibt ihm der Erzähler als Theaterdirektor:

„Ich lief zum Irrenhaus hinüber, um mir ein Taxi kommen zu lassen, was vom Friedhof aus nicht möglich gewesen war und fuhr sofort ins Hotel zurück. Ich zog die Vorhänge meines Zimmers zu, schreibt Rudolf, nahm mehrere Schlaftabletten ein und erwachte erst sechsundzwanzig Stunden später in höchster Angst." (212 f.)

Die „mathematische Lösung des Lebens" durch die Literatur und „schließlich die *höchste mathematische Kunst,* die wir erst dann, wenn wir sie ganz beherrschen, als *Lesen* bezeichnen können" (*Atem,* 152), ersetzen als Konstruktion und Integral der Möglichkeiten des Lebens nicht dieses selbst, das zeigen die Autobiographien Bernhards, in denen die „Desintegration des Individuums"[38] so fortgeschritten ist, daß es nur noch als Negation faßbar ist. Die letzte Lese-Station sind die *Dämonen* Dostojewskis; „ein Buch von dieser Unersättlichkeit und Radikalität" (*Kälte,* 140), bekennt der Erzähler, habe ihn stark gemacht, ihn zu seiner Existenz zurückgebracht und ihm gezeigt, daß er „auf dem richtigen Weg sei, hinaus" (141). Die „ungeheure Wirkung" Dostojewskis besteht also darin, daß er dem Erzähler einen Weg zeigt, die Isolation im „Denkbezirk des Bewußtseins" zu durchbrechen, über die Mathematisierung des Lebens hinaus und tendenziell in die Offenheit des Sozialen, wo allerdings, wie das biographische Modell aus *Beton* verdeutlicht, der Realitätsdruck so stark werden kann, daß sich die Identität als „Minimalsurrogat der Teleologie"[39] nur noch in der literarischen Rolle halten kann.[40]

Anmerkungen

Folgende Werke Thomas Bernhards werden im Text mit Kurztiteln zitiert:

Drei Tage und *Notiz.* In: *Der Italiener.* Salzburg 1971.
Die Ursache. Eine Andeutung. Salzburg 1975.
Der Keller. Eine Entziehung. Salzburg 1976.
Der Atem. Eine Entscheidung. Salzburg und Wien 1978.
Der Stimmenimitator. Frankfurt/M. 1978.
Die Kälte. Eine Isolation. Salzburg und Wien 1981.
Ein Kind. Salzburg und Wien 1982.
Beton. Frankfurt/M. 1982.

1 Bernd Neumann: *Die Wiedergeburt des Erzählens aus dem Geist der Autobiographie? Einige Anmerkungen zum neuen autobiographischen Roman
  am Beispiel von Hermann Kinders „Der Schleiftrog" und Bernhard* [!] *Ves-
  pers „Die Reise".* In: Basis 9 (1979), S. 91–121, S. 91.
2 Ebda.
3 Peter Brückner: *Das Abseits als sicherer Ort. Kindheit und Jugend zwischen
  1933 und 1945.* Berlin 1980.
4 Christa Wolf: *Kindheitsmuster.* Roman. Darmstadt und Neuwied 1979.
5 Ein Versuch in dieser Richtung wurde unternommen in: *Lebensgeschichte
  und Identität. Beiträge zu einer biographischen Anthropologie.* Hrsg. v. Frie-
  demann Maurer. Frankfurt/M. 1981.
6 Weiters: Theodor Karst, Renate Overbeck, Reinbert Tabbert: *Kindheit in
  der modernen Literatur.* Kronberg/Ts. 1976.
7 Vgl. *Kindheit als Fiktion.* Von Heinz Hengst, Michael Köhler, Barbara Ried-
  müller, Manfred Max Wambach. Frankfurt/M. 1981.
8 Heinz Hengst: *Tendenzen der Liquidierung von Kindheit.* In: *Kindheit als
  Fiktion,* S. 11–72, S. 31 f.
  Vgl. dazu: Manfred Max Wambach: *Kinder als Gefahr und Risiko. Zur
  Psychiatrisierung und Therapeutisierung von Kindheit.* In: *Kindheit als Fiktion,* S. 191–241.
9 Eine Darstellung dieser Situation im Film gibt Jean-Luc Godard in *France
  Tour Détour Deux Enfants.*
10 Eine Gesamtübersicht bis 1976 in: Bernhard Sorg: *Thomas Bernhard.* München 1977, S. 218 f.
11 Peter Sloterdijk: *Literatur und Organisation von Lebenserfahrung. Autobiographien der Zwanziger Jahre.* München 1978, S. 127 ff.
  Ein weiterer Vergleich: in den *Confessions* von Rousseau entfallen auf die
  Beschreibung der Zeit bis zum 16. Lebensjahr 30 von insgesamt 600 Seiten.
12 Peter Handke: *Wunschloses Unglück.* Erzählung. Frankfurt/M. 1976,
  S. 26.
13 Zum Problem der erzähltheoretischen Unterscheidung von Autobiographie
  und Fiktion vgl. Klaus-Detlef Müller: *Autobiographie und Roman. Studien
  zur literarischen Autobiographie der Goethezeit.* Tübingen 1976,
  S. 53–73.
14 Vgl. dazu Karl-Heinz Hartmann: *Wiederholungen im Erzählen. Zur Litera-*

rität narrativer Texte. Stuttgart 1979.
Bernhard Sorg weist auf die Möglichkeit einer Differenzierung des Bernhardschen Autobiographienwerks mit Hilfe stilistischer Kriterien. (In: *Thomas
Bernhard.* In: *Kritisches Lexikon zur deutschsprachigen Gegenwartsliteratur.* Hrsg. v. Heinz Ludwig Arnold. München 1982, S. 11.

15 Roy Pascal: *Die Autobiographie. Gehalt und Gestalt.* Stuttgart 1965,
S. 90.

16 In diesem Zusammenhang erscheint mir eine ausschließlich psychoanalyti-
sche Lektüre der Autobiographien Bernhards problematisch, weil die Psychoanalyse über dem Tatsachencharakter der Kunstwerke „deren eigene Ob-
jektivität, . . . ihre kritischen Impulse, ihr Verhältnis zur nicht-psychischen
Realität" versäumt. (Th. Adorno: *Ästhetische Theorie.* Frankfurt/M. 1973,
S. 21.) Selbstverständlich zeigen sich bei Bernhard auch „abgewehrte, bio-
graphisch geprägte" Aggressionen, sie sollen aber im Prozeß des erinnernden
Zukunftsentwurfs im Modus der Autobiographie, also der Verbindung von
Trauerarbeit und Gewinnung sozialer Identität, nicht überbewertet werden.
Zum psychoanalytischen Interpretationsansatz vgl. Michael Rutschky: *Lek-
türe der Seele. Eine historische Studie über die Psychoanalyse der Literatur.*
Frankfurt/M., Berlin, Wien 1981, S. 66 ff.

17 David Bronsen: *Autobiographien der siebziger Jahre. Berühmte Schriftsteller
befragen ihre Vergangenheit.* In: *Deutsche Literatur in der BRD seit 1965.*
Hrsg. v. Paul Michael Lützeler und Egon Schwarz. Königstein/Ts. 1980,
S. 202–214.
Urs Bugmann: *Bewältigungsversuch. Thomas Bernhards autobiographische
Schriften.* Bern, Frankfurt/M., Las Vegas 1981.
Peter Friedl: *„Die Kälte" von Thomas Bernhard.* In: Literatur und Kritik
1981, H. 159, S. 531–544.
W. Martin Lüdke: *Ein ‚Ich' in der Bewegung: stillgestellt. Wegmarken der
Bernhardschen Autobiographie.* In: Merkur 35 (1981), S. 1175–1183.
Gudrun Mauch: *Thomas Bernhards Biographie des Schmerzes – „Die Ursa-
che", „Der Keller" und „Der Atem".* In: Modern Austrian Literature 13
(1980), S. 91–109.
Ds.: *Thomas Bernhards Roman „Korrektur". Zum autobiographisch fun-
dierten Pessimismus Thomas Bernhards.* In: Amsterdamer Beiträge zur neu-
eren Germanistik 14 (1982), S. 87–106.
Sorg, *Bernhard* (1977), S. 17–33.
Ich führe hier nur Arbeiten an, auf die ich mich stütze. Ein ausführliches
Verzeichnis der Sekundärliteratur findet man in: *Thomas Bernhard. Werkgeschichte.* Hrsg. v. Jens Dittmar. Frankfurt/M. 1981.

18 Zur Terminologie: Cordula Kahrmann, Gunter Reiß, Manfred Schluchter:
Erzähltextanalyse. Eine Einführung in Grundlagen und Verfahren. Band 1.
Kronberg 1977. Dazu auch Bugmann, *Bewältigungsversuch,* S. 128.

19 Wendelin Schmidt-Dengler: *Von der Schwierigkeit, Thomas Bernhard zu
lesen.* In: *Bernhard. Annäherung.* Hrsg. v. Manfred Jurgensen. Bern, Mün-

chen 1981, S. 123–141, S. 141.
20 Ursula Krechel: *Leben in Anführungszeichen. Das Authentische in der gegenwärtigen Literatur.* In: Literaturmagazin 11: *Schreiben oder Literatur.* Reinbek bei Hamburg 1979, S. 80–107, S. 88.
21 Vgl. dazu Bugmann, *Bewältigungsversuch,* S. 118 ff.
22 Brückner, *Das Abseits,* S. 12.
23 Vgl. Erik H. Erikson: *Identität und Lebenszyklus.* Drei Aufsätze. Frankfurt/M. 1977, S. 62 ff.
24 Bugmann, *Bewältigungsversuch,* S. 109 ff.
25 Diese Erfahrungen beschreibt auch Peter Weiss in *Abschied von den Eltern:* „Meine Mutter sagte einmal zu mir, Du bist mir immer fremd gewesen, ich habe dich nie verstehen können. Dies zu hören war schwerer, als ihre Schläge entgegenzunehmen." (Frankfurt/M. 1961, S. 85). Vergleichbar ist auch die ambivalente Beziehung zu den Eltern (Weiss ebenfalls: „meine Erzeuger") und insbesondere zur Mutter: Ähnlich wie Bernhard seine Mutter zwingt, seine Gedichte anzuhören („sie hatte meine Gedichte anhören *müssen,* ich hatte sie erpreßt, ich hatte die Gewißheit, meine Gedichte sind gut, Produkte eines achtzehnjährigen Verzweifelten, der außer diesen Gedichten nichts mehr zu haben schien." *Kälte,* 36), verfährt Weiss mit seinen Bildern: „Wenn ich ein Bild beendet hatte, zwang mich ein Trieb, meine Mutter herbeizurufen. Ich wußte, wie unverständlich ihr meine Bilder waren, und doch konnte ich es nicht unterlassen, ihr meine Bilder immer wieder zu zeigen. Ich stand neben ihr und sah zu, wie sie mein Bild betrachtete. Ich zeigte ihr ein Bild meiner selbst. Ich wollte, daß sie lange vor diesem Bild stehen solle. Ich wollte, daß sie mich in diesem Bild erkennen solle." (*Abschied von den Eltern,* S. 104 f.)
26 Zur Wittgenstein-Rezeption: Albrecht Weber: *Wittgensteins Gestalt und Theorie und ihre Wirkung im Werk Thomas Bernhards.* In: Österreich in Geschichte und Literatur 25 (1981), S. 86–104.
Alfred Barthofer: *Wittgenstein mit Maske. Dichtung und Wahrheit in Thomas Bernhards Roman „Korrektur".* In: Österreich in Geschichte und Literatur 23 (1979), S. 186–207.
27 Ludwig Wittgenstein: *Tractatus logico-philosophicus. Logisch-philosophische Abhandlung.* Frankfurt/M. 1977, S. 109 (Abschnitt 6.3611, wo allerdings die Wörter „wenn" und „ist" ebenfalls hervorgehoben sind).
28 Friedrich Wallner: *Die Grenzen der Sprache als Grenzen der Welt. Wittgensteins Bedeutung für die moderne österreichische Dichtung (demonstriert am Beispiel Ingeborg Bachmann).* In: Österreich in Geschichte und Literatur 25 (1981), S. 73–85, S. 74.
29 Bugmann, *Bewältigungsversuch,* S. 290.
30 Ebda.
31 Über Freumbichler vgl. Sigurd Paul Scheichl: *Zwischen Heimatbuch und Bildungsroman. Vor 100 Jahren wurde der österreichische Schriftsteller Johannes Freumbichler geboren.* In: Die Presse, 10./11. 10. 1981.

Friedbert Aspetsberger: *Johannes Freumbichlers Bauernroman „Philomena Ellenhub"*. In: Österreich in Geschichte und Literatur 23 (1979), S. 279–297.

32 Lüdke, *Ein ‚Ich' in der Bewegung*, S. 1178.

33 Manfred Mixner: *Vom Leben zum Tode. Die Einleitung des Negations-Prozesses im Frühwerk von Thomas Bernhard*. In: *Bernhard. Annäherungen*, S. 65–97.

34 Sorg, *Bernhard* (1977), S. 38.

35 Diesen Weg vertritt auch Sartre in seiner Autobiographie *Die Wörter*.

36 Hier skizziert Bernhard Strukturen seiner poeto-logischen Negationsper-spektive, die sich mit der Bestimmung der mittelbaren und durch den Tran-szendenzverlust nicht abgestützten Wahrheit deckt, von der z. B. Thomas in Musils *Schwärmern* spricht: „Ich meine … mehr die Wahrheit, daß wir mitten in einer Rechnung stehen, die lauter unbestimmte Größen enthält und nur dann aufgeht, wenn man einen Kniff benützt und einiges als konstant voraussetzt." (Robert Musil: *Gesammelte Werke*. Band 6: *Prosa und Stücke*. Reinbek bei Hamburg 1978, S. 385.7

37 Gerhard vom Hofe, Peter Pfaff: *Das Elend des Polyphem. Zum Thema der Subjektivität bei Thomas Bernhard, Peter Handke, Wolfgang Koeppen und Botho Strauß*. Königstein/Ts. 1980, S. 56.

38 Ralph-Rainer Wuthenow: *Das erinnerte Ich. Europäische Autobiographie und Selbstdarstellung im 18. Jahrhundert*. München 1974, S. 215.

39 Odo Marquard: *Identität. Schwundtelos und Mini-Essenz – Bemerkungen zur Genealogie einer aktuellen Diskussion*. In: *Identität*. Hrsg. v. O. M. und Karlheinz Stierle. München 1979, S. 347–369, S. 365.

40 Folgende Spezialarbeiten waren mir bis zur Fertigstellung des Manuskripts nicht zugänglich. Die italienischen Aufsätze enthalten vor allem zur Subjekt-Objektproblematik bzw. zu philosophischen Implikationen interessante An-regungen: Luigi Forte: *La trilogia dei commiati. Ipotesi sul „privato" in Thomas Bernhard*. – Maria P. Crisanaz Palin: *Thomas Bernhard dal „mondo come rappresentazione" al „mondo come volontà"*. Beide in: *Austria: La fine e dopo*. = Nuova Corrente (Milano) 79/80 (1979), S. 501–515 bzw. 516–534. Peter Lämmle: *Karriere eines Außenseiters. Vorläufige Bemerkungen zu Thomas Bernhards fünfteiliger Autobiographie*. – Hans Joachim Piechotta: *„Naturgemäß". Thomas Bernhards autobiographische Bücher*. Beide in Text + Kritik, Heft 43: *Thomas Bernhard*. 2., erw. Aufl. München 1982, S. 1–7 bzw. 8–24.

RIA ENDRES: Am Ende angekommen. Dargestellt am wahnhaften
Dunkel der Männerporträts des Thomas Bernhard. Frankfurt: Fischer
1980.

Dieses Buch zu besprechen, bringt mich in Schwierigkeiten.

Das Solidaritätsgefühl, das sich einstellt, wenn eine mit feministi-
schem Blick die literarischen Männerphantasien beforscht und die Eliminierung des Weiblichen beklagt, wird streckenweise allzusehr strapa-
ziert. Zustimmung, als gewollte Rezeptionshaltung, wird überlagert
durch unwillkürliche Ablehnung, denn Faszinierendes und Ärgerliches
stehen zu eng nebeneinander, vermengen sich und machen sich den Ge-
samteindruck streitig.

Zugegeben: Endres' Analyse ist faszinierend – und gefährlich, elo-
quent – und repetitiv, bedeutungsträchtig wie auch banal, autoritätent-
larvend so wie selbst autoritär, gegen das männliche „Dunkel" zu Felde
ziehend und oft nicht weniger (weiblich?) dunkel. Das muß ich sortieren.
Zunächst die Pluspunkte: Aufbau und Gliederungskategorien unterscheiden sich wohltuend von den üblichen szientifistisch überfrachteten
literaturwissenschaftlichen Gesellenstücken (mit *Am Ende angekommen*
wurde Endres 1978 promoviert). Unter den Kapiteln „Die Wörter der
Patriarchen", „Unfolgsame Söhne" und „Endloses Sprechen? Oder die
Sprache nimmt die Maschine wörtlich" kann ich mir etwas vorstellen.
Sie wirken lesemotivierend und sind offensichtlich nach dem Konzept
von delectare et prodesse entworfen. Der Wille der Autorin, sich nicht
dem Systemzwang akademischer Schularbeiten unterzuordnen, sondern
eigene Strukturprinzipien zu entwickeln, ist deutlich erkennbar und positiv zu verbuchen. Endres versteckt ihr konkretes ‚Ich' nicht hinter der
geborgten Autorität des ‚Verfasser-wir'. Sie sagt ‚Ich', wenn sie ‚Ich'
meint, und besteht darauf, ihre Subjektivität als produktive Instanz zur
Triebfeder ihrer Untersuchungen zu machen. Das ist durchaus legitim
und kennzeichnet den feministischen Wissenschaftsansatz, der sich –
ähnlich wie der historisch-materialistische – gerade dadurch auszeichnet, daß er die Kategorie der Objektivität als ideologische Fiktion ent-
tarnt.

So weit, so überzeugend. Doch wie soll eine kritische Auseinandersetzung mit einem Buch aussehen, das den Leser gleich auf der ersten Seite
mit der Drohung überfällt, die Autorin habe mit Bernhard „eine alte
Rechnung zu begleichen", sei gar nicht daran interessiert zu „interpretieren", sondern wolle lediglich „die Zersetzung eines männlichen Diskurses betreiben" (7). Und so startet Endres ihre Untersuchung gleich-

sam wie mit Faustschlägen. „Die Paranoia der männlichen Kraft", heißt es in ihrem Eingangskapitel, „zielt aufs Äußerste: den Tod. Aber ihr mit Leichen gepflasterter Weg zeugt nicht von Produktion, sondern von Überaffirmation. Der Tod ist das Schrecklichste, er läßt von der Männerkraft nichts übrig; was sie zeugen, stirbt, was sie gezeugt haben, sind Ruinen" (11). Der Django-Ton ist unüberhörbar. Das anvisierte Countdown schwingt bereits mit. Doch ist es nicht in erster Linie der Kriegston, der hier verärgert, sondern der systematische Ausschluß des Lesers. Interpretiert wird nicht, basta. Ableitungen und Begründungen, die den Rezipienten in die Lage versetzen könnten, das von Endres Behauptete zu überprüfen, oder auch nur nachzuvollziehen, bleiben ausgespart. Schließlich geht es um „eine alte Rechnung", und dabei ist – nach den Regeln des Genres – jeder Dritte zu viel. Ria Endres stand früher einmal im Bann von Thomas Bernhard. Inzwischen hat sie ihn als Kultur-Killer entlarvt. Die Teufelsaustreibung kann beginnen.

Doch wie lautet die Anklage?

1. „Thomas Bernhard will Patriarch sein. [. . .] Seine Ahnengalerie wird durch Patriarchenworte, Zitate, vor allem aber durch die Namensnennung von Philosophen, Schriftstellern, Musikern, Malern etc. gefüllt" (17). 2. „Die Frau" und „alles Weibliche" werden ausgeschlossen und tauchen „allenfalls als wortloses Accessoire auf" (12). 3. „Bernhards Texte sprechen die Sprache des Mißtrauens. Sie werden geschrieben gegen die Gesellschaft, gegen Wissenschaft und Kunst, gegen die Sexualität, gegen die Frau . . . nur nicht gegen die Sprache selbst" (22). „Die Frauen dagegen sprechen nicht" (25). 4. Bernhard hat „Angst vor der Natur", „vor der Frau" und „vor dem eigenen Körper. Die große Abwehr sinnlicher Bedürfnisse als sexueller Lust geht einher mit der sinnlichen Gebundenheit an das Sprechen. Die Maßlosigkeit, die Sehnsucht nach der Begierde hängt sich in die Superlative" (27). 5. Bernhard benutzt „das Abstraktionsniveau des denkerischen Diskurses", das „so leer" ist „wie die Wiederholungsrituale". Er stellt sich „in die direkte Unterordnung unter den Fetisch Denken. Ihm werden beinah alle menschlichen Beziehungen geopfert" (53 f.). 6. „Bernhard kämpft mit dem Kopf gegen den Leib." „Der Kopf ist wichtig, der Leib soll unwichtig sein. [. . .] Der Kopf ist männlich. Von ihm aus wurde die Trennung vom Leib betrieben" (45). 7. „Die Männerserien bewegen sich als Marionetten des Patriarchats. Sie praktizieren geistige Onanie und versetzen sich mit der Bewegung der Wörter in einen vororgiastischen Todestaumel. Das große Universum der männlichen Geniewelt ist eine Landschaft des Todes" (97).

Derjenige, der die Bernhard-Texte kennt, wird Endres in vielen Punkten Recht geben müssen. Seine Frauengestalten sind tatsächlich sehr viel schemenhafter geraten als die der Männer, rekrutieren sich zumeist aus Fleischhauer- und Gastwirtsfamilien, sind verkrüppelt oder irgendwie debil. Immer dort, wo sich die Autorin konkret auf das Bernhard-Oeuvre konzentriert, gelingen ihr genaue und brillant formulierte Passagen. Aber mit solchen Detailkenntnissen mag sich Endres offensichtlich nicht begnügen. Ihre Abrechnung zielt aufs Ganze. Nicht den einen Pascha will sie aufs Korn nehmen, sondern das gesamte Pascha-Geschlecht seiner physischen und psychischen Impotenz überführen. „Die Männer sind am Ende angelangt" (101), heißt es apodiktisch am Schluß ihrer Darlegung.

An dieser Stelle möchte ich mein Veto erheben. Nicht unbedingt aus ‚Erbarmen mit den Männern', sondern nur des von der Verfasserin so übelbeleumdeten wissenschaftlichen Diskurses wegen. Denn Folgendes fällt hier auf: Endres zieht lautstark und mit handfesten Geschossen gegen die literarische Ausklammerung der Frau zu Felde, bezichtigt nicht nur Bernhard, sondern sämtliche Männer der Feder der Marginalisierung, ja Eliminierung der Frau. Nur Väter, männliche Vorbilder und Götter – so die Autorin – hätten Chancen, von den Söhnen zur Kenntnis genommen zu werden. Aber wie sieht es denn diesbezüglich bei den Töchtern aus? Wie hält sie selbst es mit dem Vorbild ‚Mann'? Für eine deklarierte Apologetin in Sachen Frau ist es einigermaßen verblüffend, keinerlei Hinweise (mit Ausnahme von zwei versteckten Verweisen in den Anmerkungen) für irgendwelche weiblichen Vorarbeiten auf diesem Gebiet zu erhalten. Die Entdeckung der Aussparung der empirischen Größe ‚Frau' in der europäischen Kulturgeschichte ist so ganz neu ja nicht, jedenfalls keineswegs eine Trouvaille der Endres. Wieso denn, frage ich mich nicht ohne Verwirrung, finde ich in ihren Zitaten und Anerkungen nur die altbekannten großen Männernamen wieder, lese von Pascal, Rimbaud, Nietzsche, Foucault, Freud, wieder Freud und nochmal Freud, Bloch, Adorno, den modischen Deleuze/Guattari, Kafka, Bacon, Lorenzer und Reich-Ranicki? „Thomas Bernhard will Patriarch sein", hatte der 1. Anklagepunkt gelautet. „Seine Ahnengalerie wird durch Patriarchenworte, Zitate, vor allem aber durch die Namensnennung von Philosophen, Schriftstellern, Musikern, Malern etc. gefüllt" (17). Genau diese Versammlung finde ich aber auch bei Endres wieder. Die wirklichen Pionierinnen und Theoretikerinnen eines weiblichen Diskurses, Frauen wie Simone de Beauvoir, Betty Friedan, Kate Millett, Hélène Cixous, Luce Irigaray, Julia Kristeva, Marianne Schuller und Silvia Bovenschen – um nur die profiliertesten zu nennen – werden von Endres keines einzigen Wortes, geschweige denn Gedankens gewürdigt. Der diskrete Charme des Patriarchats hat ihr offensichtlich schon den Blick getrübt für das, was Frauen heute wirklich zu sagen haben.

Vollends irritierend aber ist der Schluß des Buches, der in diametralem Gegensatz zur Intention des Ganzen steht und eine versteckte Hommage an „die Wörter der Patriarchen" enthält. Denn entgegen der Behauptung der Autorin, daß „die Männer am Ende angelangt" seien (101), haben sie bei ihr das letzte Wort und weisen ‚Frau' sogar den Weg. „Da der Mann [. . .] ihr den reinen Widerschein ihres Wesens gibt, so wird auch sie Dichter sein" (115), sagt der letzte Patriarch. Doch all das geschieht auf recht opake Weise – um einen Lieblingsausdruck der Autorin aufzugreifen – und erschließt sich dem Leser erst beim 2. analytischen Blick. Denn der hier gemeinte Wegweiser des anderen Geschlechts, Arthur Rimbaud, spricht sozusagen fuori campo, tritt also im Textkorpus gar nicht auf, sondern schickt seine vor 110 Jahren verfaßte Botschaft an die Frauen – so will es Endres – durch das Medium der letzten Fußnote, ohne an dieser Stelle auch nur Spuren seines Namens zu hinterlassen. Wer hier also was wo sagt, muß erst recherchiert werden. Aber vermutlich ist die Recherche eine Kategorie aus dem „männlichen Diskurs" und von daher abzulehnen. Ich fühle mich einigermaßen düpiert.

Wenn auch Rimbaud das letzte Wort spricht, so ist es doch nicht das gewichtigste. Das hat hier Sigmund Freud. Ohne ihn wäre Endres' Buch nicht denkbar, denn seiner Psychoanalyse entleiht sie ihr Instrumentarium. Einmal abgesehen davon, daß die Verfasserin auf diese Weise erneut das Patriarchat anpumpt und sich den männlichen Diskurs zunutze macht, der – ihrer eigenen Aussage zufolge – doch längst auf dem Campo santo modern müßte, vollzieht sie damit, literaturwissenschaftlich gesprochen, eine Rückwärtswendung in die 30er Jahre. Denn die eigentlichen ‚Hoch'-Zeiten der psychoanalytischen Literaturmethode lagen – zunächst von Freud selbst initiiert – kurz nach der Jahrhundertwende und noch einmal, aufgegriffen von Literaturwissenschaftlern wie Hellmuth Kaiser und Hermann Pongs, in den 30er Jahren. Denn von dem, was in den 60er und 70er in Frankreich von und um Jacques Lacan sowie Janine Chasseguet-Smirgel auf psychoanalytischem Sektor weiterentwickelt wurde, nimmt Endres keinerlei Kenntnis. Sie begnügt sich bei ihren Rundumschlägen mit den immer gleichen Erklärungsgründen: der Kastrationsangst, dem Ödipus- und Elektra-Konflikt sowie dem fortwährenden Schrecken vor der archaischen Mutter, der seinen Niederschlag in der Eliminierung der Frau findet. Das Gefährliche an diesem

Verfahren ist sein Absolutheitsanspruch. Denn die Autorin meint, allein in der Darstellung der Bernhardschen Männerporträts den endgültigen Zusammenbruch des patriarchalischen Gesellschaftssystems erkennen zu können.

Doch was ist eigentlich die von Endres angebotene Alternative zum abstrakt-rationalistischen männlichen Diskurs? „Es sind dies die Räume der Lust, des Traums, des Wahnsinns, . . . der Frau" (101). An anderer Stelle ist die Rede von der Frau als Repräsentantin von Natur, Leib und Sexualität. Hier scheint mir Rousseau mit im Bunde zu sein und die Reduzierung des Weiblichen auf die längst bekannte Formel des Naturhaft-Sinnlichen fröhliche Urständ zu feiern. Die Abgrenzungen in männliche und weibliche Territorien, die Zuweisung der Frauen in die Nachträume der Kultur, abseits etablierter Öffentlichkeitsforen ist eine gefährliche Alternative. Sie perpetuiert die seit Jahrhunderten geltende Geschlechtertrennung und besiegelt den Auszug der Frau aus der Geschichte. Die Türen des alten Käfigs stehen schon wieder offen.

Mit „anderen Vorzeichen" betreibt Endres in ihrer Darlegung das Ewiggleiche. „Mit gut/böse, weiblich/männlich", schreibt Friederike Hassauer bei ihren Überlegungen zu einem weiblichen Diskurs sehr zu Recht, „ sortiert man die eine komplizierte Welt in zwei einfache, in Unterdrückte und Unterdrücker. Die Frage nach den Ursachen wird zur Frage nach den Drahtziehern, zur Schuldfrage; ausgelagert auf die andere Seite, hinüber zum Gegner. Eine fatale Projektions- und Verdrängungsleistung schiebt die Gründe der Deformation und noch alle Spuren der Verstümmelung auf das Gebiet des Nicht-Ich, des ganz Anderen jenseits der Identität. Die ist die Gegenwelt Weiblichkeit: mythisch definiert im Rückgriff auf den weiblichen Körper, seine Natur, seine Emotionalität, auf die Geschichte als die Geschichten von Göttinnen und Hexen." (Notizbuch 2, Berlin 1980, S. 50)

Wenn ich nun, fast am Ende angekommen, das Verhältnis von Faszinierendem und Ärgerlichem noch einmal überprüfe, gelange ich zu dem folgenden Ergebnis: Die Faszination dieser Arbeit geht vor allem von der Sprache aus. Indem Endres für altbekannte Tatbestände eine neue Metaphorik findet, oder hinlänglich beschriebene Prozesse in ungewohnte Zusammenhänge stellt, indem sie Wortfeldvermischungen und Zitatmontagen fabriziert, verleiht sie ihren Texten ein Höchstmaß an Reizwerten. Sätze wie die folgenden sind ganz fraglos lustvoll zu lesen: „Es gibt wenig unfolgsame Söhne. Reiche unfolgsame Söhne fressen das Erbe auf, folgsame Söhne vermehren es und bilden ‚Tochtergesellschaften'! Die Söhne von Philosophen und Schriftstellern können die Werke ihrer

Väter nicht auffressen, sondern nur übertrumpfen, indem sie noch größere Väter werden. Ein ständiger Kampf also" (16 f.).

Deutlich wird: Es ist weniger das ‚Was‘, das hier besticht, sondern vielmehr das ‚Wie‘. Nicht das Gesagte ist das eigentlich Interessante oder gar Progressive, sondern die Art und Weise seiner Verpackung. Das geht zum Teil so weit, daß an manchen Stellen die Buntheit des Outfits die Fadheit des Gedankens überdeckt. Die ästhetische Dimension ist ganz fraglos ihr Revier. Das Ergebnis ist einigermaßen verblüffend, denn damit steht die Autorin in enger Nachbarschaft und direkter Beziehung zu ihrem ‚Gegner‘ Bernhard. Auch er fasziniert ja in erster Linie durch Sprache. „Es gibt keine Veränderung, keine Perspektive. Nur die Sprache bewegt sich" (25), wirft Endres ihrem Erzpatriarchen vor. Das Gleiche ließe sich auch von ihr behaupten. Die einzige Perspektive hat sie in eine Fußnote gesteckt, in der Rimbaud ein paar pathetische Sentenzen aus dem vorigen Jahrhundert zum Besten gibt. Sollte das der weibliche Diskurs sein?

Renate Möhrmann

Personenregister
(erstellt von Beatrix Kampel)

Scriptors
Geschichte der deutschen Literatur
Von den Anfängen bis zur Gegenwart
Von Viktor Žmegač / Zdenko Škreb / Ljerka Sekulić
410 Seiten mit etwa 100 Abbildungen, geb. DM 29,80
ISBN 3-589-20782-5

Weshalb denn noch eine Literaturgeschichte? Gibt es nicht schon längst genug?
Die neue ,Geschichte der deutschen Literatur' vereinigt vier Vorzüge in einem
Band. Das Buch

- stellt den **Kanon der Überlieferung für den zeitgenössischen Leser** vor. Das
  heute noch Bekannte und Gelesene tritt in den Vordergrund. Nach einem
  kurzen Überblick über die Literatur vom Mittelalter bis zur frühen Neuzeit
  steht die Zeit vom 18. bis 20. Jahrhundert im Mittelpunkt. Breiten Raum
  nimmt das 20. Jahrhundert ein – bis hin zur unmittelbaren Gegenwart.

- verhilft zur **Orientierung über literaturgeschichtliche Zusammenhänge:** über
  die Merkmale der literarischen Epochen, die historische Bedeutung von
  Strömungen und Gruppierungen, die Geschichte ästhetischer Fragen und
  Auseinandersetzungen.

- informiert nicht nur im großen Überblick, sondern bietet auch eine **Fülle
  von biographischen Hinweisen** auf Autoren und **Kurzinterpretationen** ihrer
  Werke.

- ist als Abriß der deutschen Literaturgeschichte in der Darstellung vor allem
  didaktisch orientiert. Anders z. B. als das auf fünf Bände angelegte Werk,
  das von Viktor Žmegač bei Athenäum herausgegeben wird, ist dieser Band
  als Einführung angelegt.

Vier überzeugende Argumente für die neue einbändige Geschichte der deutschen
Literatur bei Scriptor.

Die Autoren:
Professor Dr. Viktor Žmegač, Professor Dr. Zdenko Škreb und Dr. Ljerka
Sekulić sind Germanisten an der Universität Zagreb und durch zahlreiche Pub-
likationen bekannt.

Verlagsgruppe
Athenäum · Hain · Scriptor · Hanstein
Postfach 1220 · 6240 Königstein/Ts.

In Sachen Thomas Bernhard

Herausgegeben von
Kurt Bartsch · Dietmar Goltschnigg
Gerhard Melzer

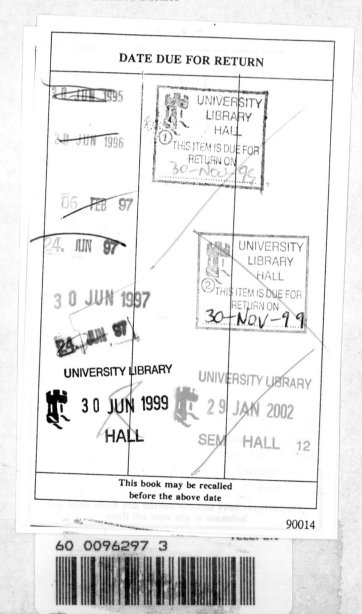